Karl-Heinz Regnat

Focke-Wulf

(Teil 1: Zivile Ausführungen)

Bernard & Graefe Verlag

Quellenangabe

Die vorliegende Dokumentation wurde, wo immer es möglich war, auf der Basis von Orginalmaterial erstellt. Einschlägige Literatur wurde jedoch ebenfalls zu Rate gezogen. Es handelt sich hierbei um folgende Werke (Auszug):

Beeck, Verkehrsflugzeuge der Welt 1919-2000
Bowers, Boeing
Braunburg, Die Geschichte der Lufthansa
Budraß, Flugzeugindustrie und Luftrüstung
Conradis/Tank, Nerven, Herz und Rechenschieber
Davis, Airliners of the United States since 1914
Francillon, McDonnell-Douglas, Vol. 1
Francillon, Lockheed
Green, Warplanes of the Third Reich
Giger, Kolben-Flugmotoren
Gütschow, Die deutschen Flugboote
Heimann, Flugzeuge der deutschen Lufthansa
Rosch, Luftwaffe, Codes, Markings and Units 1939-1945
Schneider, Flugzeug-Typenbuch 1939/40
Sengfelder, Flugzeugfahrwerke

Reihe: Die deutsche Luftfahrt (Bernard & Graefe Verlag, Bonn)
Band 1 – Wagner, Kurt Tank »Konstrukteur und Testpilot bei Focke-Wulf«
Band 2 – Gersdorff, Grasmann, Schubert »Flugmotoren und Strahltriebwerke«
Band 5 – Köhler »Ernst Heinkel – Pionier der Luftfahrt«
Band 7 – Trenkle »Bordfunkgeräte«
Band 9 – Lange »Typenhandbuch der deutschen Luftfahrttechnik«
Band 24 – Wagner »Hugo Junkers – Pionier der Luftfahrt«
Band 28 – Seifert »Der deutsche Luftverkehr 1926-1945«

Die Dokumente und Fotos entstammen der Sammlung des Autors, den Sammlungen verschiedener Herren, welche nachstehend Erwähnung finden, EADS-Heritage, der Lufthansa, Air France und dem Bernard & Graefe Verlag. Besonderer Dank gilt den Herren Willbold und Mühlbauer von EADS, welche die Arbeit des Autors mit umfangreichem Material in wesentlicher Form unterstützten. Das schriftliche Material, ausgewiesen als Orginaldokumente, wurde aus Orginal-Flugzeug- und Motorenhandbüchern wiedergegeben.
Abschließend möchte es der Autor nicht versäumen, nochmals allen Personen und Institutionen seinen herzlichsten Dank auszusprechen, ohne deren freundliche Unterstützung diese Dokumentation nicht verwirklicht hätte werden können. Nicht minderer Dank gilt hierbei auch den Herren Michael Baumann, Arnd Siemon und Herrn Ralf Swoboda, der die ansprechenden Farbzeichnungen erstellte sowie Herrn Ralf Schlüter, der den Bau der Modelle übernahm und seine Erfahrungen in einem Baubericht zusammenfasste.

Herstellung und Layout: Walter Amann, München
Satz: B. Krahmer, München
Reproduktionen, Druck und Bindung: Isarpost GmbH, Altheim
Printed in Germany

ISBN 3-7637-6036-9

Inhaltsverzeichnis

Prototypen einer neuen Ära . . . 5
Evolution – Der Weg zur Fw 200 . . . 5
Der »Condor« wird »flügge« . . . 5
Ausführungen von Kurt Tank . . . 5
Wandelfähig – Die Fw 200 V1/S1 . . . 10
Erfahrungen der Lufthansa mit Fw 200-Flugzeugen 10
Ergebnisse der Erprobung . . . 10
Ferne Ziele . . . 11
Der PR-Flug Berlin – Kairo – Berlin . . . 11
Pressebericht zum Kairoflug . . . 12
Brückenschlag – Der Atlantikflug der D-ACON . . . 12
Pressebericht zum Amerikaflug . . . 17

Die Reise nach Nippon
Der Fernflug Berlin – Tokio . . . 18
Presseberichte zum Japanflug . . . 19
Die Notwasserung vor Manila . . . 20
Presseberichte . . . 22
Die Versuchsmuster Fw 200 V1 bis V3 . . . 23

Serienstand – Die Zivilversionen . . . 25
Das Muster Fw 200 A-0 . . . 25
Die Fw 200 B . . . 26
Fw 200 B-1 . . . 26
Die Fw 200 D . . . 26
Exportausführungen mit Tabelle . . . 26
Tabelle mit technischen Daten . . . 29
Das Projekt Fw 200 L . . . 29
Viermotorige Airliner-Konstruktionen in Deutschland (Fw 300, Ju 290/390, Ju Efo-21-3, Ar E 390) . . . 31

Airliner – Der »Condor« im Dienst der Zivilluftfahrt 33
Lebensläufe – Die Fw 200 im Dienst der Lufthansa 33
Fw 200 V1 »Brandenburg« . . . 33
(Werknummer 2000, D-AERE/D-ACON)
Fw 200 V2 »Westfalen«
(Werknummer 2484, D-AETA) . . . 33
Fw 200 A-0 »Saarland«
(Werknummer 2893, D-ADHR) . . . 35
Fw 200 KA-1 »Dania«
(Werknummer 2894, OY-DAM) . . . 37
Fw 200 A-0 »Nordmark«
(Werknummer 2895, D-AMHC) . . . 38
Fw 200 KA-1 »Jutlandia«
(Werknummer 2993, OY-DEM) . . . 39
Fw 200 A-0 »Friesland«
(Werknummer 2994, D-ARHW) . . . 41
Fw 200 A-0 (Werknummer 2995,
D-ASBK / PP-CBJ) . . . 42
Fw 200 A-0 (Werknummer 2996,
D-AXFO / PP-CBI) . . . 43
Fw 200 A-0 »Grenzmark«
(Werknummer 3098, D-ACVH) . . . 44
Fw 200 A-0 »Ostmark/Immelmann III«
(Werknummer 3099) . . . 45
Fw 200 A-0 »Kurmark«
(Werknummer 3324, D-ABOD) . . . 46
Fw 200 B (V4/V10), Werknummer 200-0001 . . . 47
Fw 200 D-1 (ex KB-1) »Kurmark«
(Werknummer 200-0009, D-AEQP) . . . 47
Fw 200 D-1 (ex KB-1) »Westfalen«
(Werknummer 200-0010, D-AFST) . . . 47
Fw 200 D-2a (ex KC-1) »Rheinland«
(Werknummer 200-0019, D-AWSK) . . . 47
Fw 200 D-2b (ex KC-1) »Holstein«
(Werknummer 200-0020, D-ACWG) . . . 48
Fw 200 D-2c (ex KC-1) »Pommern«
(Werknummer 200-0021, D-AMHL) . . . 48
Fw 200 C . . . 49
Zeugnis – Der »Condor« im Urteil der DLH . . . 49

Auf den Spuren des »Condor«
Die S.E. 161 »Languedoc« . . . 51
Technische Daten verschiedener Flugzeugmuster aus England, den Niederlanden, Italien, Frankreich und USA . . . 53
Fokker F. XXXVI . . . 53
SM 74 . . . 53
Dewoitine D.338 . . . 53
S.E. 161 . . . 53
Douglas DC-4 E . . . 53
Douglas DC-4-1009 . . . 53
Boeing B 307 . . . 53
Boeing B 377 . . . 53

Die Technik der Fw 200 A . . . 54
Allgemeine Darstellung . . . 54
Kurt Tank zur Sicherheit des mehrmotorigen Flugzeugs . . . 54

Das Rumpfwerk . . . 57
Der Führerraum (Flugzeugführerbereich, Funker Navigator) . . . 59

Der Passagierbereich . . . 62
Das Rumpfvorderteil . . . 62
Das Rumpfmittelteil . . . 62
Der hintere Rumpfbereich . . . 64

Der Leitwerksbereich . . . 65
Das Höhenleitwerk . . . 65
Die Höhenruder . . . 65
Das Seitenleitwerk . . . 66
Das Seitenruder . . . 66
DLH-Bericht (Auszug) . . . 67

Das Tragwerk . . . 67
Allgemeine Anmerkungen . . . 67
Der Innenflügel . . . 69
Der Außenflügel . . . 69
Die Steuerflächen . . . 70
Die Landeklappen . . . 70
DLH-Bericht (Auszug) . . . 72

Das Steuerwerk . . . 72
DLH-Bericht (Auszug) . . . 72

Das Hauptfahrwerk . . . 72
Die einfachbereifte Ausführung . . . 72
Die Fahrwerksklappen . . . 74

Das Spornrad 74

Die Triebwerke 74
BMW 132-Versionen im Rahmen des Fw 200-Programms (-132 G/L) 75
BMW 132 Dc-Werksbeschreibung 75
Technische Daten BMW 132-Triebwerke 79
Das Einheitstriebwerk BMW 132 H/1 (für Zivilbaureihen und Fw 200 C-1/-2) 79
Technische Daten BMW 132 H1 (Schnellwechseltriebwerk) 79
Der Pratt & Whitney »Hornet« 80

Das Treibstoffsystem 81
Die Treibstoffbehälter 81
Das Tank-Schaltschema 81

Das Schmierstoffsystem 81
Die Schmierstoffbehälter (Motorgondel) 81

Die Luftschrauben 81

Die Funkausrüstung 83

Die Werkstoffe 83

Technische Daten im Detail – Fw 200 A 84

Die Fw 200 im Urteil der Lufthansa 87

Die Konkurrenz zur »Condor« im Bild 87

In Serie – Die Produktion für den Zivilmarkt 90
Allgemeine Anmerkungen 90
Die Produktion der zivil genutzten Fw 200 91
Diagramm (Die Fertigungszahlen der Zivil- und Militärflugzeuge) 92
Werknummern-Verzeichnis der Zivilversionen 93

Baubericht Focke-Wulf 200: Der »Condor« im Modell 94

Quellenangabe 2

Prototypen einer neuen Ära

Evolution – Der Weg zur Fw 200

In der zweiten Hälfte der dreißiger Jahre sollte in Deutschland ein Passagierflugzeug namens »Condor« entstehen, welches Schönheit und Leistungsfähigkeit vereint. Alles, was die bisherige Ingenieurkunst auf diesem Gebiet zu leisten vermochte, sollte in den Bau einfließen. Wie so oft in der Geschichte der Luftfahrt begannen die ersten Schritte der zukunftsträchtigsten Projekte an ungewöhnlichen Orten. So auch im Fall des »Condor«, geschehen im März des Jahres 1936. Kurt Tank, einer der damaligen Spitzenkonstrukteure der deutschen Luftfahrt, befand sich gerade auf der Heimreise von seinem Skiurlaub in den Dolomiten. Unerwartet traf er den Technischen Leiter der Lufthansa, Dr. Stüssel. Beide warteten auf ihren Anschlusszug und so hatte man Zeit für Gespräche. Tank nahm die Gelegenheit beim Schopf und versuchte seinem Gegenüber das schon geraume Zeit in seinem Kopf spukende Projekt schmackhaft zu machen. Sein Argument, dass die technischen Möglichkeiten bereits ausreichend fortgeschritten sind, um ein solches Projekt in Angriff zu nehmen, entsprach im Prinzip auch der Meinung des Lufthanseaten. Einer der Gründe für derartige Überlegungen waren die weitreichenden Routen nach Afrika oder Südamerika, welche mit Flugbooten und denen als Stützpunkt dienenden Katapultschiffen einen wesentlichen Kostenfaktor darstellten, der mit dem Einsatz eines entsprechend geeigneten Landflugzeuges wesentlich vermindert werden könnte. Außerdem handelte es sich um einen kaum bedeutenden Bereich des Luftverkehrs mit der Bezeichnung »Luftpostdienst«, einer für den Passagiertransport im wirtschaftlichen Sinne völlig ungeeigneten Einrichtung. Der Hauptgrund war hingegen ein ganz anderer. Zu dieser Zeit mussten sich die Verantwortlichen der DLH eingestehen, dass die robuste Ju 52 alles andere als den neuesten technischen Standard repräsentierte und man daher einschneidende Wettbewerbsnachteile zu befürchten hatte. Die herausragendsten Beispiele sind in diesem Zusammenhang die beiden Douglas-Muster DC-2 und -3. Neben dem Gedanken an den die Kontinente verbindenden Luftverkehr spielten

Kurt Tank und Heinz Junge. Im Hintergrund Tanks Reisemaschine, die bekannte »Weihe« D-ALEX.

weitreichende und wirtschaftlich lukrative Verbindungen auf unserem Kontinent die wesentliche Rolle in den Überlegungen. So ist es weder von Seiten der DLH sowie von Tank selbst anzunehmen, dass Entscheidungen solcher Tragweite auf einem Bahnhof, gewissermaßen zwischen »Tür und Angel«, definitiv werden, auch wenn dies in der bisherigen Literatur meist so dargestellt wurde. All dies musste von wesentlich längerer Hand vorbereitet werden. In Tanks Biographie ist zu lesen, dass er auf dem Papier noch keine Projekte habe, aber im Kopf alles fertig sei. Man sollte die geschilderte Begebenheit allenfalls als intensiven Gedankenaustausch betrachten.
Im Transozeanverkehr setzte man zu diesem Zeitpunkt zwar noch auf das Flugboot, wie die legendären Boeing »Clipper« oder Short-Flugboote in sehr beeindruckender Art beweisen. Auch die Bemühungen von deutscher Seite, denkt man seinerzeit an die Do X, deren ungleich moderneren, projektierten Nachfolger Do 20, die Heinkel'sche He 120 oder die riesenhafte BV 222, diese Beispiele dokumentieren große und kostspielige Anstrengungen in dieser Richtung. Hier ein Landflugzeug einzusetzen war Fiktion – noch! Schon 1938 trat die D-ACON den Gegenbeweis an. Natürlich konnte die bis zur »Halskrause« mit Treibstoff betankte Fw 200 V1 nicht als Maßstab für einen kommerziell ausgerichteten Flug dienen. Doch war es ein sehr dramatischer und bedeutender Schritt in eine heutzutage perfektionierte Richtung.
Schon im Jahre 1935 trat die DLH an Dornier heran, ein ziviles Gegenstück zur Do 19 zu entwickeln. Dornier konzentrierte sich jedoch lieber auf den wirtschaftlich interessanteren militärischen Entwicklungszweig. Erst als sich hier ein Misserfolg abzeichnete, wurde bei Dornier die Zivilausführung forciert. Das »Rennen« machte schließlich Junkers mit seinem aus der Ju 89 entwickelten »Großen Dessauer«. Focke-Wulf hingegen hatte eine komplett neue Konzeption anzubieten. Hier befasste man sich jedoch bisher mit wesentlich kleineren Flugzeugen. Die Bremer zählten damals somit nicht unbedingt zu den erfahrensten Herstellern im Bereich Ganzmetallflugzeugbau. Freie Kapazitäten waren hier wohl das ausschlaggebende Kriterium für einen Entwicklungsauftrag. Allerdings muss hier angemerkt werden, dass Tank sich bereits während seiner Zeit bei Rohrbach intensiv mit dem Metall-Flugzeugbau beschäftigte.
Auch den Namen für seinen Viermotorigen hatte Tank bereits parat. Der »Condor«, benannt nach dem majestätischen Vogel der Anden, sollte schon bald in aller Munde sein. Doch zuvor hatten Tank und sein Team noch die Konstruktionsarbeit zu leisten. Unmittelbar nach seiner Rückkehr unterbreitete Tank seinem Oberingenieur Ludwig Mittelhuber die Vorgaben, nach welchen nun der entsprechende Entwurf zu erarbeiten war. Es handelte sich hierbei um einen Airliner mit schlankem, langgestrecktem Rumpf, ausgelegt für 25-30 Passagiere, trapezförmigen Flächen mit großer Streckung und einem viermotorigen Antrieb (BMW 132 G). All dies fand sich in der RLM-Ausschreibung vom Februar 1936 wieder. Man hatte wohl schon im Januar davon Kenntnis.
Der entsprechende Entwurf wurde von Focke-Wulf am 9. Juli 1936 beim RLM eingereicht. Es handelte sich hierbei eigentlich nur um ein Provisorium, welches vom RLM auch bemängelt wurde. Es wurde ein weiteres Angebot gefordert. Immerhin hatte man sich bei Focke-Wulf durch diesen

frühen Schritt im August 1936 einen Auftrag über zwei Prototypen gesichert. Das neue Angebot für zwei nun schon längst existierende Maschinen wurde im Juli 1938 dem RLM übergeben! Der entsprechende Bauauftrag wurde im Dezember 1938 erteilt, doch zu diesem Zeitpunkt flog die Fw 200 V1 schon längst.
Tank betrat mit dieser Konstruktion in vielen Bereichen, zumindest bei Focke-Wulf, technisches Neuland. Dennoch war der Erstflug des Prototyps innerhalb eines Jahres sein vordringliches Ziel. Den Lufthanseaten rang diese Aussage nur ein wohlwollendes Lächeln ab. Ihr Direktor von Gablenz machte die Probe aufs Exempel, wettete mit Tank um eine Kiste Sekt und fühlte sich bereits als Sieger. Es sollte trotz aller Zweifler anders kommen. Zwar hatte Tank diese Wette der Absprache nach verloren, überzog er doch den Termin um etwa drei Monate, gerechnet ab der Einreichung des ersten Entwurfs im Juli 1936. Aber unter größtem Arbeitseinsatz aller am Projekt beteiligten sowie einem Höchstmaß an Organisation konnte das Vorhaben in diesem geringen Zeitraum gelingen. Das Ergebnis dieser hektischen Zeitspanne stand nicht wie öfters berichtet am 27. Juli, sondern erst am 6. September 1937 zu seinem Jungfernflug bereit.
Die Eckdaten der Fw 200-Entwicklung in Kurzform:

- Januar 1936: Meinungsaustausch zwischen Kurt Tank und Dr. Stüssel (DLH).
- Februar 1936: RLM-Ausschreibung.
- Juli 1936: Focke-Wulf reicht das erste Angebot beim RLM ein.
- August 1936: Vorbescheid bezüglich eines Auftrags über zwei V-Muster. Klärung der Details zwischen Fw und DLH.
- Oktober 1936: Die Fw 200 wurde im Flugzeugentwicklungsprogramm des RLM erstmals genannt.
- Juli 1937: Rohbau-Prüfung der V1.
- August 1937: Flugklartermin V1.

Der mittlerweile in die Jahre gekommene Kurt Tank mit einem Modell der »Dania«.

- September 1937. Erstflug der V1 am 6.9.1937.
- Oktober 1937: Rohbau-Prüfung der V2.
  Öffentliche Vorstellung der Prototypen V1 und V2 in Berlin-Tempelhof.
- Februar 1938: Flugklartermin V2. Vorgabe des RLM.
- Juli 1938: Abgabe der entgültigen Baubeschreibung durch Fw an das RLM.
- November 1938: Entgültiger Bauauftrag durch das RLM.

Kurt Tank bemerkte anlässlich eines Vortrages am 25. November 1938 folgendes zum Werdegang seines »Condor«:

»Die im Rahmen der heutigen Veranstaltung verfügbare Zeit gestattet, nur einen kurzen Überblick über das Werden des Focke-Wulf ›Condor‹ zu geben. In der Zeit der schärfsten Anspannung aller Kräfte für den Aufbau der Deutschen Luftwaffe seit 1933 wurde nicht versäumt, auch die Entwicklung des Verkehrsflugzeuges im internationalen Luftverkehr aufmerksam zu verfolgen.
So konnte ich gelegentlich eines zufälligen Zusammentreffens mit Herrn Dr. Stüssel von der DLH erklären, dass wir in der Lage sind, der DLH in verhältnismäßig kurzer Zeit ein Flugzeugmuster neu hinzustellen, das in vollem Umfang den neuzeitlichen Anforderungen hinsichtlich Sicherheit, Wirtschaftlichkeit, Bequemlichkeit und Nutzraum entspricht.
Die Grundlage für diese Anforderungen, die über das Bestehende hinaus gehen mussten, bildeten auf der einen Seite die im Flugbetrieb der DLH gesammelten großen Erfahrungen und auf der anderen Seite der derzeitige Stand der Technik moderner Verkehrsflugzeuge.
Die erfolgreichsten Flugzeuge im Luftverkehr waren das dreimotorige Muster Ju 52 in Deutschland und das zweimotorige Flugzeugmuster Douglas DC-2 und das daraus entwickelte zweimotorige Muster DC-3 im Ausland.
Das Maß der Wirtschaftlichkeit und Sicherheit, das durch die genannten Flugzeugmuster bestimmt war, musste selbstverständlich bei einer kostspieligen Neuentwicklung überboten werden, um diese Entwicklung zu rechtfertigen.
Die eben genannte Wirtschaftlichkeit des Musters DC-3 musste also mindestens erreicht, wenn möglich, sogar überboten werden. Erschwerend hierfür war die von der DLH aufgestellte Forderung, mindestens 24 Sitze vorzusehen, da wir für eine einfache zweimotorige Anordnung in Deutschland nicht so starke Motoren zur Verfügung hatten, um die geforderte Nutzlast mit der notwendigen Sicherheit und Geschwindigkeit zu befördern. Eine Sicherheitsüberlegung war entscheidend dafür, dass eine dreimotorige Ausführung ebenfalls nicht in Frage kam. Zur Erklärung muss erwähnt werden, dass hinsichtlich der Sicherheit die einzelnen Triebwerksanordnungen in folgender Reihenfolge zu werten sind: An oberster Stelle steht das viermotorige Flugzeug, das nach Ausfall von zwei Motoren noch fliegen kann; dann folgt das zweimotorige Flugzeug, das nach Ausfall eines Motors noch fliegen kann; dann folgt das dreimotorige Flugzeug, das nach Ausfall eines Motors noch fliegen kann, und zuletzt folgt das viermotorige Flugzeug, das nach Ausfallen eines weiteren Motors genau wie das dreimotorige Flugzeug landen muss.
Von uns wurden daher der DLH nur viermotorige Anordnungen vorgeschlagen. Nach einigen Überlegungen wurde das Projekt auf Wunsch der DLH mit den erprobten und sehr betriebssicheren Motoren, Muster 132 G, der Bayerischen Motorenwerke als das Geeigneteste in engeren Betracht gezogen. Durch eingehende Untersuchungen und Rechnungen gelang es uns, das Flugzeug gewichtlich und räumlich so zu gestalten, dass sowohl die Wirtschaftlichkeitsforderungen erfüllt als auch die Flugfähigkeit nach Ausfall von zwei Motoren erreicht werden konnte.

Der Entwurf ergab als Wirtschaftlichkeitswert 655 to. km für 1000 PS-Stunden, d.h. eine um 43 % höhere Wirtschaftlichkeit als die Ju 52 und noch um 30 % höhere Wirtschaftlichkeit als die DC-3.
In dieser durchgearbeiteten Form wurde der Entwurf von der DLH angenommen und nach Genehmigung durch das Reichsluftfahrtministerium der Auftrag auf zwei Musterflugzeuge erteilt. An dieser Stelle möchte ich Herrn von Gablenz für das uns entgegengebrachte Vertrauen ganz besonders danken. Hinsichtlich der Herstellungszeit wurde von Focke-Wulf als Flugklartermin angegeben: ein Jahr nach Konstruktionsbeginn.«

Der »Condor« wird »flügge«

Nur unter größtem Arbeitseinsatz aller am Projekt beteiligten sowie einem Höchstmaß an Organisation konnte die schnelle Realisierung gelingen.
Im Rohbau befindlich wurde die V1 im Juli einer Prüfung unterzogen. Es war klar, dass der für den 1. August vorgesehene Flugklartermin unmöglich gehalten werden konnte. Merkwürdigerweise ist in der Tank-Biographie von einem »ersten Probeflug im Juli 1937« zu lesen. Der 6. September ist, wie nachfolgend vermerkt, von Tank selbst verbürgt. Somit gehört auch die Geschichte von der Fristüberschreitung von elf Tagen ins Reich der Fabel, zumindest was den Erstflug betrifft.
Gemäß des Flugzeugentwicklungsprogramms des RLM (vom 1.10.1936) sollte die V1 im November 1937 flugbereit sein. Die DLH forderte dies bereits im August. Am 6. September startete die Fw 200 V1 zu ihrem Erstflug. Kurt Tank zählte zu den wenigen Konstrukteuren, welche ihre Prototypen auf »Herz und Nieren« selbst testeten. Unter dem Dröhnen der vier amerikanischen Pratt & Whitney »Hornet« startete die V1 (zu diesem Zeitpunkt noch die Kennung D-AERE tragend) in ihr natürliches Element. Bereits nach kurzer Flugdauer kristallisierte sich die grundsätzlich solide Qualität des neuen Airliners heraus.
Während des Erstflugs machten lediglich die überausgeglichenen Höhenruder Schwierigkeiten. Tank und sein Copilot Hans Sander hatten hier mit sehr hohen Steuerdrücken zu kämpfen.

Ausführungen von Kurt Tank
»Nach Klärung der gesamten Anordnungs- und Ausrüstungsfragen an einer ersten Attrappe konnte am 1. August

Die Fw 200 V1 nimmt Gestalt an.

Die inneren Flächensegmente sind bereits durch die sogenannten Schraubenkränze mit dem Rumpf verbunden worden.

Das fertige Produkt in seiner ganzen Pracht. Aufgenommen während des ersten Probelaufs nach dem Roll out.

Frontansicht der Fw 200 V1.

Die Fw 200 V1. Die Zulassung D-AERE ist bereits angebracht.

Mit der Kraft von vier Pratt & Whitney S1E-G »Hornet« startet die D-AERE in Berlin-Staaken zu einem neuen Testflug.

1936 der Bau begonnen werden, und entsprechend wurde der Klartermin auf den 1. August 1937 festgelegt. Da jedoch im Winter 1936/37 der weitere Ausbau unserer Fabrikationsräume für Musterflugzeuge im Flughafen in Bremen durch frühzeitig eintretenden Frost unterbrochen wurde, konnte der Flugklartermin vom 1. August 1937 nicht gehalten werden. Trotz dieser Schwierigkeiten gelang es uns, soweit wieder aufzuholen, dass ich am 6. September 1937 den ersten Start ausführen konnte.
Die ersten Beobachtungen zeigten sofort, dass das Flugzeug unsere Erwartungen in vollem Maße erfüllte, und die weiter folgenden Messergebnisse lagen sogar über unseren errechneten Leistungen. Es soll nicht unerwähnt bleiben, dass außerdem das Rüstgewicht gegenüber dem Entwurf unterschritten wurde.
Die DLH war hingegen in der Beurteilung der Fw 200 noch nicht so enthusiastisch. In einem Bericht der Technischen Entwicklung der DLH wird über zu hohe Zylindertemperaturen berichtet, welche eine Änderung der Cowlings erforderlich machte. Zudem wurde die mangelhafte Flugstabilität um die Querachse beanstandet.«

Nachdem die Fw 200, verglichen mit anderen Flugzeugmustern, in Windeseile entwickelt wurde, und man zudem laufend auf Änderungswünsche des Kunden Rücksicht zu nehmen hatte, war es sicher nicht einfach, ein vollkommenes Produkt zu liefern. Außerdem waren in verschiedenen Bereichen des Ganzmetallbaus werksintern noch Erfahrungen zu sammeln. Trotz unter teils widrigen Umständen entstanden,

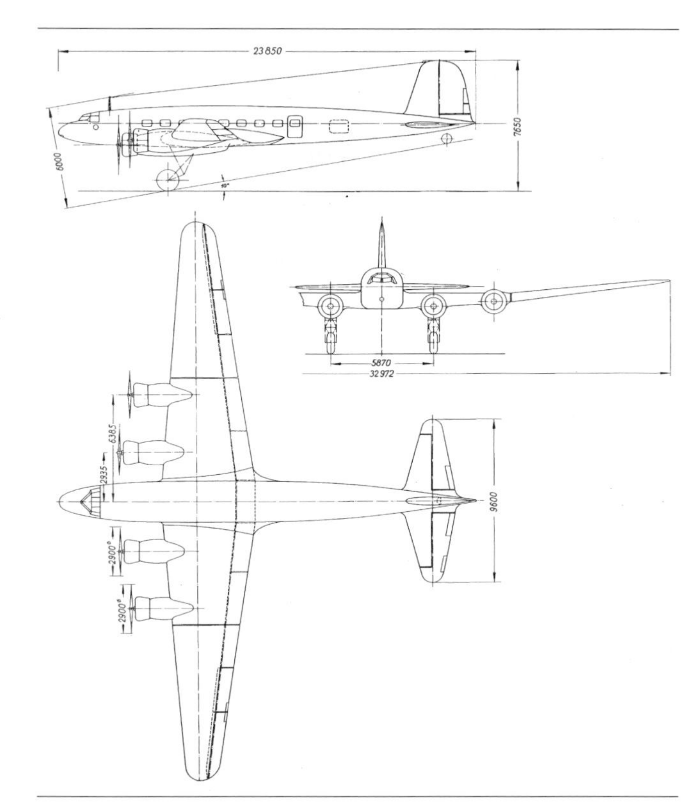

Dreiseiten-Ansicht der Fw 200 V1 in ihrer ersten Konfiguration.

Dieses Foto präsentiert die ganze Eleganz des »Condor«. Man beachte die ursprüngliche Form des Tragwerks.

Die Abteilung TE (Technische Entwicklung) der DLH unterzog den »Condor« intensiven Testreihen.

konnte sich das Ergebnis zweifellos sehen lassen. Die genannten Beanstandungen waren keine unüberwindlichen Hindernisse. Vielerorts herrschte in den Reihen der DLH zwar noch Skepsis bezüglich der Kompetenz des Herstellers eines solch komplexen Flugzeugs, die Skeptiker wurden jedoch schon bald »bekehrt«.
Interessant ist die Tatsache, dass im April 1937, also bereits ein halbes Jahr vor dem Erstflug des »Condor«, die DLH ihren Lieferanten aufforderte, entsprechendes Baumaterial für die Erstellung von drei zusätzlichen Maschinen zu ordern. Der sprichwörtliche »Pferdefuß« an dieser Sache war, dass die DLH sich nur verpflichtete, diese drei Flugzeuge zu übernehmen, wenn die Prototypen V1 und V2 den geforderten Leistungen entsprachen. Die V2 sollte für Februar 1938 flugklar gemeldet werden. Tatsächlich stand der 2. Prototyp schon Ende November 1937 zur Verfügung. Zum Jahreswechsel hatte diese Maschine bereits 60 Flugstunden, ihr Vorgänger zirka 30 Stunden im Flugbuch.

Wandelfähig – Die Fw 200 V1/S1

Im Zuge der anschließenden Testreihen durch Mitarbeiter von Focke-Wulf und der Lufthansa wurden Änderungen im Bereich der Tragflächen und des Leitwerks als unumgänglich erachtet. Der mangelnden Schwerpunktlage des Flugzeugs begegnete man nun mit einer Erhöhung der Pfeilung des Außenflügels. Dies führte zu einer Verringerung der Spannweite von 32,97 m auf 32,84 m. Der Flächeninhalt reduzierte sich aufgrund dieser Maßnahme von ursprünglich 120 m^2 auf 118 m^2. Diese Bauart kam erstmals bei der ersten Maschine der Vorserie zur Anwendung. Die entsprechenden Änderungen wurden auch im Prototyp V2 D-AETA »Westfalen« nachträglich verwirklicht.

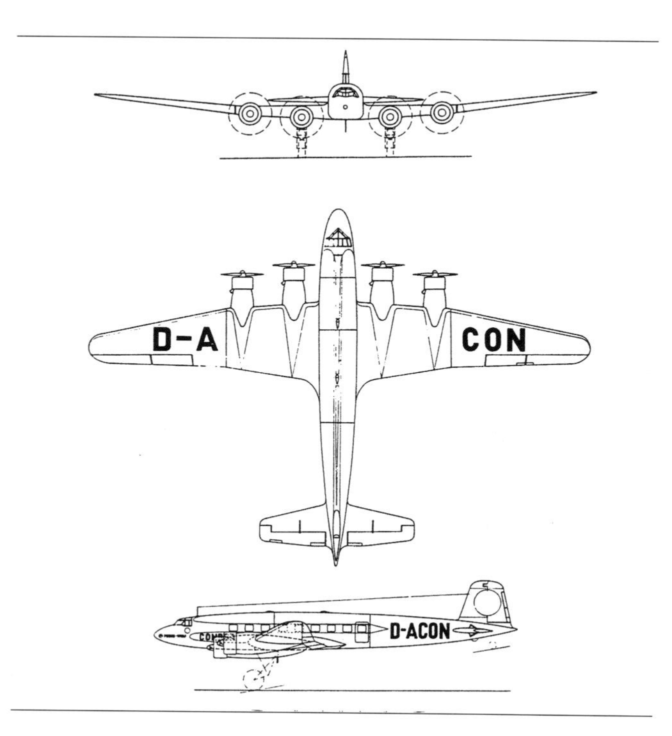

Dreiseiten-Ansicht der Fw 200 V1 mit neuem Tragwerk und BMW 132 L-Triebwerksanlage.

Die Fw 200 V1 nach dem Umbau für den Amerikaflug.

Erfahrungen der Lufthansa mit Fw 200-Flugzeugen

Ergebnisse der Erprobung bis zum Einsatz in den Streckenverkehr

»Die Lufthansa nahm das erste Flugzeug des Musters Fw 200 in Dauererprobung. Diese musste allerdings auf Wunsch des Herstellers schon nach etwa 70 Flugstunden abgebrochen werden, um das Tragwerk an verschiedenen Stellen zu verstärken. Das zweite Flugzeug (V2) setzte Anfang Mai 1938 die Erprobung fort und wurde von Anfang Juni an versuchsweise im Streckenverkehr eingesetzt. Die Nachprüfung der Flugleistungen ergab bei diesen beiden Flugzeugen sowie bei den anderen Stücken eine sehr gute Übereinstimmung mit den von der Baufirma garantierten Werten:
Die Flugeigenschaften machten am Anfang noch eine Reihe von Änderungen notwendig: Die Längsstabilität reichte bei den Flugzeugen V1 und V2 zunächst nicht voll aus. Der Indifferenz-Schwerpunkt lag bereits innerhalb des Bereiches der größten Betriebs-Schwerpunktrücklagen. Daraufhin wurde die Pfeilform der Außenflügel vom ersten Serien-Flugzeugs an vergrößert, eine Änderung, die nachträglich auch bei den V-Flugzeugen durchgeführt wurde. Gleichzeitig musste der strömungstechnisch günstige Übergang zwischen Flügel und Rumpf an der Flügelwurzel stark verkürzt werden, um die Abwindverhältnisse am Leitwerk zu verbessern.
Auf Grund der bei V1 und V2 festgestellten zu großen Querruder- und Seitenruderkräfte wurden die letzteren bei kleinen und mittleren Ausschlägen durch Einbau einer Differenzialsteuerung heruntergesetzt. Die Differenzialsteuerung wird nach und nach bei allen Fw 200-Flugzeugen der Lufthansa

eingebaut. Die gegenüber anderen Mustern verhältnismäßig großen Querruderkräfte wurden in Anbetracht der guten Querruderwirksamkeit, die nur verhältnismäßig kleine Ausschläge erfordert, nicht herabgesetzt.«
Ein weiteres V-Muster war die Fw 200 V3, welche mit BMW 132 G-Motoren ausgestattet zunächst unter der Zulassung D-ARHU »Ostmark« in Dienst gestellt wurde. Unter der Kennung D-2600 »Immelmann III« diente sie später Hitler, im Innenbereich stark modifiziert, als Reisemaschine. Die »Grenzmark« sollte als Führerbegleitflugzeug gebaut werden. Beide Flugzeuge wurden ursprünglich von der DLH beauftragt.

Ferne Ziele

Die Anfänge des heutzutage als selbstverständlich empfundenen Transatlantik-Luftverkehrs führen zurück bis in das Jahr 1919. Namen wie Read, Alcock, Brown und eine Reihe weiterer, wagemutiger Männer gingen aufgrund ihrer waghalsigen Versuche, Kontinente auf dem Luftwege miteinander zu verbinden, in die Annalen der Luftfahrt ein. Diese unbestritten riskanten Pionierflüge forderten von den Piloten und ihren bis zur »Halskrause« vollgetankten »Drahtkommoden« das Äußerste. Lilienthals Worte, »Opfer müssen gebracht werden«, spiegeln den Geist jener Männer wider, welche mit ihren Taten den Grundstein für die Möglichkeiten der Luftfahrt unserer Tage legten. In den Jahren 1926/27 schickten sich sechs weitere Besatzungen an, darunter berühmte Namen wie Fonck, Byrd und Nungesser, eine Brücke über den Atlantik in die »Neue Welt« zu schlagen. Einem bislang unbekannten Piloten namens Charles Lindbergh, vielerorts als »Fliegender Narr« verspottet, da er beabsichtigte, den Atlantik im Alleinflug und zudem in einer einmotorigen Maschine zu überqueren, gelang dieses Unternehmen allen Unkenrufen zum Trotz. Am 22. Mai des Jahres 1927 landete Lindbergh, nachdem er 5809 Kilometer in 33,5 Stunden nonstop zurückgelegt hatte, sichtlich erschöpft, aber wohlbehalten in Le Bourget / Paris. Der Aufstieg vom fliegenden Narren zum Nationalhelden war vollzogen. Bereits im April des Folgejahres schickte sich eine dreiköpfige Besatzung an, den »Großen Teich« in Ost-Westrichtung zu bezwingen. Hühnefeld, Köhl und Fitzmaurice überwanden mit ihrer robusten Junkers W33, der legendären »Bremen«, den in von Gegenwinden erschwerten Kurs in 36,5 Stunden. In der Folge sollten noch dutzende Pionierleistungen weltweit für Aufsehen sorgen. Mit dem Fortschreiten der Jahre befand sich auch die Luftfahrttechnik in einer ständigen Evolution. Die permanente Weiterentwicklung ließ schon bald hervorragende Verkehrsflugzeuge entstehen. Typenbezeichnungen wie Lockheed »Orion«, dessen deutschen Pendants Junkers Ju 60/160 und He 70, Douglas DC-2 sowie die ehrwürdige »Tante Ju« verkörpern den Inbegriff des vorhandenen, modernen Verkehrsflugzeugs der damaligen Epoche.
Doch nun zu den Leistungen einer neuen deutschen Flugzeuggeneration.

Der PR-Flug Berlin – Kairo – Berlin

Tank beschloss, um seinen »Condor« weltweit bekannt zu machen, einen Langstreckenflug mit Journalisten an Bord durchzuführen. Tanks Ziel war, die Route Berlin – Kairo – Berlin innerhalb von 24 Stunden zu bewältigen. Falls dieses Unternehmen gelänge, würde sich dies höchstwahrscheinlich auf die Füllung der Auftragsbücher sehr positiv auswirken. Also beschloss man die Macht der Presse entsprechend zu nutzen. Im Vorfeld dieses Unternehmens hatten die Organisatoren jedoch noch den lästigen »Papierkrieg« von drei Monaten Dauer zu gewinnen. Für diesen Flug wählte man die Fw 200 A-0 (S-1), welche als D-ADHR »Saarland« bereits zur Auslieferung an ihren künftigen Besitzer, die Lufthansa, bereit stand. Am 27. Juni 1938 waren alle Hürden beseitigt und der »Condor« erhob sich vollgepackt kurz nach der »Geisterstunde« von der Startbahn des Flughafens Tempelhof. Tank und seine Crew, bestehend aus seinem »Co« Hans Sander, dem Funker Heidfeld, den Bordwarten Bolin und Nienstermann sowie die wertvolle Journalistenschar und weitere Gäste an Bord nahmen Kurs auf Kairo. Die Maschine überflog zunächst die Tschechoslowakei, anschließend Ungarn und Jugoslawien mit Zielpunkt Saloniki in Griechenland. Hier landete die Maschine nach annähernd fünf Flugstunden und einer zurückgelegten Strecke von 1600 Kilometern. Die Zeit drängte, da eine Gewitterfront über dem Balkan bereits umflogen werden musste und das Auftanken der »Saarland« eine Stunde anstelle der veranschlagten 20 Minuten in Anspruch nahm. Außerdem handelte es sich hier ja um einen Rekordflug, wo jede Verzögerung von den Sportzeugen der FAI registriert wurde. Um 6.05 Uhr MEZ raste der »Condor« über die Startbahn und schwang sich wieder in die Lüfte, nun mit direktem Kurs auf Kairo.

Die DLH »Saarland« im Abstellbereich des ägyptischen Flugplatzes Heliopolis (27.6.1938).

Dieser 1555 km entfernte Zielpunkt wurde um 10.38 Uhr MEZ glücklich erreicht. Fast. Die Sache hatte leider einen kleinen Schönheitsfehler. Tank war, wie schon zahlreiche andere vor ihm, anstelle auf dem Zivilflughafen von Kairo auf einem Fliegerhorst der Royal Air Force gelandet. An und für sich nicht schlimm, da sich die Engländer schon an solche Besucher gewöhnt hatten. Bedauerlicher war, dass aufgrund dieses Missgeschicks weitere 35 Minuten bis zur Landung, nun auf dem ursprünglich vorgesehenen Flughafen Kairo-Heliopolis verloren gingen. Nach Abschluss der entsprechenden Vorbereitungen startete der »Condor« um 13.15 Uhr wieder zum Rückflug mit dem Etappenziel Saloniki. Der beim Start aufgewirbelte Sand und Staub war längst in alle Winde verweht, als Tank mit seiner wertvollen Fracht wieder wohlbehalten in Saloniki landete. Bereits um 18.45 Uhr stieg der »Condor« wieder in sein Element und nahm Kurs auf das Balkangebirge. Eine Hürde, die es zu überwinden galt, um wieder in die Heimat zu gelangen. Normalerweise stellte dies für den »Condor« kein Problem dar. Eine sich rasch nähernde Gewitterfront änderte die Situation jedoch sehr zum Nachteil. Tank hatte wenige Alternativen zur Lösung seines Problems. Ein Überfliegen der Gewitterfront in bis zu 8000 m Höhe schied aufgrund des Fehlens einer Druckkabine aus, das Überfliegen der Grenzen eines anderen Landes aus politischen Gründen ebenfalls. Umkehren kam für Tank ebenfalls nicht in Betracht, so blieb nur die Möglichkeit, sich den Unbilden der Natur zu stellen und das Beste zu hoffen. Mit einer Staffel Schutzengel als Begleitschutz wagte sich der »Condor« durch das Tor dieser brodelnden Naturgewalten. Die Struktur des Flugzeugs wurde bis auf das Äußerste belastet, die Insassen desselben kräftig durchgeschüttelt. Tank erkannte schon bald die Aussichtslosigkeit und Gefährlichkeit dieser Situation, zumal nun auch die Funkanlage streikte. Ein verantwortungsbewusster Pilot hatte auch damals zu wissen, wann er sich der Natur zu beugen hatte. In dieser Erkenntnis ging Tank zähneknirschend auf Gegenkurs. Saloniki war schon bald wieder erreicht, man freute sich, noch einmal glimpflich davongekommen zu sein, und schon schlug der »Pechvogel« wieder zu. Bei der Landung gab es einen sehr unsanften Ruck, welcher auf einen Defekt im Bereich des Spornrades zu suchen war. Die Folge: das Heck der Maschine wurde beschädigt. Eine missliche Lage, da fern der Heimat keine Ersatzteile zur Verfügung standen und so der Crew und den Passagieren somit eine Zwangspause verordnet wurde. Die zur Reparatur benötigten Teile wurden an Bord des kürzlich von der Lufthansa übernommenen »Condor« namens »Westfalen«(D-AETA) von Graf Schack eingeflogen. Der »Retter in der Not« beförderte sodann die strapazierten Passagiere wieder in heimatliche Gefilde. Tank folgte mit seiner Crew nach Abschluss der Reparaturen. Das Ergebnis des Unternehmens konnte sich trotz aller »Schönheitsfehler« sehen lassen. Die »Saarland« hatte eine Strecke von stolzen 3155 Kilometern (einfach) mit einer Durchschnittsgeschwindigkeit von 304,83 km/h in 10 Stunden und 21 Minuten durchmessen. Eine in diesen Jahren respektable Leistung.
Der Korrespondent des Berliner 12 Uhr-Blattes berichtete von der besonderen Atmosphäre in Tempelhof sowie in schillernden Worten den Start der »Saarland«:

Pressebericht: **390 km Reisegeschwindigkeit**

Berlin – Kairo – Berlin in 24 Stunden.

»Eine neue Großtat in der Verkehrsfliegerei soll heute vollbracht werden: Das neue viermotorige Großverkehrsflugzeug ›Condor‹ der Focke-Wulf Flugzeugwerke startete heute früh 0.10 Uhr vom Flughafen Tempelhof, um in einem hervorragenden Flug die 6200 Kilometer lange Strecke Berlin–Kairo–Berlin mit einer Zwischenlandung in Athen oder Saloniki zurückzulegen. Es handelt sich um keinen Rekordflug. Man will mit einer serienmäßig hergestellten Maschine die Flugtüchtigkeit eines der modernsten Großflugzeuge unter Beweis stellen.
Viele Gäste versammelten sich gestern in den Räumen des Flugbahnhofs, um Zeuge des Starts dieser Maschine zu sein, die trotz ihrer enormen Ausmaße einen für das Auge ästhetisch schönen und schnittigen Anblick bot. Der Riesenscheinwerfer richtete seinen Kegel auf den ›Condor‹, der an breiter Rumpffläche den Namen ›Saarland‹ trägt, die vier Propeller surrten ihr monotones Lied. Langsam rollte der Riesenvogel vor uns hin, wendete, stoppte er. Rollende Treppen wurden an den Einstieg herangeführt, mit frohen Gesichtern bestiegen die Fluggäste den silberglänzenden Rumpf der Maschine.
12.05 Uhr. Als letzter geht der Direktor der Focke-Wulf-Werke, Flugkapitän Tank, über die Treppe. Er ist der Schöpfer des Apparates, er wird auch über den größten Teil der Strecke die Maschine führen.
Die Tür schlägt zu. Die Treppe wird fortgerollt. Die surrenden Propeller starker Motoren stimmen ihr gewaltiges Lied an. Weich gleitet die Maschine der Anlaufbahn zu. Nochmals kurzer Aufenthalt. Schnell werden in der Ferne im gelben Scheinwerferlicht die Tanks mit Brennstoff nachgefüllt. Es ist soweit.
Donnernd jagt der herrliche ›Express der Lüfte‹ die Anlaufbahn herunter, weich, kaum sichtbar in der Dunkelheit, heben sich die Räder vom Boden, von den hellerleuchteten Fenstern grüßen die Fluggäste noch einmal zurück. Rasender wird die Geschwindigkeit. Ehe man noch das Wunder dieses nächtlichen Starts voll auskosten kann, ist der ›Riese der Lüfte‹ unseren Blicken entschwunden. Heute Abend schon gegen 22.00 Uhr wird er wieder in Tempelhof erwartet.«
Soweit eine zeitgenössische Darstellung der Anfangsphase dieses sicher nicht reibungslos abgelaufenen Unternehmens.

Brückenschlag – Der Atlantikflug der D-ACON

Im Vergleich zu einem Unternehmen, von dem nun zu berichten sein wird, stellte die eben geschilderte ägyptische Episode nur einen »kleinen Ausflug« dar. Nun sollte der »Condor« den Atlantik auf dem Luftwege bezwingen, wie sich schon dutzende Pioniere in den vergangenen Jahren vorher anschickten, den Sprung über den »Großen Teich« zu wagen. Bereits die legendäre Junkers W33 »Bremen« flog eine Route in der beschwerlicheren Ost-Westrichtung mit Landung in Labrador. Doch nun sollte das Ziel nicht eine verwaiste Gegend sein, sondern New York, ein Knotenpunkt des damaligen internationalen Schiffsverkehrs. Diesem galt es mit weitreichenden Flugverbindungen möglichst bald Paroli zu bieten.
Es handelte sich hierbei ursprünglich nicht nur um einen Transatlantikflug, sondern vielmehr um eine Umrundung des Erdballs. In Ost-West-Richtung sollte New York die erste Etappe darstellen. Weiter zur Westküste der Vereinigten Staaten mit Weiterführung der Route über Hawaii (Honolulu) mit Zielpunkt Tokio. Über den asiatischen Raum sollte die D-ACON wieder gen heimische Gefilde ziehen und mit der glücklichen Landung in Berlin den »Kreis« schließen. Soweit die ehrgeizigen Pläne. Die Realität sah hingegen anders aus. Solchen Vorhaben mussten die Amerikaner schon aus Prestigegründen entgegentreten. Wie bereits in anderen Fällen blockten die USA ab. Probates Mittel war die Verweigerung der Überflug- und Landerechte.
Gemäß dem Abkommen mit den USA waren mit der Lufthansa für 1938 insgesamt 28 Überquerungen des Nordatlan-

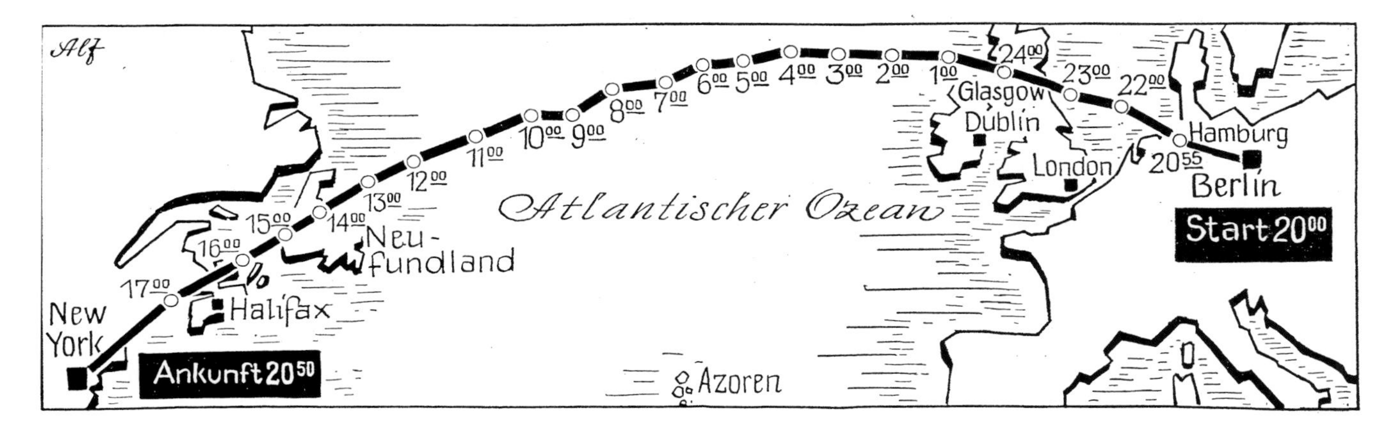

Die Strecke Berlin – New York in zeitlicher Einteilung.

tiks vereinbart worden. Vorgeschrieben waren nicht kommerzielle Versuchsflüge, welche bisher nur mit Wasserflugzeugen ausgeführt wurden. An die Möglichkeit, dass den mit Misstrauen betrachteten Deutschen gelingen könnte, diese endlosen Meilen mit einem nonstop fliegenden Landflugzeug zu durchmessen, dies zog wohl keiner der amerikanischen Verantwortlichen in Betracht. Der Luftverkehr zwischen beiden Nationen hatte durch die Hindenburg -Katastrophe bereits im Vorjahr ein dramatisches Ende genommen. Nun stand in New York ein gänzlich anderer potentieller Konkurrent auf dem Vorfeld und wurde von einer riesigen Menschenmenge willkommen geheißen. Floyd Bennett Field sollte nur eine Etappe darstellen, wurde aber zum Punkt der Rückkehr in die »Alte Welt«. Ein Erfolg, den man aus Gründen des nationalen Prestiges und handfesten wirtschaftlichen Interessen, aber auch aufgrund der Erkenntnis, dass die USA zu diesem Zeitpunkt dem »Condor« nicht viel entgegenzusetzen hatte, nicht gönnen konnte. In diesem Zusammenhang sei die Douglas DC-4 E erwähnt, welche jedoch im Prototypenstadium verblieb. Ohne Zweifel sorgte der »Condor« für Unruhe in den Chefetagen amerikanischer Airlines, Flugzeughersteller und Behörden. Mehrere Jahre zuvor verursachte dies die Lockheed »Orion« in Europa. Man erinnere sich, deutscherseits reagierte man hier mit einschlägigen Heinkel- und Junkers-Konstruktionen (He 70, Ju 60/160). Man kann mit Bestimmtheit annehmen, dass der Besuch der D-ACON das Denken in der US-Luftfahrtindustrie, aber auch die Politik der Airlines nachhaltig beeinflusste.
Dies als Hintergrundinformation zur damaligen Situation. Wenden wir uns nun der Fw 200 V1 sowie den Geschehnissen des spektakulären Fluges zu.

Große Reichweitentanks, später auch bei der Fw 200 C in Verwendung, erhöhten die Treibstoffmenge auf insgesamt 11.500 l.

Für Durchführung des geplanten Rekordfluges kam die bereits eingangs erwähnte Fw 200 V1 zu Ehren. Das weitere Dasein der V1 unterschied sich jedoch gravierend vom »Lebensweg« eines Prototypen. Der zuvor unter der Zulassung D-AERE »Brandenburg« gewissermaßen als »Versuchskaninchen« dienende »Condor« sollte im Rahmen eines extremen Unternehmens seine Qualität sowie die Grenzen des damals technisch möglichen der Weltöffentlichkeit drastisch vor Augen führen. Zuvor waren jedoch noch zahlreiche Vorbereitungen zu treffen, nicht zuletzt der Umbau des Flugzeuges selbst. Dort, wo ursprünglich stoffbespannte, bequeme Sessel, Tischchen und Leselampen dem

Äußerlich das Aussehen eines herkömmlichen Fw 200-Airliners. Erst die umfangreiche Tankanlage im Rumpf ermöglichte den Sprung über den Atlantik.

Die zum Flug benötigte Energie erzeugten anstelle der »Hornet« vier BMW 132 L.

Passagier das Reisen versüßen sollten, war nur pure Zweckmäßigkeit anzutreffen. Der Passagierbereich wurde nun als Treibstoffreservoir mit mehreren, zu beiden Rumpfseiten platzierten Tanks und dem dazugehörigen Leitungs- und Umpumpsystem genutzt. Erst diese Ausstattung des »Condor« als »fliegender Treibstoffbehälter« gestattete den Sprung über den Atlantik in die »Neue Welt«. Im Zusammenwirken mit den Flächentanks standen für die vier durstigen Motoren 11.500 Liter Betriebstoff zur Verfügung. Die entsprechenden Erfahrungen mit dieser Technik kamen auch den späteren Langstreckenaufklärern zugute. Diese Varianten sind jedoch Gegenstand einer anderen Dokumentation. Kehren wir zurück zur V1, welche nun mit der Zulassung D-ACON versehen wurde. Die Arbeiten waren abgeschlossen, und so konnten sich Alfred Henke und seine Besatzung, bestehend aus seinem »Co« Freiherr von Moreau, Bordmonteur Paul Dierberg und Funker Walter Kober noch den letzten Vorbereitungen widmen. Eigentlich wollte Kurt Tank die Leitung des Unternehmens selbst übernehmen. Gemäß dem Reglement musste die Crew jedoch aus einer DLH-Besatzung bestehen. Am Abend des 10. August 1938, gut zehn Jahre nach dem Flug der »Bremen«, stand der »Condor«, auf dem Vorfeld von Berlin-Staaken. Der sprichwörtlichen »bleiernen Ente« gleich erhob sich die Maschine von der Startbahn und ging langsam, aber stetig Höhe gewinnend, auf Westkurs. Uhrenvergleich: 20.05 Uhr MEZ. Stündlich hatte die Besatzung ihren Standort an die Hamburger Übersee-Funkstation Quickborn zu melden. Das »Tor zur Welt«, Hamburg, wurde um 20.55 Uhr überflogen. Drei Stunden später meldete Kober den Überflug der Britischen Insel bei Glasgow. Schon bald ließ der »Condor« britisches Gebiet hinter sich und setzte in einer Flughöhe von 2000 m zur Bewältigung des längsten, gefahrvollsten und gleichermaßen eintönigsten Abschnitts der Flugroute an. Nachdem die Monotonie der Wasserwüste des Atlantischen Ozeans nach unendlich erscheinenden Stunden überwunden war, erreichte die ermüdete Crew die Landmarke Neufundlands. In Europa war es mittlerweile 14.00 Uhr. Der wesentlichste und risikoreichste Abschnitt lag nun hinter der Besatzung, vor ihnen jedoch noch eine Anzahl weiterer Flugstunden quer durch den Nordamerikanischen Kontinent bis New York. Um 20.41 Uhr europäischer Zeit vernahm Quickborn die erlösende Funkmeldung »Ankommen New York«. Auf dem Weg zur amerikanischen Metropole geleiteten den »Condor« einige von der US Presse gecharterte Flugzeuge. Wesentlich eleganter und Tausende Kilogramm leichter schwebte die Maschine auf dem örtlichen Flughafen Floyd Bennett ein. Mit der respektablen Treibstoffmenge von Tausend Litern (entspricht gewichtsmäßig etwa zehn Personen) setzte Henke die D-ACON auf und bezog anschließend die zugewiesene Parkposition. Die letzten Umdrehungen der lärmenden Motoren. Es war geschafft! Nun vernahm die Besatzung auch den Jubel der bereits zu Tausenden, seit Stunden wartenden Zaungäste. Eine ausgelaugte, aber dennoch stolze Besatzung entstieg dem Flugzeug. Der »Brückenschlag« zwischen Europa und der »Neuen Welt« mit einer Entfernung von damals atemberaubenden 6371 Kilometern wurde mit einer Durchschnittsgeschwindigkeit von 258,9 km/h erflogen. Bereits am 13. August (14.06 Uhr MEZ) ging Henke und seine Crew wieder auf Heimatkurs. Ein stürmischer Empfang in Berlin-Tempelhof war ihnen nach diesem Marathon ebenfalls sicher. Gekrönt wurde das Unternehmen durch einen von FAI anerkannten Reichweitenrekord. Bedingt durch die in West-Ostrichtung vorhandenen Schiebewinde reduzierte sich die Flugdauer in Richtung Heimat von 24 St. 36 Min. auf 19 St. 55 Min. Solche, für damalige Verhältnisse herausragende Leistungen setzten das absolute Können der Besatzungen sowie eine hohe technische Qualität des für solche extremen Aufgaben verwendeten Flugzeugmusters voraus. Vorher noch ein zeitgenössischer Bericht zum Furore machenden Atlantikflug.

Die endlose Wasserwüste ist überwunden. Der »Condor« überfliegt nun amerikanisches Festland.

Die amerikanische Presse charterte Flugzeuge, um solch spektakuläre Aufnahmen ihren Lesern präsentieren zu können.

Geschafft! Der Atlantikbezwinger über dem New Yorker Flughafen Floyd Bennett.

Die D-ACON rollt zu der ihr zugewiesenen Parkposition. Nur die beiden Außenmotoren sind noch in Betrieb.

Die amerikanische Öffentlichkeit nahm diese außergewöhnliche Leistung mit sichtbar regem Interesse auf.

Die stolze Besatzung der D-ACON (v.l.n.r. Kober, Dierberg, v. Moreau und Henke).

Wohlbehalten zurück! Auch in der Heimat war der Besatzung ein stürmischer Empfang sicher.

Jubel und Trubel am Vormittag des 14. August 1938 auf dem Vorfeld von Berlin-Tempelhof.

Rückkehr nach nur 19 Stunden und 54 Minuten Flugzeit. Nahrhaftes Futter für die stets hungrige Propaganda.

Die Zeitschrift »Sportflieger« berichtete in der September-Ausgabe zu diesem zweifellos auflagenerhöhenden Thema. Die Zeitangaben differieren etwas.

Berlin – New York und zurück in 45 Flugstunden

Die Kameraden vom »Condor« D-ACON berichten vom Amerikaflug

»Waren es in der letzten Zeit vorwiegend Geschwindigkeits-, Klassen- und Nutzlast-Höhenrekorde, mit denen die deutsche Luft fahrt im In- und Auslande einmal zeigte, zu welchen Leistungen sie befähigt ist, so war in der ersten Augusthälfte ein durchaus verkehrsmäßig vorbereiteter und mit größter Präzision durchgeführter Nonstopflug eines deutschen Großflugzeuges von Berlin nach New York und wieder zurück für Tage die ›Sensation‹ der gesamten Weltpresse. Zunächst die nüchterne Tatsache: Am Abend des 10. August startete das mit vier BMW-132-L-Sternmotoren von je 750 PS Leistung ausgerüstete serienmäßige Großflugzeug Fw 200 ›Condor‹ mit dem Zulassungskennzeichen ›D-ACON‹ um 19.53 Uhr auf dem Flugplatz des Fliegerhorstes Staaken bei Berlin zu einem Ohnehaltflug nach New York, wo die Maschine am 11. August um 20.55 Uhr (MEZ) nach 25 Stunden und 2 Minuten Flugzeit auf dem Floyd-Bennett-Flughafen landete. Der Start zum Rückflug erfolgte am 13. August um 14.03 Uhr (MEZ), und die Landung auf dem Flughafen Berlin-Tempelhof am 14. August um 9.57 Uhr nach 19 Stunden und 54 Minuten Flugzeit. Die Gesamtflugzeit betrug 44 Stunden und 56 Minuten. Die Besatzung der ›D-ACON‹ bestand aus Flugkapitän Alfred Henke, Hauptmann Rudolf von Moreau, Oberfunkmaschinist Paul Dierberg und Oberflugzeugfunker Walter Kober.

Vier deutsche Flieger sind an einem Tage von Berlin nach New York geflogen, in weniger als einem Tag kehrten sie wieder zurück. Es steht fest, dass Mensch und Maschine damit eine Leistung vollbrachten, die ihresgleichen kaum wieder findet. Flugkapitän Henke jedoch versicherte, dass dieser Flug kaum eine Strapaze bedeutet hätte, einige Dauerflüge innerhalb der Reichsgrenzen, die als Vorbereitung des großartigen Unternehmens dienten, seien weit anstrengender gewesen. Weder auf dem Hin- noch auf dem Rückfluge hat es, wie Flugkapitän Henke weiter berichtete, irgendwelche nennenswerten Zwischenfälle gegeben. Bei einer Durchschnittsgeschwindigkeit von 260 km/h wurde der Flug Berlin – New York in einer Höhe von durchschnittlich 2.000 m zurückgelegt, die Strecke betrug etwa 6.400 km. Der Rückflug nach Berlin erfolgte des Wetters wegen auf einer 6.600 km messenden, mehr südlicheren Route bei 335 km/h Durchschnitt in bis zu 4.000 m Höhe.

Die gesamte Besatzung lobte die unbedingte Zuverlässigkeit der vier Sternmotoren, an denen sich nicht die geringsten Störungen zeigten, und Flugkapitän Henke erwähnte noch, dass nicht einmal eine Zündkerze auszuwechseln war. Nach der Landung in New York hatte der ›Condor‹ noch für etwa 2 Stunden Treibstoff an Bord, nach der Ankunft in Berlin hätte es noch für etwa 1,5 Stunden gelangt.

Oberfunkmaschinist Dierbergs besonderer Eindruck von der ganzen Sache ist, wie er wiederholt versicherte, in New York ein Motorradfahrer der Polizei gewesen, dessen Fahrweise geradezu ans Artistische grenzte, denn er fuhr freihändig in ziemlichem Tempo vor dem Auto der Deutschen her, winkte nach beiden Seiten den Straßenverkehr ab und rauchte zwischendurch eine Zigarette. Dieser Polizeifahrer hat Dierberg, der mit Graf Scheck zwei Jahre lang den Katapultflugdienst auf der ›Bremen‹ versehen hat und der New York kennt, ganz ungeheuerlich imponiert. Oberflugzeugfunker Kober dagegen erwähnte den Eisberg, den er auf dem Hinflug vor Neufundland sichtete, und der von Hauptmann v. Moreau, einem Neuling über dem Atlantik, zuerst als ›komisches‹ Schiff verkannt worden war. Bezüglich der Verpflegung an Bord befragt, erwiderte Henke lächelnd, dass die Amerikaner der Besatzung für den Rückflug eine Proviantmenge eingepackt hätten, die für mindestens zehn Mann wenigstens fünf Tage lang genügen würde.

Besonders aufschlussreich und wahrscheinlich auch richtunggebend im Hinblick auf ähnliche Unternehmungen ist der Bericht der Besatzung über die Flugsicherung, die sich mehr oder weniger auf die bei den Ozeanflügen der Deutschen Lufthansa gesammelten Erfahrungen stützt. Wie Flugkapitän Henke erzählte, wurde die gesamte meteorologische Beratung von der Gruppe Seeflug der Deutschen Seewarte in Hamburg vorgenommen, und zwar nahm deren Leiter – Professor Seilkopf – die Vorbereitungen sowie die Startberatung selbst in die Hand. Für die kürzeste Entfernung zwischen Berlin und New York, Größtkreis genannt, wurden durch die Gruppe Seeflug-Spezialkarten angefertigt, die dem Flugzeugführer Kursberechnungen ersparen und das Messen der Entfernung vereinfachen. Während für den Start nach Amerika auf dem Staakener Rollfeld die Motoren des ›Condor‹ angelassen wurden, gab Professor Seilkopf fernmündlich seine meteorologischen Vorausberechnungen an Flugkapitän Henke durch. Fast auf die Minute genau konnte Seilkopf schon vor dem Start, zufolge der von Henke gewählten Flughöhe von 2000 m und unter Berücksichtigung der Windeinflüsse die Flugzeit bis nach New York mit etwa 25 Stunden angeben, eine Zeit, die ja auch eingehalten wurde.

Die meteorologische Beratung für den Rückflug wurde von der Seewarte, die während des ganzen Fluges vollen Dienstbetrieb hatte, zum Lufthansa-Flugsicherungsschiff »Friesenland« gefunkt, das sich im Hafen von New York befand, und von wo aus die Meldung an die Flieger auf dem Floyd-Bennett-Flugplatz weitergegeben wurde. Für zwei verschiedene Kurse standen die Vorausberechnungen zur Verfügung, einmal wieder für den Größtkreis, als dann für einen zweiten, etwas südlicheren Kurs, da mitten über dem Atlantik ein Tief lag. Henke wählte den letzteren Kurs in der vorgeschlagenen Höhe von 4.000 m und schaffte die Strecke unter Ausnutzung der Rückenwinde in 19 Stunden und 54 Minuten. Die Gruppe Seeflug der Deutschen Seewarte hat also einen nicht unerheblichen Anteil am Gelingen der Flüge.

In etwa stündlicher Folge erhielt die Funkstation Quickborn bei Hamburg die Standortmeldungen des ›Condor‹, die bereits etwa 15 Minuten später in Berlin beim Reichsluftfahrtministerium vorlagen.

Über die Lehren der beiden Transozeanflüge befragt, erklärte Flugkapitän Henke, dass ein regelmäßiger Passagier- und Frachtverkehr über den Nordatlantik nach seiner Meinung womöglich schon in fünf Jahren praktisch durchführbar sei. Die beiden Flüge hätten gezeigt, dass ein Atlantikflugdienst mit Landflugzeugen sehr wohl durchzuführen ist, und man dürfe sicher sein, dass ähnliche Flüge bald folgen werden.

Die wackere Besatzung trägt sich bereits wieder mit neuen Plänen, um so mehr, als ihr General der Flieger Milch bei der herzlichen Begrüßung auf dem Flughafen Tempelhof versicherte, dass der Erste Minister der Luftfahrt sicher jederzeit ein gutes Flugzeug zur Verfügung stellen würde, mit dem sie neue Pläne durchführen konnten.

Nach der überaus herzlichen Aufnahme bei den Berlinern, die zu Tausenden auf dem Flughafen und an den Straßen standen, welche die Flieger nach der Rückkehr zur Begrüßung ins Haus der Flieger fuhren, ist den vier Kameraden von der ›D-ACON‹ Empfang durch den Führer Adolf Hitler sicherlich der schönste gewesen für die ausgezeichnete Flugleistung, die einen Markstein stellt in der Geschichte der Weltluftfahrt.«

Die Reise nach Nippon

Der Fernflug Berlin – Tokio

Aufgrund des hervorragenden Abschlusses des Amerikafluges schickte man sich an, einen Rekordflug ins ferne Nippon zu wagen. Dieser Flug sollte ursprünglich in kurzer Folge zum Atlantiktrip von der D-ACON durchgeführt werden. Die Sudetenkrise im Spätsommer des Sommers 1938 verzögerte zunächst die ehrgeizigen Pläne. Die D-ACON diente nach Ausbau der Rumpftanks im September 1938 als Transportflugzeug bei einem Lehrgeschwader. Als sich die Lage entspannte, stand sie wieder für den Japanflug zur Verfügung. Etwa dreieinhalb Monate nach New York verließ die D-ACON am 28. November desselben Jahres um 15.55 Uhr MEZ die Startbahn von Berlin-Tempelhof mit Ziel Tokio. Die Besatzung bestand wieder aus den selben Personen wie schon während des Augustfluges, Bordwart Georg Kohne und Verkaufsdirektor Heinz Junge, beide von Focke-Wulf flogen zusätzlich mit. Insgesamt waren vier Etappen vorgesehen. Die erste Berlin – Basra (4.097 km), nachfolgend Basra – Karachi (2.074 km), anschließend Karatchi – Hanoi (4.035 km) und dem letzten Abschnitt Hanoi – Tokio (3.638 km). Der Hinflug gestaltete sich völlig problemlos. Insgesamt benötigte Henke und seine Crew 46 Stunden und 18 Minuten, darunter 4 Stunden 18 Minuten Tankaufenthalte, diese 13.844 Kilometer messende Etappenstrecke zu bewältigen. Noch war alles eitel Sonnenschein. Man genoss den Empfang beim Japanischen Kaiser und sonstige Ehrungen. Auch konnte ein Vertrag mit einer japanischen Fluggesellschaft über fünf »Condor« zum Abschluss gebracht werden. Zudem gab die japanische Marine einen Fernaufklärer in Auftrag. Die Ernüchterung kam dann während des Rückfluges. Unversehens fingen zwei Motoren derselben Seite zu stottern an und versagten kurz darauf gänzlich ihren Dienst. Davon an späterer Stelle.

Tokio-Flug der Fw 200 D-ACON
(Daten in tabellarischer Form)
Besatzung:

- Flugkapitän Dipl.-Ing. Alfred Henke, Kommandant und 1. Pilot
- Hauptmann Rudolf Freiherr v. Moreau, 2. Pilot
- Paul Dierberg, Oberfunker/Maschinist
- Walter Kober, Oberflugzeugfunker

Offizielle Begrüßung der bereits ordengeschmückten Herren.

- Georg Kohne, Bordwart (Focke-Wulf)
- Heinz Junge, Direktor der Focke-Wulf Flugzeugbau GmbH, Berlin (Passagier)

Die Route unterteilte sich in vier Etappen, welche vom 28.11-30.11.1938 durchflogen wurden. Drei der Stopps dienten der Treibstoffaufnahme.

Etappe 1
Berlin – Basra (Strecke: 4.097 km)

- Start Flughafen Tempelhof – 28.11.1938 um 15.55 Uhr (alle genannten Zeiten – MEZ)
- Landung in Basra – 29.11.1938 um 5.14 Uhr
- Flugzeit – 13 Stunden 9 Minuten
- Aufenthalt in Basra – 43 Minuten

Etappe 2
Basra – Karatschi (Strecke: 2.074 km)

- Start in Basra – 29.11.1938 um 5.57 Uhr
- Landung in Karatschi -29.11.1938 um 12.37 Uhr
- Flugzeit – 6 Stunden 20 Minuten
- Aufenthalt in Karatschi – 2 Stunden 2 Minuten

Eine wahrlich gespenstische Szene bei der nächtlichen Ankunft in Japan.

Focke-Wulf-„Condor" in Tokio glatt gelandet

Von den Japanern begeistert empfangen – Reine Flugzeit 42 Stunden, Durchschnitt 330 Std./km

Tokio, 30. November

Das Focke-Wulf-Flugzeug „Condor" D-ACON ist um 22.30 Uhr Ortszeit (14.30 Uhr MEZ.) auf dem Flugplatz Tachikawa, dem 30 Kilometer von Tokio entfernten Flughafen der Hauptstadt Japans, eingetroffen. Auf dem mit deutschen und japanischen Flaggen übersäten und durch riesige Scheinwerfer taghell erleuchteten Platz, der im Westen Tokios liegt, erwartete eine riesige, begeisterte Menschenmenge die Ankunft des deutschen Flugzeuges.

Zur Begrüßung hatten sich Vertreter der japanischen Regierung und der Luftfahrtgesellschaften, der deutsche Botschafter Ott mit seinem Stab sowie die Vertreter der Partei und der deutschen Gemeinde eingefunden. Alle japanischen Sender übertrugen die Landung des „Condors", die bereits von der gesamten japanischen Presse, in großer Aufmachung und mit zahlreichen Bildern versehen, angekündigt worden war. Die Begeisterung der japanischen Oeffentlichkeit über die Leistung der deutschen Flieger und ihrer Maschine ist außerordentlich groß. Allgemein spricht man von einer einzigartigen Flugleistung in der Geschichte der Luftfahrt.

Bei den Begrüßungsfeierlichkeiten für die Besatzung des „Condors" hielt der deutsche Botschafter Ott eine Ansprache, in der er seinem Stolz über den geglückten Flug Ausdruck gab und erklärte: „Wir nehmen es als ein gutes Omen für die Zukunft der deutsch-japanischen Zusammenarbeit und der freundschaftlichen Beziehungen zwischen den Antikomintern-Mächten, daß nur wenige Tage nach der Feier des zweiten Jahrestages des Antikomintern-Paktes der Flug, der unsere beiden Hauptstädte und Völker verbindet, in so glänzender Weise durchgeführt wurde."

Botschaft Hermann Görings an das japanische Volk

Generalfeldmarschall Hermann Göring hat durch die Besatzung des Flugzeuges „Condor" an das japanische Volk eine Botschaft gerichtet, die über die Domei-Agentur verbreitet wurde. Die Botschaft hat folgenden Wortlaut:

„Zu einem Zeitpunkt, in dem das japanische und das deutsche Volk den festen Willen zum gemeinsamen Kampf gegen den bolschewistischen Weltfeind erneut bekunden und als Bekräftigung dieses politischen Zieles verheißungsvolle Schritte zur Vertiefung der kulturellen Beziehungen unternehmen, startet in der Hauptstadt des Deutschen Reiches ein deutsches Flugzeug zum Flug nach Tokio. Es ist nicht fliegerischer Ehrgeiz allein, der die bewährte Besatzung ansport, diesen Weg in einer möglichst kurzen Zeit zurückzulegen; die deutschen Flieger sind zugleich Sendboten des deutschen Volkes. Sie wollen durch diese fliegerische Tat zeigen, daß auch die räumliche Entfernung zwischen den beiden befreundeten Nationen zusammengeschrumpft ist. In diesem Geiste habe ich meinen Fliegern den Auftrag gegeben, dem japanischen Volk meine aufrichtigen und guten Wünsche zu überbringen. (gez.) Hermann Göring."

Beispiellose deutsche Pionierleistung

Berlin, 30. November

Der glänzend gelungene Versuchsflug des deutschen Großflugzeugs „Condor" über eine Flugstrecke von rund 14 000 Kilometern wurde in 46½ Stunden bei einer reinen Flugzeit von nur 42 Stunden zurückgelegt. Die Stundendurchschnittsgeschwindigkeit betrug 330 Kilometer. Diese Leistung genügt, um je einen Flugweg-Rekord Berlin–Hanoi und Berlin–Tokio bei der Fédération Aeronautique Internationale anzumelden.

(Eine Würdigung dieser neuen fliegerischen Großtat bringen wir auf Seite 3.)

tionsrates. Offenbar sind dem „News Chronicle" die verfügbaren Armeekorps ausgegangen, oder er braucht sie für den Einsatz an anderer Stelle. Worüber wir vielleicht morgen schon Näheres erfahren werden, zumal die englische Regierung es keineswegs für nötig zu halten scheint, dieser Hetzzentrale gegenüber ihre Autorität geltend zu machen. F. G.

Ein zeitgenössischer Pressebericht mit der Streckenführung Berlin – Tokio.

Etappe 3
Karachi – Hanoi (Strecke: 4.035 km)
- Start in Karatschi – 29.11.1938 um 14.39 Uhr
- Landung in Hanoi – 30.11.1938 um 2.12 Uhr
- Flugzeit – 11 Stunden 27 Minuten
- Aufenthalt in Hanoi – 1 Stunde 32 Minuten

Etappe 4
Hanoi – Tokio (Strecke 3.638 km)
- Start in Hanoi – 30.11.1938 um 3.45 Uhr
- Ankunft Tokio-Tachikawa – 30.11.1938 um 22.13 Uhr (Ortszeit), entspricht 14.35 Uhr* (MEZ)
- Flugzeit – 10 Stunden 50 Minuten

* Diese Zeit wurde für die Rekordermittlung an der Überflug-Kontrolllinie gestoppt.

Die Gesamtergebnisse des Fluges in der Zusammenfassung:
Gesamtflugstrecke Berlin-Tokio – 13.844 km
Flugzeit (ohne Aufenthalte) – 42 Stunden
Bodenzeit – 4 Stunden 18 Minuten

Pressebericht zum Japanflug

Die Leipziger Neueste Nachrichten berichten in ihrer Ausgabe vom 2.12.1938 folgendes unter der Überschrift »Die neue Verbindung Japan – Deutschland« über diesen Flug:

»Tokio, 1. Dezember. Unterhaltungen mit führenden Männern der Wehrmacht und der Regierung liefern den Beweis, dass der Flug des ›Condor‹ nach Tokio dort tiefen Eindruck gemacht hat. General Giga, der Kommandeur der Militärschule, der Chef der Luftwaffe bei Kriegsbeginn gewesen ist und als höchste Autorität der japanischen Luftmacht angesehen wird, erklärte: Das Flugzeug verdiene Bewunderung, aber selbstverständlich sei auch die beste Maschine wertlos, wenn sie nicht in der Hand guter Flieger sei. General Giga bestätigte damit den glänzenden Eindruck, den die Besatzung machte. ...Die Ausbildung einer Luftmacht nach dem deutschen Geist sei ein Beispiel für Japan. Mit dem letzten Flug sei die Möglichkeit einer deutsch-japanischen Luftverbindung erprobt worden, und es sei nur zu wünschen, dass die technischen und politischen Schwierigkeiten bald überwunden würden. In ähnlichem Sinne äußerte sich der Minister des Inneren, Admiral Sutsugu, der bemerkte, der Flugrekord des ›Condor‹ habe bewiesen, dass eine Verbindung zwischen Japan und Deutschland auf einer neuen Grundlage möglich sei. Der Tag werde kommen, da beide Länder in ständigem Luftverkehr miteinander ständen, und man dürfe daran die Hoffnung knüpfen, dass ihre politischen Verbindung noch enger gestaltet werden könne....«

Die nächste Textpassage gehört zwar sicherlich nicht zum Thema, sie soll dennoch hier gezeigt werden, da sie den Pressestil der damaligen Zeit mit all seiner Dumpfheit, Heuchlerei und Arroganz offenbart.

»...das Verhältnis der beiden Länder noch weit enger zu gestalten, um damit den größten Beitrag für den Weltfrieden zu liefern. Da in Deutschland die beste Rasse Europas wohne, habe Deutschland als Aufgabe eine Weltmission zu erfüllen, ebenso wie Japan in Asien, denn der Geist beider Länder sei dem angelsächsischen Materialismus überlegen. Das Ende der Vorherrschaft der beiden Westmächte in einem neuen Asien biete die praktische Möglichkeit für eine Zusammenarbeit zwischen Deutschland und Japan. Dafür sei der Flug des ›Condor‹ das beste Vorzeichen.«

Hanoi – Tokio war sehr schwierig

»Tokio, 1. Dezember. Flugkapitän Henke äußerte sich sehr

dankbar über die Aufnahme des Rekordfluges in Tokio. Überall werde Bewunderung über diese Flugleistung geäußert. Den deutschen Fliegern gegenüber werde eine herzliche Kameradschaft gezeigt. Bereits in Hanoi habe die japanische Kolonie den deutschen Fliegern Ovationen dargebracht wie einem Landsmann, ein eindrucksvoller Beweis für die deutsch-japanische Freundschaft. Henke hob besonders die japanische Hilfe bei der Peilung hervor, während der schwierigsten Flugstrecke von Hanoi nach Tokio, wobei die Notwendigkeit bestand, das Kriegsgebiet zu vermeiden. Die japanische Öffentlichkeit ist sich einig in der Anerkennung der deutschen Leistung, die einen Schnelligkeitsrekord darstellt...«

Zweifellos machte dieser Flug auf die Japaner einen großen Eindruck. Wie schon im Fall des Postflugzeugs He 116 (2) platzierte Japan im Sommer 1939 eine Order über fünf »Condor«. Zwei Flugzeuge befanden sich zu diesem Zeitpunkt angeblich bereits im Bau. Da sich Deutschland schon bald im Kriegszustand befand, lagen die Prioritäten der Erledigung von Aufträgen sicherlich nicht auf der Exportseite. Mehr zu diesem Thema im Kapitel »In Serie«.

Angesichts der bevorstehenden kriegerischen Ereignisse, unbestritten ein Foto mit Symbolcharakter.

Die Notwasserung vor Manila

Der Besuch in Japan war zweifellos für die deutsche Luftfahrt eine erfolgreiche PR-Unternehmung. Am 5.12.1938 um 20.32 Uhr MEZ startete die D-ACON zur Rückreise. Die Streckenführung beinhaltete einen Zwischenstop in Manila, wo der Rückflug von Batavia (nun Jakarta) auf der Ostindien-Route der niederländischen KLM folgen sollte, um via Amsterdam nach Berlin zu fliegen. Die Geschehnisse gestalteten sich wieder einmal gänzlich anders. Die Crew hatte annähernd elf Stunden Flug hinter sich, als man die Cavite-Bucht bei Manila überflog. Die Maschine befand sich bereits im Landeanflug, als die beiden steuerbordseitigen BMW's verstummten. Nachdem sich die Maschine im Landeanflug auf den Nielson Airport befand, betrug die Flughöhe gerade einmal 100 m. Der Fahrtmesser zeigte noch 250 km/h. Zwischenzeitlich hatte man versucht, so die Crew, die Motoren per Handpumpe wieder mit Benzin zu versorgen um so den BMW's wieder Leben einzuhauchen. Hierzu wurden die Props auf Segelstellung gestellt und die beiden gegenüberliegenden Triebwerke auf Volllast gefahren. Alle Mühe war vergebens. Die Fluggeschwindigkeit hatte sich mittlerweile auf 180 km/h reduziert, desgleichen die Flughöhe auf 40 m. Als weitere Maßnahme wurden die Luftschrauben der intakten Motoren auf Startstellung gefahren. Die Höhe konnte stabilisiert werden – zunächst! Die Maschine befand sich bereits etwa 500 m vor dem Strand. Henke's Hoffnung war, in einem weiten Bogen die Maschine hochzuziehen und so eine Höhenreserve für den nun wohl unabänderlichen Zweimotorenflug nach Manila zu erzielen. Mit großer Wahrscheinlichkeit fuhren zu diesem Zeitpunkt die Landeklappen

Die Bergung der D-ACON. Ein Sturm verursachte zusätzliche, irreparable Schäden.

aus. Die Geschwindigkeit, rapide gefallen auf nun gerade einmal 120 km/h, spitzte die Situation weiter zu. Laut Henke war der Flugzustand nahezu unkontrollierbar, doch gelang es ihm, Mensch und Maschine vor einem Absturz zu bewahren. Kontrolliert setzte Henke an diesem 6. Dezember gegen 8.30 Uhr die D-ACON bei Rosario Point in die küstennahe See. Da sich unter geringer Wassertiefe eine Sandbank befand, konnte der »Condor« nicht in den Fluten versinken. Der stolze Atlantikbezwinger trug jedoch bei dieser Aktion nicht unbeträchtliche Blessuren davon. Seine Crew blieb glücklicherweise unverletzt. Nasse Füße waren nun das geringere Problem. Bald befreiten Fischerboote die Besatzung aus der »Seenot«. Nachdem die Maschine nur in flachem Wasser lag, war sie bis zur Bergung ein beliebtes Ausflugsziel für die einheimische Bevölkerung oder dort stationierte US-Soldaten. Natürlich zog das Flugzeug auch so manchen Souvenirjäger an.

Dieses Unternehmen ist im wahrsten Sinne des Wortes ins Wasser gefallen. Die D-ACON »strandete« auf einer Sandbank vor Manila.

Ein Bericht des »Völkischen Beobachter« mit Ausführungen von Flugkapitän Henke und Dr. Junge bezüglich Notwasserung vor Manila. Der Text ist bedauerlicherweise nicht komplett.

Schaden an der Brennstoffzuführung

Warum „Condor“ bei Manila notlanden mußte

Flugkapitän Henke und Dr. Junge über den Unfall

Manila, 6. Dezember.

Das „Condor“-Flugzeug D-ACON, das am Montagabend von Tokio zum Flug nach den Philippinen gestartet war, mußte morgens, kurz vor Erreichung seines Zieles, in der Bucht von Manila infolge eines Schadens an der Betriebsstoffzuführung auf dem Wasser niedergehen. Der Geschicklichkeit der Besatzung gelang es, die Maschine glatt auf das Wasser aufzusetzen. Das Flugzeug ist gesunken. Die Besatzung wurde von Fischern gerettet und befindet sich wohlauf. Sie wird die Nacht in dem Deutschen Konsulat in Manila verbringen.

Über den Hergang der Notlandung erfahren wir, daß das Flugzeug, als es in geringer Tiefe über der Manilabucht heranbrauste, plötzlich an Höhe verlor und schnell herabging. Das Flugzeug hatte die erste Etappe seines Rückfluges nach Deutschland um 5.37 in Tokio angetreten, war um 13.30 über der Nordspitze der Hauptinsel Luzon angelangt und befand sich eine Stunde später kurz vor dem Flughafen von Nielson. Trotz verzweifelter Bemühungen Flugkapitän Henkes, den „Condor“ wieder in größeren Höhen zu steuern, sackte das Flugzeug schnell ab. Der Vorfall spielte sich nur zehn Minuten vor der vorgesehenen Landung ab, wobei der Funker noch einen letzten Funkspruch an die Station auf dem Flugplatz Nielson abgab. Von Land aus konnte der Vorgang von den Marine- und Fliegeroffizieren mit dem Fernglas deutlich beobachtet werden.

Das Mißgeschick der deutschen Flieger hat in Kreisen der amerikanischen Fliegeroffiziere größtes Bedauern ausgelöst.

Flugkapitän Henke gab dem Vertreter des INS. eine kurze Erklärung über die Notlandung ab.

„Als ich den Schaden in der Brennstoffzuführung entdeckte und die dadurch entstehende Betriebsstoffknappheit, nahm ich sofort wieder Kurs auf das offene Meer. Ich wollte dadurch die Gefahr eines Absturzes auf einen der dichtbevölkerten Teile von Manila vermeiden, der vielleicht zu einer größeren Katastrophe geführt haben könnte.“

Das an dem Flug teilnehmende Vorstandsmitglied der Focke-Wulf-Werke, Dr. Junge, machte folgende Ausführungen über die Notlandung des „Condor“:

„Das Flugwetter war ausgezeichnet, und wir legten durchschnittlich vierhundert Kilometer in der Stunde zurück. Wir flogen ziemlich niedrig über der Manilabucht hinweg. Als wir die Maschine wieder hochschrauben wollten, entdeckten wir, daß wir infolge des Bruchs der Hauptbrennstoffleitung notlanden müßten. Unser Brennstoffvorrat war beinahe völlig erschöpft. Das

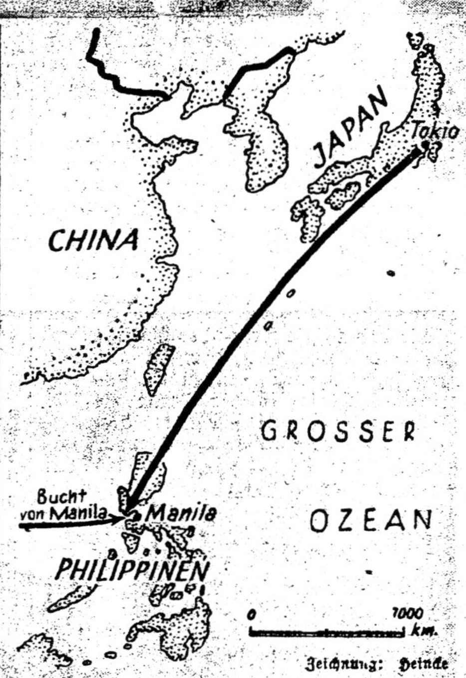

gen Marine- und Luftfahrtbehörden sandten sofort Telegramme nach Manila, in denen sie ihr Bedauern über den Unfall ausdrückten.

Die Maschine hatte schwer gelitten. Nachdem sie bei der Landung, einem Kieselstein gleich, mehrmals die Wasseroberfläche berührte, brach ein Triebwerk aus dessen Träger. Später das Zweite. Dies wurde durch den zunehmend starken Wellengang verursacht. Ein Sturm sowie die nicht sachgemäß durchgeführte Bergung gab dem »Condor« den Rest. Seine »sterblichen« Überreste wurden später auf den Hapag-Dampfer »Kulmerland« (7363 BRT) verladen und Anfang Februar 1939 in Hamburg gelöscht. Die D-ACON befand sich in einem erbärmlichen Zustand. Zunächst wurde das Wrack »seziert«, um nach der Unfallursache zu fahnden. Die Untersuchungen wurden durch Fl. Stabsingenieur Hartung (Bauaufsicht Fw) und Herrn Horn (E-8 Rechlin) geleitet. Nachdem man glaubte, nun alle Ergebnisse zu besitzen, fiel der einstige Globetrotter dem Schrotthändler anheim.

Die unversehrt gebliebene Besatzung traf an Bord des

Dampfers »Scharnhorst« (Norddeutscher Lloyd) in Genua ein. Die nächste Etappe bis Frankfurt/Main wurde weit weniger spektakulär per Reichsbahn zurückgelegt. Dort wurde die Besatzung vom Oberbürgermeister empfangen. Auf dem letzten Reiseabschnitt nach Berlin reiste man standesgemäß im »Condor«, allerdings nur als Passagier. Trotz der zurückliegenden Ereignisse wurde ihnen ein stürmischer Empfang bereitet. Auch Kurt Tank hätte der Crew am liebsten einen »stürmischen Empfang« bereitet, doch dies aus gänzlich anderen Beweggründen. Tank war außer sich und hatte mit der Besatzung sowie Henke im Besonderen ein ziemlich kapitales »Hühnchen« zu rupfen.
Fazit: Eine Verkettung von Fehleinschätzungen und den daraus resultierenden falschen Handlungen. Mit dem Ergebnis einer unnötigen, jedoch glimpflich verlaufenden Wasserlandung in der Bucht von Manila. Nach der Rückkehr der Besatzung flog Tank mit Henke eine »Condor« unter denselben Bedingungen und man kam zum Beweis, dass die Maschine auch in diesem Zustand zu halten gewesen wäre. Tank war unversöhnlich. Die Schuld suchte er bei Henke und versuchte auch ihm diese definitiv nachzuweisen.

Wesentlich pilotenfreundlicher gestaltete sich dieser nicht so ganz den tatsächlichen Ereignissen entsprechende Bericht des »Aero Express« vom Dezember 1938:
Der Unfall der »D-ACON«. Das am Montag, den 5. Dezember abends in Tokio gestartete viermotorige Fw 200 »Condor«-Flugzeug »D-ACON« musste seinen Flug nach den Philippinen am Morgen des 6. Dezember kurz vor Erreichen des Zieles abbrechen, da durch Bruch der Hauptbrennstoffleitung die Motoren stillgelegt wurden und die Maschine in der Bucht von Manila etwa 200 m vor der Küste auf dem Meer niederging und versank. Die Besatzung wurde von Fischerbooten an Land gebracht; die Maschine soll gehoben, zerlegt und nach Deutschland verschickt werden. Dem Vernehmen nach konnten Offiziere auf dem Flugplatz Nielson nahe Manila, dem Ziel des Fluges, das Niedergehen der »D-ACON« mit Ferngläsern beobachten. Die Notlandung erfolgte etwa 10 Minuten vor dem Erreichen des Zieles; als sie entdeckt wurde, flog die Maschine gerade ziemlich niedrig über dem Wasserspiegel. Der Fw 200 »Condor« hat mit seinem Fluge von Berlin nach Nordamerika und zurück sowie mit dem Fluge von Berlin nach Tokio derart schwierige Leistungsproben glänzend bestanden und damit seine Leistungsfähigkeit bewiesen, dass man zu seinem Missgeschick nur sagen kann, dass es sich einen unglücklichen Zufall handelt. Die Betriebsstoffanlage in einem mehrmotorigen Flugzeug ist eine komplizierte Sache, in der man leider nicht drinstecken kann, und ohne Benzin kann auch die Triebwerksanlage des besten Flugzeuges nicht arbeiten.«

Das »Berliner Tagblatt« berichtete am 6.12.1938 zu diesem Thema:

»Condor« vor Manila gesunken
Nach einer Notwasserung – Die gesamte Besatzung gerettet
Berlin, 6. Dezember

»Das ›Condor‹-Flugzeug D-ACON, das am Montagabend um 21 Uhr 32 Minuten MEZ in Tokio zum Flug nach den Philippinen gestartet war, musste morgens kurz vor Erreichen seines Ziels in der Bucht von Manila infolge eines Schadens an der Betriebsstoffzuführung auf dem Wasser niedergehen. Nach dem vorliegenden Funkspruch des an dem Flug teilnehmenden Vorstandsmitglieds Junge der Focke-Wulf-Werke gelang es der Geschicklichkeit der Besatzung, die Maschine glatt auf das Wasser aufzusetzen. Sämtliche Insassen des Flugzeuges sind wohlauf.
Wie Reuter aus Manila meldet, ist die gesamte Besatzung des ›Condor‹ von Fischern gerettet worden. Das Flugzeug ging etwa 200 Meter entfernt von der Küste bei Rosario Point auf dem Wasser nieder und ist dabei gesunken.
Die zur Stunde vorliegenden Meldungen lassen eine Schlussfolgerung der Ursachen, die zur Unterbrechung des ›Condor‹-Fluges zwangen, noch nicht zu. In die Freude über die Rettung der Besatzung mischt sich das Bedauern darüber, dass dieser erfolgreiche Flug ein so unerwartetes Ende nehmen musste.«

Die hier gezeigten Berichte zeichnen sich in verschiedenen Punkten nicht unbedingt durch Authentizität aus. Sie spiegeln jedoch unverkennbar den damaligen Zeitgeist wider und dokumentieren, trotz aller propaganda-bedingten »Nebengeräusche« den sprühenden Enthusiasmus, welchen man der Fliegerei damals entgegen brachte und der zwischen den Zeilen spürbar wird.
In der Tank-Biografie von Heinz Conradis wird erwähnt, dass auf Anordnung des RLM und des Propagandaministeriums der Vorfall in der Presse nicht Erwähnung finden sollte. Man witterte Sabotage, sei es heimliches Ablassen des Benzins, fehlende Tankabdeckungen oder ein Loch in der Benzinleitung. Tank wurde nichtsahnend auf dem Pariser Aerosalon mit der Hiobsbotschaft konfrontiert, welche ihm ein Herr Killinger vom Reichsverband der deutschen Luftfahrtindustrie überbrachte. Wohl mehr zufällig, da besagter Herr der Meinung war, Tank wäre bereits im Bilde, lobte Tanks gute Nerven und dass man ihm gar nichts ansehe. Ein Anruf in Bremen verschaffte sofort Klarheit, ob Gerücht oder beklemmende Wahrheit. Tank wollte sofort zum Ort des Geschehens eilen und wandte sich an Udet, welcher ihm die Freigabe für die »Saarland« nebst erfahrener Besatzung zur Verfügung stellen sollte. Doch die Sache sollte sich durch einen Anruf Udets wiederum anders entwickeln.

...Da schnurrt ein dringendes Gespräch in den Raum. General Udet wünscht, dass Tank sofort persönlich zu ihm kommt. Tank fährt unverzüglich ins Ministerium.
»Mir sehr unsympathisch, was ich Dir jetzt sagen muss, Kurt. Wo Du grad schon auf dem Sprung nach Ostasien bist. Hatte noch vor einer Stunde mit Manila gesprochen – weißt Du, was Junge da sagte? Er selbst freute sich ja sehr auf Dein Kommen, aber Henke und die anderen nicht, die wollen nicht, dass Du hinunterkommst. Sie wollen nicht zurückfliegen, sie wollen unbedingt nur per Schiff zurück. Wir können sie nicht zwingen.«
»Nicht fliegen? Aber ich muss den Bruch sehen, schnellstens, ich muss doch wissen, was los war, wie alles gekommen ist. Wir haben noch mehr ›Condore‹ im Bau!«
»Der wird auf den nächsten Dampfer verladen, der Bruch. Und wegen Junge allein lohnt ja Dein Flug nicht. Ich habe also Junge, der mich deswegen am Telefon mit aller Macht bekniete, seine Bitte nicht abgeschlagen.«
»Ich fliege also nicht? Du hast das schon entschieden?«
»Ja.«

Nach Henke's Rückkehr und der ihm verpassten »Zigarre« stieg Tank mit dem beschuldigten Piloten in einem vollbeladenen »Condor« auf 2.000 Meter. Dann legt er die beiden Backbordmotoren still, genau der Flugzustand wie vor Manila, nur noch schwerer beladen. Die Latten stehen. Es sieht unheimlich aus. Er legt die Ruder, wie er es für richtig hält, dreht etwas, hängt. Der »Condor« fliegt weiter, ohne jeden Höhenverlust, einwandfrei. Ohne jeden Zaubertrick.
Dieser Zwischenfall hatte ihn aus der »Reserve« gelockt. Natürlich wäre es für ihn als Konstrukteur weitaus schlim-

mer gewesen, falls tatsächlich ein Konstruktionsfehler nachgewiesen worden wäre. Hier wäre Tanks Befürchtung durchaus gerechtfertigt gewesen, der Ruf des »Condor« könnte nachhaltigen Schaden nehmen. Dem Exportgeschäft waren die Ereignisse, trotz aller bisherigen Erfolge, tatsächlich nicht zuträglich. KLM zog seine Kaufabsicht über neun Fw 200 zurück! Auch das Angebot, den Bataviaflug mit einer anderen Fw 200 nachzuholen, lies die Verantwortlichen der KLM unbeeindruckt. Tank blieb bei seiner (zur Gänze berechtigten?) Meinung, dass Flugkapitän Henke den Unfall sowie den Vertrauensverlust in Focke-Wulf zu verantworten habe. Die entsprechenden amtlichen Untersuchungsergebnisse weisen dem Piloten hingegen keine Schuld zu.
Anders Kurt Tank, welcher Henke mit Vorwürfen überhäufte.

Wie gestaltete sich das weitere Schicksal der bejubelten und gescholtenen Besatzung?

Flugkapitän Henke starb am 22.4.1940 den Fliegertod. Dies während einer Kunstflugeinlage mit der Fw 200, Werknummer 3224. Tank wurde in seiner Ansicht hierdurch nur noch bestärkt.

Freiherr von Moreau kam am 31.3.1939 ums Leben, als er aus einer Ju 88 über der Erprobungsstelle Rechlin das Flugzeug verlassen musste. Er stürzte zu Tode, da sich fatalerweise sein Fallschirm nicht öffnete.
Drittes Opfer eines Unfalls war Paul Dierberg, welcher mit einer DC-3 während des Starts verunglückte.
Als einziger Überlebender blieb Walter Kober vom Schicksal eines frühen Todes verschont. Er verstarb erst im Jahre 1991 in Berlin im Alter von 82 Jahren.

Die Versuchsmuster Fw 200 V1 bis V3

In Kurzform eine Übersicht bezüglich wichtiger Daten zu den Fw 200-Versuchsmustern. Die »Lebensläufe« der einzelnen zivilen »Condor«-Maschinen werden an späterer Stelle dargestellt. Die vergleichsweise geringe Anzahl von 18 Fw 200-Zivilflugzeugen standen weit über 200 »Condor« für militärische Zwecke gegenüber, welche ihren Aufgaben in diesem Metier trotz aller Erfolge nur bedingt und unter nicht unbeträchtlichen Opfern gerecht wurden.

Werk Nr.	**Order daten**	**Muster-Bezeichnung**	**Weitere Bezeichnung**	**Kennung**	**Flugzeug-name**	**Bemerkungen**
2000	13.8.1936	Fw 200 V1	Fw 200 A-0	D-AERE	Brandenburg	Erster Condor-Prototyp
2000		Fw 200 V1	Fw 200 A-0	D-ACON		Umgebaute V1 für Amerikaflug
2484	13.8.1936	Fw 200 V2	Fw 200 A-0	D-AETA	Westfalen	
3099		Fw 200 V3 (S9)	Fw 200 A-0	D-ARHU	Ostmark	Führermaschine (D-2600, WL-2600,26+00, »Immelmann III«

Die Fw 200 V1 im Zustand vor der umfangreichen Modifikation.

Der »Condor« besticht durch seine klare Linienführung. Eine Form, deren man sich auch bei den Arbeiten an der französischen »Languedoc« erinnerte.

Die Rückansicht des zweiten V-Musters, D-AETA »Westfalen«.

Nahaufnahme der »Westfalen« mit dem am Bug beidseitig angebrachten Schriftzug »Condor«.

Die Aufnahme der »Westfalen« entstand auf dem Vorfeld des Flughafens Frankfurt.

Die Fw 200 V2 trug hier den Schriftzug »Westfalen« in großen Lettern an der hinteren Rumpfhälfte.

Die Fw 200 V3 »Immelmann« während des Anlassens ihrer Motoren.

Das dritte V-Muster diente Hitler als Reisemaschine.

Serienstand – Die Zivilversionen

Das Muster Fw 200 A-0

Diese Ausführung des »Condor« stellte die erste Version der zivilen Fw 200-Reihe dar. Insgesamt zehn Exemplare der Ausführung A-0 verließen die Endmontage in Bremen. Bezeichnend ist, dass die DLH bereits drei Maschinen im April, also mehrere Monate vor dem Erstflug der V1, im Rahmen eines Vorbescheides bestellte. Grundbedingung für weitere Festbestellungen waren positive Testergebnisse im Zuge der Erprobung der Fw 200 V2. Ansonsten wäre die DLH nicht verpflichtet gewesen, die Maschinen auch tatsächlich abzunehmen. Der Bau des 7. und 8. Flugzeugs wurde angesichts der zu erwartenden Exportaufträge auf Werksrisiko begonnen. Anfang Oktober 1938 hatte man Abnehmer für zehn Fw 200 A-0. Der letzte Festauftrag wurde am Tage der Kriegserklärung durch die Franzosen und Engländer an Deutschland, am 3.9.1939, durch die DLH erteilt. Zu diesem Zeitpunkt war die WNr. 3324 allerdings schon längst beim Kunden abgeliefert. Wie diese Darstellung zeigt, wurde hier nicht nur ein Auftrag »en Bloc« erteilt, sondern auf mehrere Lose aufgeteilt. Dies wird alleine schon durch die Seriennummern dokumentiert.

- Werknummer 2893 – Auslieferung an Deutsche Lufthansa
- Werknummer 2894 – Ursprünglich ein DLH-Auftrag, nun allerdings für die dänische DDL abgezweigt. Die DLH erhielt die WNr. 2996 als Ersatz.
- Werknummer 2895 – Verwendung bei Lufthansa.
- Werknummer 2993 – Von der DLH geordert, jedoch an DDL geliefert. Ersatz für DLH, Werknummer 3098.
- Werknummer 2994 – Auslieferung an die Lufthansa.
- Werknummer 2995 – Hier handelt es sich um die ehemalige »Holstein« der DLH. Das Flugzeug wurde an das Syndicato Condor nach Brasilien überführt.
- Werknummer 2996 – Ursprünglich Ersatzmaschine für WNr. 2894. Nach Brasilien überführt.
- Werknummer 3098 – Als Ersatz für DLH vorgesehen, da WNr. 2993 an DDL geliefert wurde. Statt dessen wurde das Flugzeug als »Führer-Begleitflugzeug« eingesetzt.
- Werknummer 3099 – Führermaschine mit Sonderausstattung (V3).
- Werknummer 3324 – Zu DLH, wurde von FW als Ersatz für die V1 vorgeschlagen, welche ursprünglich die WNr. 3099 werden sollte.

Die Aufnahme des ersten von über 260 »Condor« entstand auf dem Bremer Werksflugplatz.

Die »Nordmark« wurde gegen Ende August 1938 von der Lufthansa übernommen.

Die Fw 200 B

Von der weiter optimierten Ausführung Fw 200 B wurden in verschiedenen Varianten bis Ende August 1939 nicht weniger als 46 für den Zivileinsatz geplante Maschinen bestellt. Darunter befand sich auch eine Order von Eurasia. Keines der Flugzeuge stand jedoch im Dienst der Zivilluftfahrt. Das RLM vereinnahmte sie jedoch ausnahmslos für die Luftwaffe, da der militärische Einsatz nun mehr den Zeichen der Zeit entsprach. Laut einer Weisung von Generaloberst Jeschonnek waren sie als »Hilfsbomber« für den See-Handelskrieg einzusetzen. Man erkannte also klar die Rolle als Lückenbüßer.
Das Musterflugzeug für die Fw 200 B-1 stellte die WNr. 0001 dar. Sie trug zunächst die Prototypen-Kennung V4, welche später in ihrer Rolle als Bildaufklärer (Rowehl) in

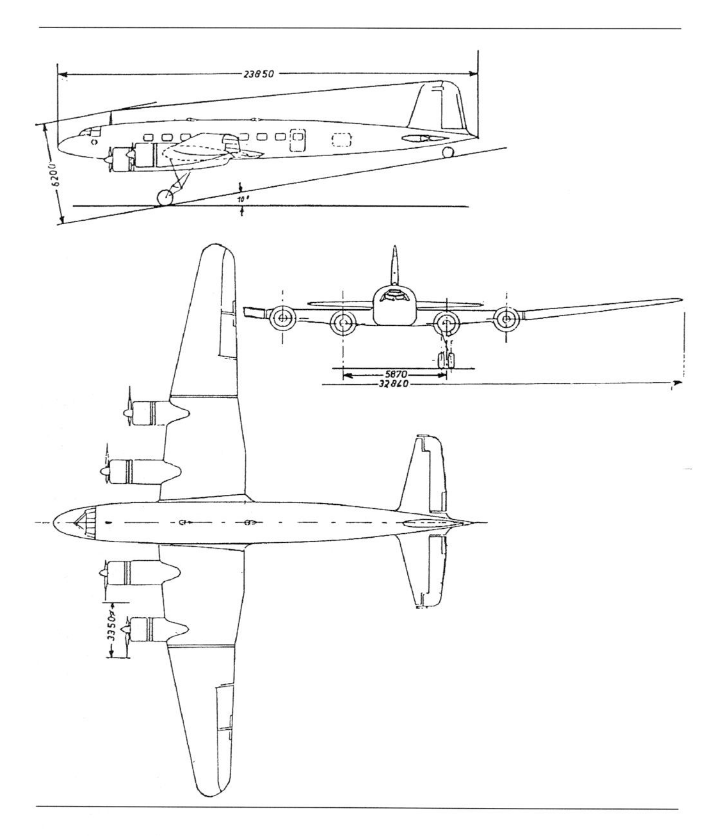

Dreiseiten-Ansicht der Fw 200 B.

V10 geändert wurde. Ursprünglich war das Flugzeug natürlich für die DLH vorgesehen gewesen.
Die Werknummer 0002, ebenfalls eine B-1, diente als Musterflugzeug für die Fw 200 C, also einer rein militärischen Baureihe. Hierzu wurde die Bezeichnung V11 vergeben.
Das einzige Flugzeug der B-Reihe wäre die WNr. 0001 gewesen, welches ursprünglich in den Liniendienst gehen sollte. Alle der DLH übergebenen Maschinen, abgesehen von der A-Baureihe, zählten zur Gattung Fw 200 D, vormals für den Export vorgesehene Flugzeuge.
Die Folgeversion der Fw 200 A war in zwei Ausführungen geplant. Es handelte sich hierbei um die Varianten B-1 und B-2, deren Grundmaße sich gegenüber der Fw 200 A nicht verändert hatten.

Fw 200 B-1

Die wesentlichen Unterschiede zur Fw 200 A gestalteten sich folgendermaßen:

- Änderung der Transportkapazität auf 16 Passagiere (plus 4 Crew).
- Verwendung leistungsfähiger Triebwerke des Typs BMW 132 Dc.
- Verwendung von Dreiblatt-Luftschrauben.
- Doppelbereiftes Hauptfahrwerk zur Aufnahme eines höheren Gewichts.
- Steigerung der Rüstmasse auf 11.300 kg.
- Erhöhung der Treibstoffkapazität um weitere 1.100 kg durch Einsatz von Rumpftanks.
- Steigerung der Dienstgipfelhöhe von 6.000 auf 7.400 m.
- Reichweitenerhöhung auf 2.000 km.

Fw 200 B-2

Die Variante B-2 hatte folgende Merkmale:

- Hier kehrte man wieder zur ursprünglichen Transportkapazität von 26 Passagieren nebst vier Besatzungsmitgliedern zurück.
- Verwendung von BMW 132 H/1-Schnellwechselmotoren mit jeweils 1.000 PS.
- Die Rüstmasse entsprach der B-1.
- Verringerung der Kraftstoffmenge auf 2.800 kg (900 kg zu B-1, 200 kg mehr als A-0).
- Dienstgipfelhöhe gegenüber B-1 um 200 m (7.200 m) geringer.
- Die Reichweite entsprach mit 1.700 km der Fw 200 A.
- Doppelt bereiftes Hauptfahrwerk.

Schon begonnene Bauten der B-Serie wurden auf C-Standard gerüstet und entsprechend fertiggestellt.

Fw 200 D

Es handelte sich um keine neue Baureihe im eigentlichen Sinne, sondern um nicht zur Auslieferung gelangte Exportmaschinen. Es existierten die Ausführungen D-1 und D-2. Erstgenannte Variante bezeichnete die beiden vormals für Finnland bestimmten Maschinen, ursprünglich vorgesehen mit Pratt & Whitney S1E-G-Motoren und Hamilton-Standard-Luftschrauben. Drei für Japan bestimmte Flugzeuge, welche über BMW 132 H-Motoren verfügen sollten, und nun als Fw 200 D-2 bezeichnet wurden.
Die beiden zuerst für die finnische Airline bestimmten »Condore« sollten für die Verwendung in Deutschland nun mit einer Bodenwanne versehen werden. Diese Anordnung wurde revidiert und die Maschinen in unbewaffnete Transporter umgerüstet. Mehr zum Thema Exportmaschinen im Anschluss.

Exportausführungen

Die einzigen tatsächlich exportierten Exemplare (A-0) stellten die beiden für Dänemark (DDL) und Brasilien (Syndicato Condor) dar. Letztgenannte für die Schwestergesellschaft der DLH. Die für Japan und Finnland bestimmten Fw 200 B gelangten nicht zur Auslieferung. Focke-Wulf nutzte für Exportaufträge ein spezielles Bezeichnungssystem. Hierbei war der zweite Buchstabe relevant, da hier bei »A« beginnend, jeder Exportkunde seine entsprechende Kennung erhielt. KA-1, KB-1 und KC-1 sind in diesem Zusammenhang definitiv bekannt. Die Kürzel bezeichnen die Reihenfolge der Orders aus Dänemark, Finnland und Japan. Zudem stand Focke-Wulf mit den Niederlanden und China in Verhandlung. Eurasia hatte bereits zwei Fw 200 B-1 bestellt,

Die Merkmale der Fw 200 D beinhalten das doppelt bereifte Fahrwerk sowie die Verwendung von BMW 132 H-Motoren.

Die Fw 200 KA-1 »Dania«, eine von zwei von der dänischen Airline DDL georderten Maschinen.

Die Schwestermaschine »Jutlandia« der Det Danske Luftfartselskap, kurz DDL.

rechts unten:
Das »Gesicht« der dänischen Schönheit »Jutlandia«.

welche aufgrund der neuen politischen und militärischen Ereignisse nicht überführt wurden. Aus den Niederlanden, genauer KLM, wurde lediglich eine Kaufabsicht signalisiert. Nach dem Unfall der D-ACON in Manila und den dadurch ausgefallenen Batavia-Flug wurde diese wieder zurückgezogen. Auch als Focke-Wulf den Flug mit einem anderen »Condor« anbot, änderte dies nichts an der Situation. Ein Schlag ins Kontor, da es sich um die nicht unbeträchtliche Zahl von neun Flugzeugen handelte und man zudem eine besondere technische Neuerung integrieren hätte können. Die KLM-Maschinen sollten über eine verkürzte Spannweite, BMW 800-Motoren und als besonderes Merkmal über eine Druckkabine verfügen!
Die entsprechende Kennung für Eurasia-Maschinen ist nicht überliefert, für die KLM ist höchstwahrscheinlich damals noch keine vergeben worden.

Die mit roten Rumpfzierflächen ausgestatteten »Jutlandia«. Dahinter die »Saarland« der DLH. Die Aufnahme entstand in Kopenhagen.

Der Bordservice der Det Danske Luftfartselskap.

Die Innenausstattung der dänischen Fw 200 KA-1.

Exportausführungen

Version	Export	WNr.	Name	Geliefert an/ vorgesehen für:	Ausl.Zul.	Bemerkung
A-0	KA-1	2894	Dania	DDL	OY-DAM	Übernahme durch DDL im Juli 1938.
A-0	KA-1	2993	Jutlandia	DDL	OY-DEM	Übernahme durch DDL im Nov. 1938.
A-0	---	2995	Arumani	Syndicato Condor	PP-CBJ	Ex D-ASBK »Holstein«.
A-0	---	2996	Abaitara	Syndicato Condor	PP-CBI	Ex D-AXFO »Pommern«.
D-1 (B)	KB-1	0009	Karjala	Aero O/Y	OH-CLA*	Keine Auslieferung, später D-1 DLH D-AEQP »Kurmark«.
D-1 (B)	KB-1	0010	Petsamo	Aero O/Y	OH-CLB*	Keine Auslieferung, später D-1 DLH D-ASFT »Westfalen«.
---	KC-1	0017	---	Dai Nippon K.K.	---	Verliess das Werk als C-2, Luftwaffe
---	KC-1	0018	---	Dai Nippon K.K.	---	Verliess das Werk als C-2, Luftwaffe
D-2a	KC-1	0019	---	Dai Nippon K.K.	---	Keine Auslieferung, später DLH D-ASWK »Rheinland«.
D-2b	KC-1	0020	---	Dai Nippon K.K.	---	Keine Auslieferung, später DLH D-ACWG »Holstein«.
D-2c	KC-1	0021	---	Dai Nippon K.K.	---	Keine Auslieferung, später DLH D-AMHL »Pommern«.
B-1	?	?	---	Erasia	---	Nicht ausgeliefert, höchstw. als Fw 200 C an die Luftwaffe.
B-1	?	?	---	Eurasia	---	Nicht ausgeliefert, höchstw. als Fw 200 C an die Luftwaffe.

* Vorgesehene Kennung
** Die Maschinen wurden zunächst als Truppentransporter eingesetzt.

Technische Daten – Focke-Wulf 200 »Condor«

Technische Daten	Fw 200 V-1 (D-AERE)	Fw 200 V-1 (D-ACON)	Fw 200 A-0	Fw 200 B-1	Fw 200 B-2
Spannweite	32,97 m	32,84	32,84 m	32,84 m	32,84 m
Länge	23,85 m	23,85 m	23,85 m	23.85 m	23.85 m
Höhe (6,20 m)*	6,00 m	6,00 m	6,00 m	6,00 m	6,00 m
Fläche	120 m²	118,0 m²	118,0 m²	118,0 m²	118,0 m²
Flächenbelastung	118,6 kg/m²	179,8 kg/m²	144,0 kg/m²	144,0 kg/m²	148,3 kg/m²
Rüstgewicht	9200 kg	8800 kg	10 925 kg	11 300 kg	11 300 kg
Startgewicht	14 000 kg	21 200 kg	17 000 kg	17 000 kg	17 500 kg
Höchstgeschwindigkeit	375 km/h (Bodennähe)	310 km/h (Bodennähe)	340 km/h (Bodennähe)	418 km/h 2600 m	405 km/h 1100 m
Reisegeschwindigkeit	355 km/h 1000 m	280 km/h 1000 m	325 km/h / 1000 m	376 km/h / 3000 m	365 km/h / 3000 m
Reichweite (normal)	1250 km	----------	1250 km	1500 km	---
Reichweite (maximal)	-----------	6500 km	1700 km	Maximum bis zu 2000 km	1700 km
Dienstgipfelhöhe	6100 m	3000 m	6000 m	7400 m	7200 m
Triebwerke (4)	Pratt & Whitney »Hornet« S1E-G	BMW 132 L	BMW 132 L * (oder »G")	BMW 132 Dc	BMW 132 H/1
Leistung (Start)	760 PS	800 PS	800 PS**	850 PS	1000 PS
Hubraum	27,7/30,4 l***	27,7 l	27,7 l	27,7 l	27,7 l
Treibstoff (in kg)	maximal 2520 kg,	11500 kg	2600 kg	3700 kg	2800 kg
Schmierstoff (in kg)	200 kg	450 kg	280 kg	280 kg	280 kg
Luftschrauben	Zweiblatt	Zweiblatt	Zweiblatt	Dreiblatt	Dreiblatt
Passagiere	26	-----------------	26	16	26
Crew	4	4, maximal 6	4	4	4

* Angabe lt. Orginalzeichnung
** Angabe BMW 132 L
*** Aufgrund techn. Probleme mit der Hubraumerhöhung kam die Bauform mit 27,7 l wieder zur Anwendung.

Das Projekt Fw 200 L

Deutschland befand sich zwar bereits im Kriegszustand, dennoch wurde eine verbesserte Variante des »Condor« für die Airlinerrolle zunächst noch weiter verfolgt.
Die Militärversion Fw 200 C hatte situationsbedingt natürlich absoluten Vorrang. Ende 1940 waren RLM und Hersteller mit der Konkretisierung der Festigkeitswerte beschäftigt. Im Folgejahr sollte der Prototyp V14 in Fw 200 L-Konfiguration zum Erstflug starten. In Bezug auf eine Serie waren zunächst zehn Maschinen der Produktionsversion L-1 geplant. Doch wie so oft im Zuge der damaligen Entscheidungen blieb es bei der Absicht. Die DLH hatte somit mit der älteren Fw 200 A, den zugeteilten Exportmaschinen oder den am Finale des Krieges übernommenen Fw 200 C ihre Aufgaben zu bewältigen. Bis zur Einstellung der Produktion des »Condor«, im Februar 1944, konnte kein einziges Exemplar der Fw 200 L verwirklicht werden.
Auch die vorgesehene wöchentliche Flugverbindung von Berlin nach Natal, dem im fernen Brasilien gelegenen Zielort, blieb Fiktion.

Die konstruktiven Merkmale:
Gegenüber den bisherigen Zivilausführungen entsprach die Spannweite und Rumpflänge den anderen Mustern, doch zeigten sich diese Unterschiede:

- Je nach Notwendigkeit waren 9-15 Passagiere geplant.
- Im Fall der erwähnten Linienflüge zwischen Berlin und Brasilien sollten sechs Reisende und 500 kg Post und Fracht mitgeführt werden.
- Anstelle der bisher genutzten BMW 132-Triebwerke sollte die Fw 200 L, entsprechend der C-Version, über vier BRAMO 323 verfügen.
- Da man bei den mit zwillingsbereiften Hauptfahrwerken ausgestatteten »Condor« während des Starts und der Landung eine Tendenz zum Ausbrechen festgestellt hat-

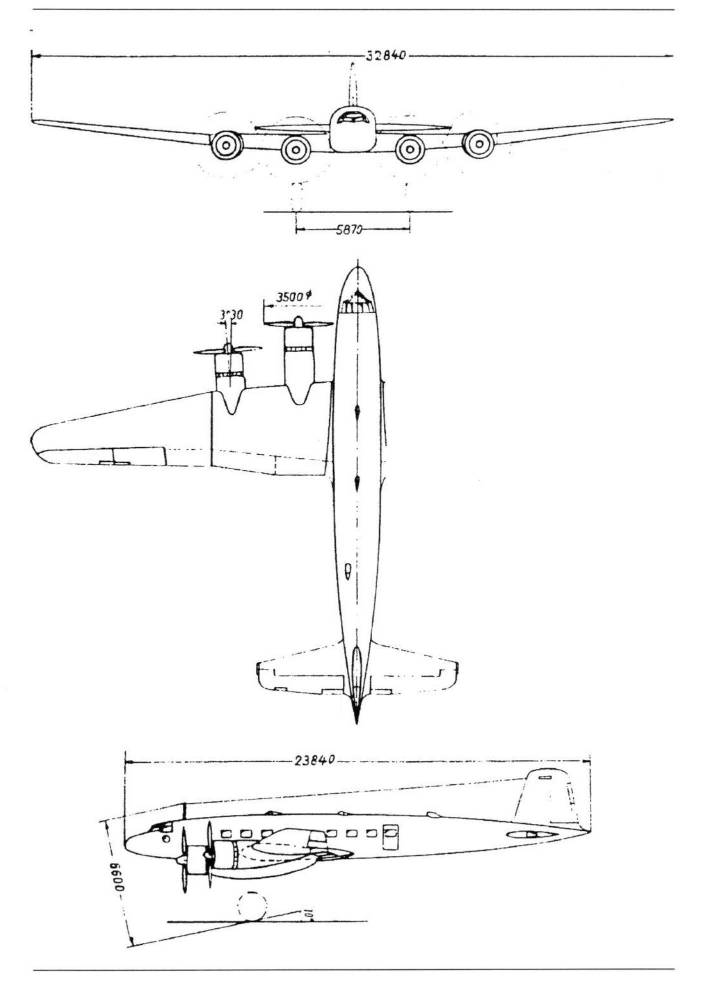

Dreiseitenriss der unverwirklichten Fw 200 L.

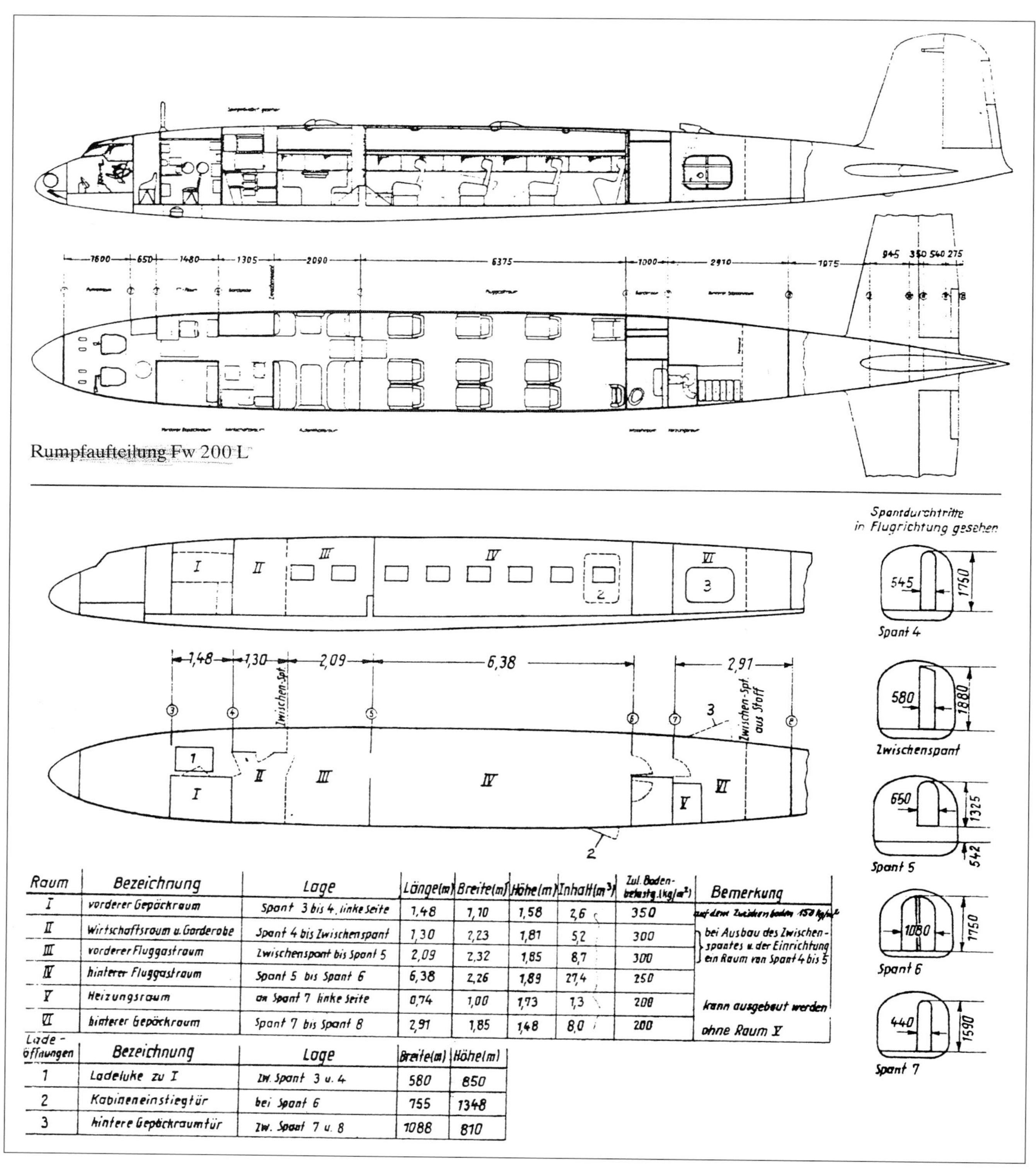

Raum	Bezeichnung	Lage	Länge(m)	Breite(m)	Höhe(m)	Inhalt(m³)	Zul. Boden-belastg.(kg/m²)	Bemerkung
I	vorderer Gepäckraum	Spant 3 bis 4, linke Seite	1,48	1,10	1,58	2,6	350	auf dem Zwischenboden 150 kg/m²
II	Wirtschaftsraum u. Garderobe	Spant 4 bis Zwischenspant	1,30	2,23	1,81	5,2	300	bei Ausbau des Zwischen-spantes u. der Einrichtung ein Raum von Spant 4 bis 5
III	vorderer Fluggastraum	Zwischenspant bis Spant 5	2,09	2,32	1,85	8,7	300	
IV	hinterer Fluggastraum	Spant 5 bis Spant 6	6,38	2,26	1,89	27,4	250	
V	Heizungsraum	an Spant 7 linke Seite	0,74	1,00	1,73	1,3	200	kann ausgebaut werden
VI	hinterer Gepäckraum	Spant 7 bis Spant 8	2,91	1,85	1,48	8,0	200	ohne Raum V

Lade-öffnungen	Bezeichnung	Lage	Breite(m)	Höhe(m)
1	Ladeluke zu I	Zw. Spant 3 u. 4	580	850
2	Kabineneinstiegtür	bei Spant 6	755	1348
3	hintere Gepäckraumtür	Zw. Spant 7 u. 8	1088	810

Details der Rumpfeinteilung der Fw 200 L.

te, wollte man hier wieder zur einrädrigen Bauweise zurückkehren. Gegenüber der Fw 200 A sollten die Räder jedoch größer dimensioniert werden.

- Die Spurweite mit 5,87 m entsprach dem bisherigen Muster Fw 200 A.

Soweit die bekannten Merkmale dieses Fw 200-Airliner-Projekts. In diesem Zusammenhang soll auch das sogenannte Focke-Wulf »Transozean-Projekt« Erwähnung finden.
Zum Hintergrund: Die DLH erwartete bereits im Jahr 1938 ein Pflichtenheft bezüglich der Vorgaben an einen Airliner, welcher in der Lage sein sollte, die Route Frankfurt – Amerika nonstop zu bedienen. Das Nachfolgemuster des »Condor« war, zumindest rechnerisch, in der Lage, eine Strecke von 7550 km nonstop zurückzulegen. Vier Doppelmotoren des Typs DB 606 sollten eine Geschwindigkeit von 700 km/h verleihen. Die Spannweite wurde mit 35,80 m zugrunde gelegt, die Rumpflänge mit 28,10 m. Parallel hierzu entstand noch eine militärische Variante, TO-Projekt »B«, worauf in diesem Zusammenhang nicht näher eingegangen wird. Die Mitte Februar 1940 eingereichte Baubeschreibung setzte sich zwar zunächst gegen die Konkurrenzentwürfe durch.

Das RLM stornierte jedoch 1941 den Entwicklungsauftrag für die zivile, aber auch für die nach militärischen Gesichtspunkten ausgerichtete Ausführung. Im nächsten »Anlauf« sollte die Fw 300, zumindest auf dem Reißbrett, entstehen.

Viermotorige Airliner-Konstruktionen in Deutschland

Focke-Wulf Fw 300

Diese Arbeiten an diesem optimierte Nachfolgemuster der Fw 200 sollten in Frankreich durchgeführt werden. Die Konstruktionsarbeiten liefen während der Kriegsjahre im Zusammenwirken von Focke-Wulf-Personal und Mitarbeitern der französischen SNCASO. Die Leitung des Projekts übernahm Dipl.-Ing. Bansemir. Etwa zwei Jahre gingen ins Land, bis die entsprechenden Arbeiten zum Abschluss kamen. Das vielversprechende Projekt konnte jedoch, bedingt durch die Entscheidung des RLM, wiederum nicht in die Realität umgesetzt werden. Es handelte sich hierbei um einen Airliner mit einer Transportkapazität für 32 Reisende plus fünf Besatzungsmitglieder. Die Abmessungen der Maschine sollten 46,80 m in der Spannweite und 31,34 m im Längsmaß betragen. Die Rüstmasse des Flugzeugs wird mit 27.324 kg angegeben. Die maximale Startmasse erreichte hingegen einen Wert von 47.500 kg, darunter 15.080 kg Treibstoff, welcher vier JUMO 222 E zur Verfügung gestanden hätte. Die Reichweite in dieser Ausführung hätte 7.000 km betragen. Die vorgesehene Druckkabine ermöglichte Flughöhen bis zu 11.000 m. Dieser »Super-Condor« wurde zudem in einer weiteren Konfiguration mit einer Transportkapazität bis zu 40 Passagieren und vier DB 603-Triebwerken konstruiert. In dieser Form hatten seine Konstrukteure eine Treibstoffkapazität von 19.000 l vorgesehen.
Zudem entstand im Jahre 1942 ein Fernaufklärerprojekt, welches so manches Problem gelöst hätte. Doch dieses blieb in der »Schublade«. Technische Daten: Spannweite = 46,20 m, Länge = 32,20 m, Fluggewicht = 47,5 t, Reichweite = 9.000 km, 4 x DB 603 oder Jumo 222.

Junkers Ju 290

Da das Vorgängermuster dieser beiden Flugzeugtypen an anderer Stelle im Vergleich zur Focke-Wulf vorgestellt wird, soll sich diese Kurzbeschreibung auf die Ju 290/390 beschränken.
Die Entstehungsgeschichte der Ju 290 nahm im Februar 1941 ihren Anfang. Die gewaltige Ju 290, in Ihren Abmessungen noch beeindruckender als der »Große Dessauer«, absolvierte ihren Jungfernflug am 16. Juli 1942. Das erste Flugzeug der Ju 290-Reihe entstand aus der Ju 90 V11, welche als Ju 290 V1 in die Erprobung ging. In Bezug auf die künftig auszubringenden Stückzahlen hatte die Luftwaffe kriegsbedingten Vorrang. Die Priorität der zivilen Nutzung solcher Flugzeuge sank mit zunehmender Kriegsdauer. Dennoch gelang es der Lufthansa 1944, drei dieser Riesen zu übernehmen. Kriegsbedingt fehlte natürlich der Glanz in Form eines ansprechenden Interieurs.
Allerdings wurde doch noch im Jahr 1942 die Ju 90 V13 (90 0012), die erste Maschine der Ju 290 Serie (V2), welche nun die Werknummer 290 000151 erhielt, als »Mustermaschine« für DLH-Ausführung deklariert. Somit war zu dieser Zeit auch für das RLM die zivile Ju 290 noch nicht »gestorben«.
Wie erwähnt, erhielt die DLH 1944 nach sehr umfangreichen Bemühungen drei dieser raren Flugzeuge für Flugdienste nach Spanien, welche zwischen Oktober 1944 und April

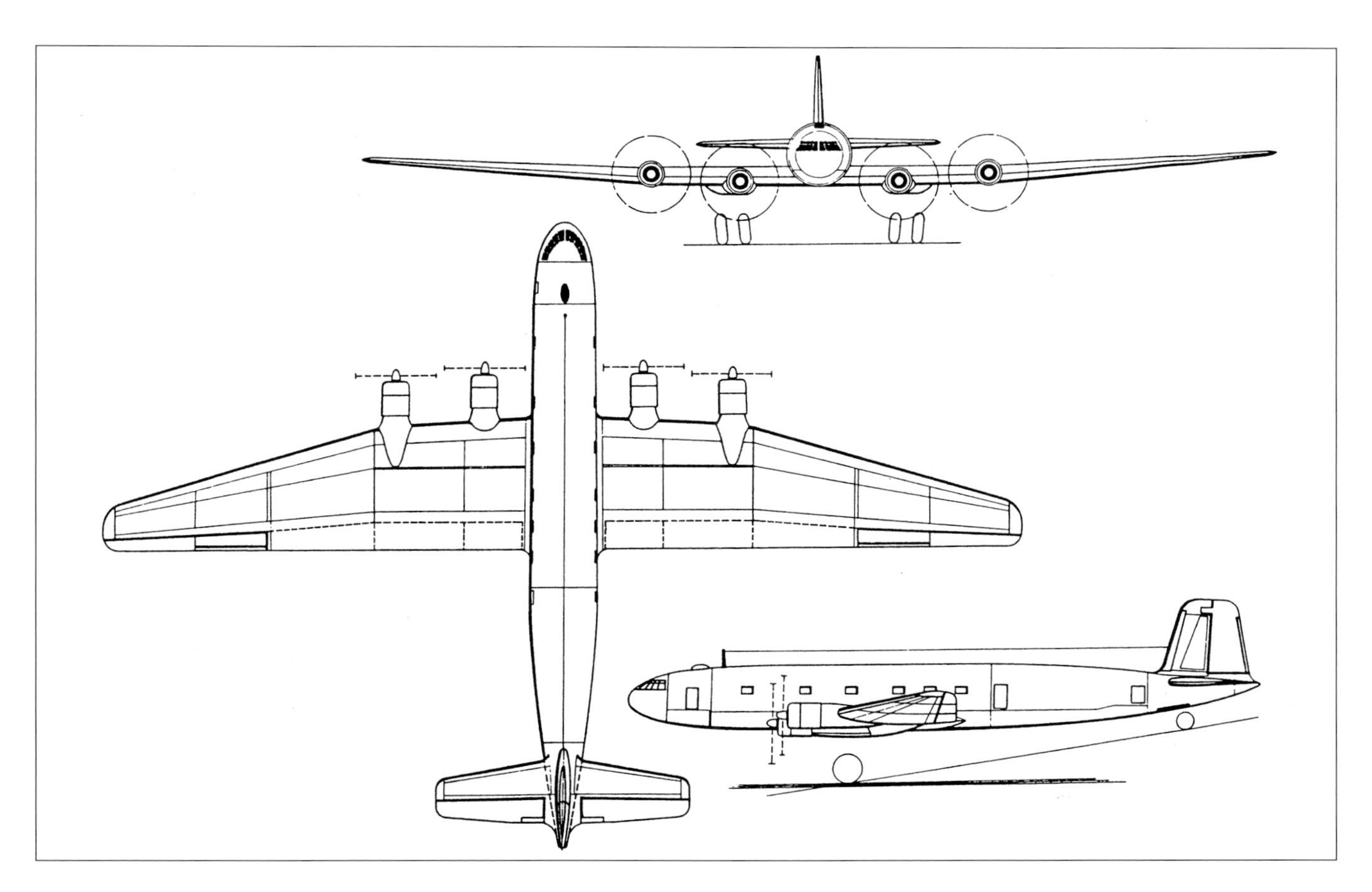

Dreiseiten-Ansicht der zukunftsweisenden Fw 300.

1945 aufrechterhalten wurden. Die »Sachsen«, »Preußen« und »Bayern« flogen den Umständen entsprechend im Tarnkleid der Luftwaffe. Die silberfarbenen Glanzzeiten waren unwiderruflich vorbei. Die Transportkapazität eines Ju 290-Airliners hätte gegenüber der Ju 90 mit 40 Plätzen nun 48 Reisende betragen. Die Fw 300 erreichte ihre Kapazitätsgrenze bereits bei 32 Passagieren.

Junkers Ju 390

Das größte Landflugzeug, welches in diesen Jahren verwirklicht wurde, entstand auf der Basis der Ju 290. Die ursprüngliche Idee, eine doppelrümpfige Ju 290 zu kreieren, blieb glücklicherweise nur das, was es war, eine ziemlich merkwürdige Idee. Ungleich realer war die Verwendung zusätzlicher Flächensegmente zur Aufnahme weiterer Motoren des Typs BMW 801. Der Rumpf von der Ju 90 V6 wurde zur Erstellung des ersten und wahrscheinlich einzigen Prototyps verwendet. Am 20. Oktober 1943 stand das Respekt einflößende Ingenieurswerk zu seinem Erstflug bereit. Ein wahres Monstrum mit 50 m Spannweite und einem Fluggewicht von 38 Tonnen, welches sich im Fall der Serienausführung A-1 auf stolze 75 t erhöht hätte. Die maximale Auslastung lag entsprechend der Ju 290 auch hier bei 48 Passagieren. In dieser Richtung war somit kein Fortschritt zu verzeichnen. Das E.F. 100 von Junkers wäre zumindest, rein rechnerisch, in der Lage gewesen, 50 Passagiere auf einer Distanz von 9.000 km zu befördern. Das Abfluggewicht hätte 81 Tonnen betragen.
Im Juni 1944 verhängte das RLM, welches noch wenige Monate vorher 26 Ju 390 orderte, einen Baustop. Neben der bereits gefertigten V1 wurde ab Januar 1944 mit dem Bau der Ju 390 V2 begonnen. Flüge mit dieser Maschine sind durch das Flugbuch von Oberleutnant Eisermann dokumentiert. Es besteht jedoch durchaus die Möglichkeit, dass der Pilot sich hier in der Flugzeugbezeichnung irrte.

Junkers Efo-21-3

Erwähnenswert in diesem Zusammenhang ist noch ein Junkers-Projekt, dessen Entstehung auf dem Reißbrett zeitlich nicht nachvollziehbar ist. Es handelte sich hierbei um ein Atlantikflugzeug mit der Bezeichnung Efo-21-3 (3. Entwurf). Es wurde sechsmotorig konstruiert. Der Entwurf war dem Erscheinungsbild der italienischen Savoia-Marchetti-Airliner mit Ausnahme des Doppelleitwerks sehr ähnlich. Seine wesentlichen Merkmale in Kurzform:

- Doppelstöckiger, kastenförmiger Rumpf mit einem Längsmaß von ca. 35 m.
- Trapezförmiges Tragwerk mit einer Spannweite von zirka 44,50 m.
- Das Flugzeug erreichte in waagerechter Stellung eine Höhe von etwa 8,90 m. Ausführung mit Doppelleitwerk.
- Die Motorenanordnung sollte paarweise geschehen, wobei die Triebwerke unabhängig von einander ge- oder entkuppelt werden konnten. Je ein Motorenpaar wirkte auf eine Luftschraube. Der Motorentyp ist unbekannt. Die Leistung wird mit 1500 PS angegeben. Ausführung mit Ringkühler.
- Ein weiteres Merkmal war das in Kombination zu einem Spornrad stehende doppelbereifte Hauptfahrwerk.
- Die rechnerischen Leistungsdaten beinhalten eine Reichweite von 6.000 km und eine Geschwindigkeit von 380 km/h. Die Transportkapazität sollte 40 Reisende sowie 3.400 kg weitere Zuladung betragen.

Große Ähnlichkeit im Bereich der Flugzeugzelle wird der Betrachter an den italienischen Savoia-Marchetti-Konstruktionen sowie der französischen Nachkriegskonstruktion Breguet »Provence« fest stellen. Die Geschichte der Br. 763 »Provence« bzw. deren militärisches Pendant »Sahara« begann bereits im Jahre 1944.

Arado E 390

Arado befasste sich im Jahre 1940 mit einem Höhenverkehrsflugzeug-Projekt, welches in vier Varianten ausgearbeitet wurde. Die Arado E-390 sollte im europäischen sowie im transatlantischen Luftverkehr Verwendung finden. Die entsprechenden Projektzeichnungen nahmen in den Monaten Juli bis Oktober 1940 Gestalt an. Auf den Reißbrettern entstanden Ausführungen mit einer variablen Beförderungskapazität zwischen 12 und 32 Passagieren. Reichweiten im Bereich von 2.000 km bis 7.000 km waren hierbei vorgesehen. Das Fluggewicht des E-390 variierte von 24-28,5 t. Alle Flugzeuge sollten mit vier JUMO 208 ausgerüstet werden. Für den Betrieb der Motoren standen insgesamt 11.200 l Kraftstoff zur Verfügung. Nachdem es sich um einen Passagierflugzeug-Entwurf mit Druckkabine handelte, waren Flughöhen bis zu 10.000 m keine Illusion. In 6.000 m Flughöhe erreichte die Maschine, natürlich rechnerisch ermittelt, 377 km/h.
Bedauerlicherweise verblieb auch dieses interessante Flugzeug im Projektstadium. Militärische Entwicklungen mit weit höherer Priorität ließen auch diesen Airliner in der sprichwörtlichen »Schublade« verstauben. Die Projektzeichnung vermittelt einen Eindruck bezüglich der Konfiguration sowie der Abmessungsdaten.

Nicht minder interessant wäre der Junkers-Entwurf Efo-21-3 gewesen.

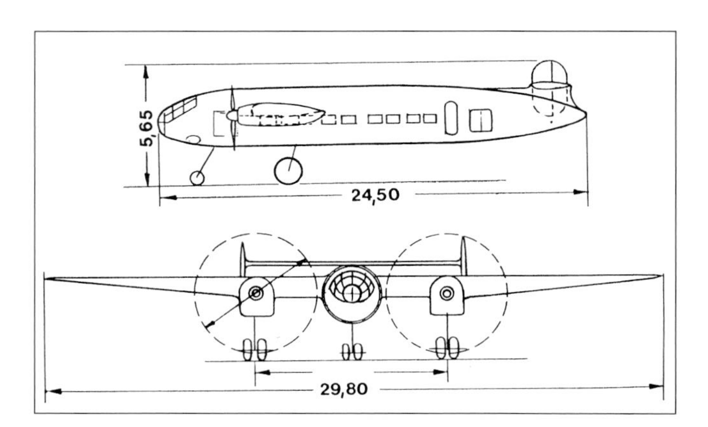

Der unkonventionelle Entwurf der Arado-Werke wurde unter der Projektbezeichnung E 390 erarbeitet.

Airliner – der »Condor« im Dienst der Zivilluftfahrt

Lebensläufe – Die Fw 200 im Dienst der Lufthansa

Dieser Teil der Dokumentation beschäftigt sich mit der Darstellung der »Lebensläufe« der im zivilen Bereich eingesetzten »Condore«. Die Geschichte jedes Flugzeugs, zumindest diejenigen, die im Dienst der Lufthansa standen, greift in den militärischen Bereich über. Auch dort schlug das Schicksal auf verschiedenste Weise zu. Ob durch Unfälle, abgeschossen oder durch Bomben zerstört, keiner dieser mit Reichszulassung fliegenden »Condore« überlebte diesen Krieg. Lediglich die beiden an das »Syndicato Condor« gelieferten Maschinen flogen noch bis 1947 bzw. die letzte verbliebene sogar bis 1950.

Fw 200 V1 »Brandenburg«
(Werknummer 2000, D-AERE, D-ACON)
Das erste Flugzeug der Fw 200-Reihe, welches bei Focke-Wulf eine neue Ära einleitete, begab sich am 6. September 1937 in die Luft. Nach den entsprechenden werksseitigen Testreihen wurde die auf den Namen »Brandenburg« getaufte Maschine am 4.2.1938 von der DLH übernommen. Zunächst flog die Werknummer 2000 mit der Zulassung D-AERE. Schon gegen Ende des Monats verließ die V1 die Reihen der Lufthansa. Denn, wie bereits berichtet wurde, hatte man großes mit diesem Flugzeug vor. Nach der Erprobung durch die DHL, welche den »Condor« im Rahmen eines 200-stündigen Testprogramms auf »Herz und Nieren« prüfte, wurde die V1 an Focke-Wulf zwecks eines umfangreichen Umbaus retourniert. Mit den entsprechenden Arbeiten begann der Hersteller im April. Im August 1938, genauer am 10.8., startete der schwerst beladene »Condor« zu seinem transatlantischen Abenteuer. Flugzeug und Crew kehrten am 14. August nach 19 Stunden und 55 Minuten Flugdauer wohlbehalten zurück. Es waren die Flüge 8 und 9 im Rahmen einer mit den Vereinigten Staaten vereinbarten Versuchsserie von insgesamt 28 für das Jahr 1938 vorgesehenen Flüge, welche bisher mit Flugbooten durchgeführt wurden. Zweifellos handelte es sich hier noch um keine kommerziell nutzbare Flugverbindung zwischen Berlin und New York. Doch wurden die Möglichkeiten des Landflugzeugs der näheren Zukunft beeindruckend demonstriert.

Dem Furore machenden USA-Flug, welcher eigentlich die erste Etappe eines Weltfluges sein sollte, folgte der nicht minder bekannte Trip ins ferne Nippon. Die Crew brach am 28. November zu diesem ungleich längeren Flug auf. In diesem Fall waren Zwischenstopps in Basra, Karatschi und Hanoi erforderlich. Als am 30. November die D-ACON über Tokio erschien, hatte sie in einem Zeitraum von 42 Stunden annähernd 14.000 km zurückgelegt. Eine beachtliche Leistung, die die Japaner mit einem Exportauftrag sowie der Entwicklung eines Langstreckenaufklärers honorierten.
Die Ernüchterung kam erst vor Manila, als die zuverlässige D-ACON vor dem Strand von Manila zu ihrer letzten Landung ansetzte. Sie sollte nie wieder fliegen. Ihren letzten Weg in die Heimat trat sie arg lädiert an Bord eines Frachters an. Am 1.2.1939 traf das Wrack in Hamburg ein. Zwecks genauer Feststellung der Unfallursache folgte nun eine intensive Untersuchung. Die noch kleine »Condor«-Flotte hatte ihr erstes Opfer zu beklagen.

Fw 200 V2 »Westfalen« (Werknummer 2484, D-AETA)
Die Abnahme erfolgte Ende Oktober 1937. Im Folgemonat wurde die V2 gemeinsam mit der bereits am 6. September erstmals geflogenen V1 offiziell präsentiert. Nach dem Erstflug ging die D-AETA Anfang Mai in die Streckenerprobung. Hierbei führte sie ihr Weg in die Hauptstädte Amsterdam und Brüssel sowie nach London. Staunendes Publikum war einem solchen Flugzeug damals sicher. Somit waren diese Flüge nicht nur auf die technischen Belange reduziert, sondern dienten auch der PR von Focke-Wulf, Lufthansa und nicht zuletzt des Reiches selbst. Schon bald sollte die V2 ein Notfall nach Griechenland, genauer nach Saloniki, führen. Hier war die »Saarland« durch einen Spornradschaden und beschädigtem Heck an den Boden gefesselt, mit ihr fünf Mann Besatzung und 16 Passagiere. Die Maschine befand sich auf dem Rückweg ihres Rekordfluges Berlin – Kairo –Berlin und erlitt den Schaden bei der Zwischenlandung. Graf Schack startete mit der D-AETA, lieferte die benötigten Ersatzteile und brachte die »Gestrandeten« wieder wohlbehalten nach Berlin.
Als später auch Kurt Tank mit der reparierten Maschine zurückgekehrt war, wurde er zu Erhard Milch zitiert. Dieser

Die Fw 200 V1 während eines Testfluges. Auf der Flächenoberseite fehlt noch das Kennzeichen D-AERE.

Die »Westfalen« bringt ihre Motoren auf Betriebstemperatur. Die Aufnahme entstand in Berlin-Tempelhof.

Der 2. Prototyp (WNr. 2484) vor der Übernahme durch die Lufthansa.

Eine nachbearbeitete Aufnahme der D-AETA »Westfalen«.

machte ihm des Prestiges willen Vorhaltungen, ob Tank nicht besser die Gewitterfront durchflogen hätte, auch wenn dies ein Risiko darstellte. Tank hatte wie folgt geantwortet:
»In solchen Lagen riskiere ich grundsätzlich nichts. Mir ist die ganze Propaganda und das Prestige bei weitem nicht so wichtig wie die Sicherheit der Fluggäste.« Milch akzeptierte Tanks Haltung.
Eine andere herausragende Episode im Leben der D-AETA hatte sich am 29.5.1938 zugetragen. Anlässlich der Eröffnung des dänischen Flughafens Aalbord ergab sich für die Lufthansa wieder eine hervorragende Gelegenheit, mit ihrem neuen Airlinertyp zu glänzen. Diesmal mit besonderer Einlage. Graf Schack zählte sicher nicht zu den Flugzeugführern, die unwägbare Risiken auf sich nahmen, zumal er damit dem Image von Focke-Wulf und Lufthansa nicht unbeträchtlichen Schaden zufügen hätte können. Das nun Kommende war wohl kalkuliert. Der »Condor« fegte mehrmals tief über den Platz und bot zum Abschluss noch einen Looping! Salto Mortale – offene Münder garantiert. Lassen wir nun den Luftakrobaten selbst zu Wort kommen:

»...Eine meiner Erprobungsmaschinen, die beschleunigt bis zur Serienreife entwickelt werden sollte, war der Focke-Wulf ›Condor‹, Typenbezeichnung ›Fw 200‹. Dieses Flugzeug, seiner Zeit weit voraus, wies viele technische Neuerungen auf, eine davon war die elektrische Trimmung. Diese Trimmung arbeitete so schnell, dass man selbst während des Starts, mittels eines Knopfdruckes, eine falsch getrimmte Maschine ohne große Mühe richtig hintrimmen konnte. Da es jedoch zu den Aufgaben eines Testpiloten gehört, alle denkbaren Gefahrenquellen aufzuspüren und ihnen nachzugehen, galt es zu klären, was wohl geschehen würde, wenn

Die »Westfalen« im entgültigen Lufthansa-Outfit.

Alles einsteigen, bitte! Die damals sog. »Lufthostess« nimmt die Fluggäste in Empfang. Im Hintergrund die Junkers G 38 D-APIS.

sich aus irgend einem Grunde die Trimmung von alleine auf voll kopflastig oder schwanzlastig einstellen sollte. Durch eine Reihe von Vorversuchen war mir klar geworden, dass die Maschine, voll schwanzlastig getrimmt, wahrscheinlich ganz von alleine einen Looping fliegen würde. Ich wollte wissen, ob diese Annahme stimmt.
Etwas aufgeregt war ich, als ich den entscheidenden Versuch wagte. Ich verspürte leises Herzklopfen, wie ich jetzt im normalen Geradeausflug Vollgas gebe, auf den elektrischen Schaltknopf drücke, um die Trimmung auf ganz schwanzlastig laufen zu lassen, das Steuer loslasse und abwarte, was kommt. Würde der ›Condor‹ im oberen Totpunkt über die Fläche abkippen oder gar ins Trudeln kommen? Die Gefahr bestand, doch nichts von alledem geschah. Er hebt langsam seine Nase, wird steiler und steiler, ich schalte mit einer Hand alle vier Propeller auf kleine Steigung, um die maximale Leistung aus den Motoren herauszuholen, gleichzeitig sehe ich nur noch blauen Himmel über mir, jetzt muss es sich entscheiden, da taucht auch schon von hinten in das Blickfeld kommend die Erde wieder auf, es ist geschafft, wir sind herum. Ohne das geringste Eingreifen in das Steuer hat mein braver Vogel in vollendeter Präzision einen so exakten Looping geflogen, wie ihn der beste Kunstflieger nicht besser hätte ausführen können.
Turns, darunter versteht man die bis zur Senkrechten hochgezogenen Kehrtwendungen, flog ich gleichfalls nur mit der elektrischen Trimmung und losgelassenem Steuer, lediglich im oberen Totpunkt gab ich je nachdem nach welcher Seite die Maschine abkippen sollte, links oder rechts Seitensteuer. Nachdem ich den Bogen raus hatte und wusste, dass man verschiedene schwierige Figuren beim ›Condor‹ leichter mit der elektrischen Trimmung, als mit der Hand gesteuert fliegen konnte, war es für mich ein Leichtes, die Maschine der staunenden Mitwelt im Kunstflug vorzuführen...«

Die unbeschwerten Tage der Zivilfliegerei sollten für die D-AETA kurz vor Kriegsbeginn ein abruptes Ende nehmen. Ab August 1939 flog die Maschine als WL+DAETA bei Hansa Luftbild zur Erprobung. Dahinter verbarg sich nichts anderes als die Einheit von Theodor Rowehl, die Fliegerstaffel z.b.V. Vorher wurden verschiedene hier eingesetzte Maschinen in geeigneter Weise mit Reihenbildkameras im Rumpfboden ausgestattet. Zur Erhöhung der Reichweite kamen bereits in der D-ACON bewährte Rumpftanks zum Einbau. Ein weiteres Kriterium war die entsprechende Ausbildung der Besatzungen. Deren Aufgabe bestand im Vorfeld des nahenden Krieges, Bildaufklärung über künftigem Feindgebiet zu fliegen, um die Zielkartei der Luftwaffe zu komplettieren oder zu aktualisieren. Mit der Fw 200 wurde der Einheit auch das geeignete Instrument in die Hand gegeben, um beispielsweise den Stützpunkt der britischen »Homefleet« zu fotografieren. Das letzte und fatalste Kapitel im Lebenslauf der V2 stellte die Abkommandierung zur 1./KG 40 dar, die man zur Tarnung als »Kurier-Staffel« bezeichnet. Gegen Ende November 1939 in das Geschwader integriert, wurde sie bereits am 25.5.1940 bei Dyröy (Norwegen) das Opfer der Royal Air Force. Zwei Jagddoppeldecker des Typs Gloster »Gladiator« der 263. Squadron stellten den »Condor« und schossen ihn ab. Die Crew hatte einen Toten zu beklagen. Zwei Mann gelang die Flucht auf schwedisches Territorium, der Flugzeugführer wurde britischer Kriegsgefangener.

Fw 200 A-0 »Saarland« (Werknummer 2893, D-ADHR)
Die Werknummer 2893 (S1), das erste Flugzeug von insgesamt zehn Exemplaren der Serienversion A-0 (eine A-1 gab es zu keinem Zeitpunkt), wurde von der DLH am 23.Juli 1938 übernommen. Sie war die erste Maschine mit einem neuen Tragwerk (32,84 m). Die V1/V2 wurden erst nachträglich umgerüstet. Vor dem Einreihen in den Flugpark

Diese Aufnahme der »Saarland« entstand auf dem Vorfeld des Flughafens Buda-Örs (Budapest).

der Lufthansa sollte die »Saarland« im Zuge ihres spektakulären Fluges von Berlin nach Kairo eine Rekordmarke setzen.

Am 27. Juni 1938 verließ die D-ADHR die Piste von Tempelhof. Ihre beiden Piloten, Kurt Tank und Chefeinflieger Sander, ahnten noch nichts von den Schwierigkeiten, denen sie entgegenflogen. Nicht anders erging es ihrer wertvollen menschlichen Fracht, darunter Friedrich Roselius, Aufsichtsratsvorsitzender der Focke-Wulf-Werke, Konsul Junge oder Dr. Orlovious, Pressechef des RLM. Hinzu gesellte sich eine Schar Presseleute, welche durch die kommenden Ereignisse ausreichend Material für ihre Berichte bekommen sollten. Kurz nach Mitternacht schwebte die »Saarland«, nachdem sie eine Gewitterfront großräumig umflogen hatte, in Saloniki ein. Gegen 6 Uhr des nächsten Morgens rollte sie wieder zum Start mit Ziel Kairo. Im Land der Pharaonen angekommen, passierte Tank ein kleines Malheur. Anstelle auf dem Airport Heliopolis zu landen, erledigte er dies auf einem Fliegerhorst der Royal Air Force. Vierzehn Tage vorher erging es dem italienischen Luftmarschall Balbo nicht anders. Die Landung in Heliopolis erfolgte um 10.18 Uhr. Damit war die Serie der Pannen noch nicht beendet. Während des Rückfluges führte die Flugroute zwecks eines Tankstopps wieder nach Saloniki. Kaum gestartet, sah sich Tank abermals mit einer gewaltigen Gewitterfront konfrontiert. Da ein Umfliegen oder gar Durchfliegen nicht ratsam erschien, entschloss sich Tank nach Saloniki zurückzukehren und das Ende des »Himmelzaubers« abzuwarten. Bei der Landung versagte nun die Hydraulik des Spornrades. Ägyptischer Sand hatte die Technik außer Gefecht gesetzt. Tank setzte die Maschine auf die Bahn mit entsprechenden Folgen für die Heckpartie der »Saarland«. Glücklicherweise trug keiner der an Bord befindlichen Personen auch nur einen Kratzer davon. An eine Weiterführung des Fluges war natürlich nun nicht mehr zu denken. Tank forderte einen weiteren »Condor« an, welcher die benötigten Ersatzteile einfliegen und die Passagiere der »Saarland« wieder in die Heimat bringen sollte. »Retter in der Not« war Graf Schack, der am 29.Juni mit der V2 »Westfalen« alle Fluggäste der »Saarland« wieder wohlbehalten zurück in die Heimat brachte.

Aufgrund der geschilderten Zwischenfälle konnte die ursprüngliche Absicht, die Route Berlin – Kairo – Berlin innerhalb von 24 Stunden zu bewältigen, nicht erfüllt werden. Der geplante FAI-Rekord wurde somit nicht realisiert. Respektabel ist die Leistung trotz alledem. In der Folge waren auch für die »Saarland« die Tage der zivilen Fliegerei gezählt.

Die DLH flog 1938 drei Fw 200, darunter die Ende August in Dienst gestellte »Nordmark« und die V2. Das »Condor-Trio« legte im ersten Jahr seiner Zugehörigkeit zur DLH-Flotte weit über 270 000 Streckenkilometer zurück. Der Flugbetrieb führte die »Saarland« u. a. auch nach Budapest. Auf ihrem letzten Flug als Zivilist befand sich die »Saarland« am 31.8.1939 auf der Route Hamburg – Kopenhagen – Göteborg, mit Ziel Oslo. Am nächsten Morgen befand sich Deutschland bereits im Kriegszustand. Die Maschine landete kurz vor Mittag in Kopenhagen-Kastrup. Die »Saarland« sollte gemäß Anweisung nach Stockholm-Bromma geflogen werden. Von dort aus erhielt der Pilot die Genehmigung, die D-ADHR am 2.9. nach Berlin-Tempelhof zurückzufliegen. Die DLH hatte bereits am 26.8. ihre Flüge auf amtliche Anweisung hin stark eingeschränken und Maschinen für militärische Zwecke zur Verfügung stellen müssen. Kaum in Berlin angekommen, wurde die »Saarland« der 4./KG z.b.V. 172 unterstellt. Hier wurden viermotorige Airliner der Lufthansa zu einem Transportverband zusammengefasst. Aufgrund ihrer großen Ladekapazität waren die versammelten Ju 90, Fw 200 und antiquierte Junkers G.38 für Versorgungsflüge oder Truppentransporte von Nutzen. Insgesamt hatte die DLH gemäß dem Reichsleistungsgesetz 116 Flugzeuge der Luftwaffe zu unterstellen.

Mitte März 1940 wurde die »Saarland« der 4./K.Gr z.b.V. 107 unterstellt. Im Zuge der folgenden Einsätze wurde die Maschine bei einer Landung auf dem Platz Gardemoen (Norwegen) beschädigt. Nach Abschluss der Reparaturarbeiten flog die »Saarland« im Zeitraum von September 1940 bis März 1941 wieder als D-ADHR bei Lufthansa. Diese Episode endete mit der Unterstellung zur Erg. St./KG 40, wo sie zunächst wieder das militärische Kennzeichen GF+GF trug. Gegen Ende Mai 1941 erfolgte die Übergabe an die

Weniger glanzvoll ging es beim KG 40 zu. Die D-ADHR »Saarland« im Dienst der Luftwaffe.

10.(Erg.)/KG 40. Mitte Juni ging die Maschine desselben Jahres auf dem Flugplatz Aalborg-West, bedingt durch einen Motorenbrand, verloren. Dies ist durch ein Foto überliefert. Während des Anlassens fing der steuerbordseitige Innenmotor Feuer. In schneller Folge erfasste der Brand die Tanks. Mit hoch aufgerichteten Vorderrumpf, einem letzten Aufbäumen gleich, verbrannte der »Condor«. Menschen kamen glücklicherweise nicht zu Schaden.

Die dänische Königin während der Taufzeremonie.

Fw 200 KA-1 »Dania« (Werknummer 2894, OY-DAM)
Mittlerweile trugen auch die Bemühungen um Exportaufträge erste Früchte. Die erste ausländische Order, datiert vom 5.3.1938, kam von einer dänischen Airline. »Det Danske Luftfartselskab« gab natürlich auch einen definitiven Liefertermin vor. Die beiden A-0 sollten jeweils zur Monatsmitte im Juni und September 1938 zur Verfügung stehen. Um diesen knappen Terminvorgaben entsprechen zu können, blieb nur noch die Möglichkeit, die benötigten Maschinen aus der laufenden Fertigung für DLH zu entnehmen. Die spätere »Dania« stammte somit aus dem ersten Lufthansa-Auftrag (April 1937) über drei Maschinen des Typs A-0. Es handelte sich hierbei jedoch noch um keinen Festauftrag. Dieser wurde erst im Mai 1938, sechs Flugzeuge beinhaltend, von DLH unterschrieben. Im Mai 1937 stand Focke-Wulf bereits in Verhandlungen mit den Dänen, welche von Anfang an starkes Interesse am »Condor« signalisierten. So konnte Focke-Wulf es ohne allzu großes Risiko wagen, eine weitere A-0 (WNr. 2996) zu fertigen, welche dann die Lücke wieder füllte. Der Liefertermin für die WNr. 2894 wurde einen Monat überzogen, sodass die Maschine erst Mitte Juli 1938 in den Flugpark von DDL integriert werden konnte. Die OY-DAM wurde am 14.7. von Kurt Tank selbst nach Kopenhagen überführt. Zwei Wochen später taufte Prinzessin Margaretha von Dänemark den »Condor« auf den Namen »Dania«. Der in der Exportausführung als KA-1 bezeichneten A-0 stand jedoch ein kurzes Flugzeugleben bevor. Die »Dania« wurde spätestens im Herbst 1938 im Liniendienst der DDL eingesetzt. In der Anfangsphase bot sie noch das Erscheinungsbild eines der DLH nachempfundenen Airli-

Die noch namenlose »Dania« steht neben ihrer Schwestermaschine »Jutlandia« im Hangar auf dem Flughafen Kopenhagen-Kastrup.

ners. Die Linienführung der hier roten Farbpartien glichen den in schwarz gehaltenen Bereiche der Lufthansa-Maschinen. Mit diesem Outfit ging die »Dania« in den Liniendienst, beispielsweise auf der Route von Kopenhagen über Hamburg nach London. Diese Verbindung wurde von ihrer Schwestermaschine bis zum letzten Friedenstag aufrecht erhalten. Die »Dania«, registriert als OY-DAM, erhielt nach Ausbruch des Krieges entsprechende Markierungen, die sie als Flugzeug eines neutralen Staates auswies. Diese Identifikation sollten großflächige dänische Flaggen an den Flächenober- und Unterseiten, am Seitenleitwerk sowie an dem in großen Lettern an den oberen Rumpfseiten angebrachten Schriftzug »DANMARK«, gewährleisten. Grundlegend änderte sich das Erscheinungsbild der »Dania«, als DDL ihre Flugverbindung nach London wieder aufnahm. Dies geschah gegen Mitte November 1939. Die Streckenführung Kopenhagen – Amsterdam – London erforderte zweifellos eine noch auffälligere Darstellung der Neutralität. Man wählte nun eine weithin leuchtende orangefarbene Lackierung, welche nun das ganze Flugzeug bedeckte. DDL bediente diese Route mit beiden Flugzeugen. Einer der beiden »Condor« sollten jedoch nie wieder auf dänisches Gebiet zurückkehren. Der Grund hierfür war die Missachtung der dänischen Neutralität durch den Einmarsch deutscher Truppen am 9.4.1940. Zu diesem Zeitpunkt befand sich die »Dania« in Shoreham. Darauf hin internierten die Briten die »Dania«, um sie nicht in die Hände des Feindes fallen zu lassen. Sie sollte nun der eigenen Verwendung zugeführt werden. Hierfür wurde der dänische Airliner nach Whitchurch geflogen. Im Mai 1940 wurde die »Dania« in die BOAC-Flotte integriert, welche über ein wahres Sammelsurium an Flugzeugtypen verfügte. Entsprechend den anderen Flugzeugen trug nun auch die »Dania« das britische Tarnkleid, bestehend aus »Dark Earth«, einem Braunton, »Dark Green« auf den Oberseiten und »Sky« an den unteren Partien. An den Rumpfseiten und Tragflächen prangte nun in großen Lettern die britische Zulassung G-AGAY, kombiniert mit dem beziehungsreichen Namen »Wolf«. Nach Abschluss der Umlackierungsarbeiten und der technischen Überprüfung sollte der »Wolf« im Dienste eines neuen Herrn seine Bahn am Himmel ziehen. BOAC hatte die Absicht, ihre neue Errungenschaft für Flüge zwischen England und Ägypten zu verwenden. Hierbei sollte die Route über Marseille führen,

Nach Ausbruch des Krieges wurde auch das Risiko für Zivilflugzeuge unkalkulierbar. Große Markierungen sollten weithin sichtbar die Neutralität des Flugzeugs dokumentieren.

ein Vorhaben, das durch die deutsche Besetzung Frankreichs vereitelt wurde. Auch der Einsatz auf der Strecke Kairo –Takoradi (Afrika) kam nicht zustande, obwohl man die Maschine hierfür bereits mit speziellen Reichweitentanks ausrüstete. Da BOAC hier einen feindlichen Flugzeugtyp einsetzen wollte, konnte natürlich eine fehlerhafte Identifizierung des Flugzeugs durch alliierte Truppen nicht ausgeschlossen werden. Militärische Stellen erhoben massive Einwände gegen die Nutzung des Flugzeugs in der vorgesehenen Rolle. Die Kennung G-AGAY wurde am 30.6.1940 aus dem britischen Zivilregister gelöscht. Bereits am 9.6.1940 war der »Wolf« zwecks umfangreicher Wartungsarbeitung nach Eastleigh überführt worden. Anschließend nutzte man den Airliner (ATA) im Rahmen des Crewtrainings. Hierzu traf die Focke-Wulf am 9.1.1941 in White Waltham ein. Sie trug fortan das RAF-Serial DX 177. Auch zu einem weiteren Einsatz bei der RAF kam es aufgrund des folgenden Ereignisses nicht mehr. Die Maschine startete am 12.7.1941 zu einem routinemäßigen Übungsflug. Das Malheur ereignete sich während einer Landung mit überhöhter Geschwindigkeit auf nasser Graspiste. Fahrwerksbruch – das Aus für den »Condor«, da man sich bewusst war, dass eine Instandsetzung schon wegen des Ersatzteilmangels nur durch einen unverhältnismäßig großen Aufwand möglich sein würde. So wurde im Januar 1942 die Verschrottung des Flugzeugs beschlossen und dem in Crowley beheimateten No. 1 Metall Produce and Recovery Depot als »Recycling-Gut« zugeführt.

Fw 200 A-0 »Nordmark«
(Werknummer 2895, D-AMHC)

Das dritte Flugzeug neben den Werknummern 2484 und 2893 von der DHL in Dienst gestellten Fw 200 stellte »Nordmark« dar. Das Flugzeug wurde gegen Ende August 1938 von Lufthansa übernommen und mit der Zulassung D-AMHC sowie den Taufnamen »Nordmark« in die Flotte aufgenommen. Ihr Einsatz im Liniendienst sollte nur bis Ende August 1939 währen. Danach erfolgte zunächst der Umbau zum Bildaufklärer. In dieser Eigenschaft wurde die entsprechend modifizierte Maschine als WL-AMHC Rowehls Einheit zugeteilt, der sie bis November 1939 unterstellt blieb. Unmittelbar danach fand sie im Transportereinsatz während des Unternehmens »Weserübung« bei der 1./KG 40, der sogenannten »Kurierstaffel«, Verwendung. Die erste von insgesamt drei Unterstellungsverhältnissen zum KG 40 endete im April 1940. Das »Zigeunerleben« setzte sich bereits Anfang des nächsten Monats fort. Nun unterstand der »Condor« der 4.K.Gr. z.b.V. 107. Diese Einheit hatte am 22.6.1940 die WNr. 2895 an die 2./K.Gr. z.b.V. 108 abzugeben. Dieser Episode folgte ab September 1941 ein friedlicheres Zwischenspiel bei der Lufthansa, welches bis einschließlich März 1941 andauerte. Ende März 1941 meldete sie sich wieder zum Dienst bei der Luftwaffe, genauer bei der Erg. St./KG 40 (TK+BS). Gegen Ende Mai 1941 erfolgte dann die Übergabe geschwaderintern an die 10.(Erg.)/KG 40. Im Zuge der dort wahrgenommenen Aufgaben kam es bereits im Juli zu einer Notlandung in der Nähe des thüringischen Fambach. Damit nicht genug. Nach Beendigung der Reparaturarbeiten wurde die WNr. 2895 im Januar 1942 der 11./KG 40 zugeteilt. Diese letzte Zugehörigkeit zum KG 40 endete Mitte Januar des Folgejahres abrupt. Gegen Mitte Januar 1943 kollidierte auf dem französischen KG 40-Stützpunkt Chateaudun eine Me 109 F mit dem ungleich größeren »Condor«. Aufgrund der umfangreichen Beschädigungen musste die Fw 200 abgeschrieben werden.

Beim Betrachten dieser außergewöhnlichen Aufnahme vernimmt man buchstäblich den Klang der vier BMW´s.

Im Januar 1943 endete dieses Flugzeugleben nach der Kollision mit einer Me 109.

Fw 200 KA-1 »Jutlandia«
(Werknummer 2993, OY-DEM)

Auch das zweite Exemplar des dänischen Duo´s konnte nur halbwegs fristgerecht ausgeliefert werden, falls man auch hier ein Flugzeug aus einem DLH-Auftrag abzog. Die Werknummer 2993 zählte zum zweiten Los, welches die DLH im Dezember 1937 als Option mitteilte. Eine feste Order folgte erst 1938. Die OY-DEM, auf den Namen »Jutlandia« getauft, wurde Mitte November 1938 an ihren künftigen Besitzer übergeben. In der Folge flog die »Jutlandia« noch bis zum Vorabend des Zweiten Weltkrieges auf der Route Nr. 27, welche von Kopenhagen über Hamburg nach London führte. Der 1. September 1939 veränderte die Situation grundlegend. Eine Flugverbindung zur britischen Insel wurde erst wieder gegen Mitte November aufgenommen. Die neue Streckenführung, deutsches Territorium wurde nun ausgeklammert, führte nun von Kopenhagen über Amsterdam zur Destination Shoreham in England. Beide »Condore« bedienten die Strecke nun in einem äußerst auffälligen Erscheinungsbild. Entsprechend der »Dania« erhielt auch die »Jutlandia« den weithin sichtbaren orangefarbenen Neutralitätsanstrich und die entsprechenden Markierungen.

Die »Jutlandia« wurde als zweite Fw 200 KA-1 an die DDL geliefert. Auch sie wurde aus einem DLH-Auftrag abgezweigt.

Flugzeuge der dänischen DDL mit den beiden modernsten Neuzugängen.

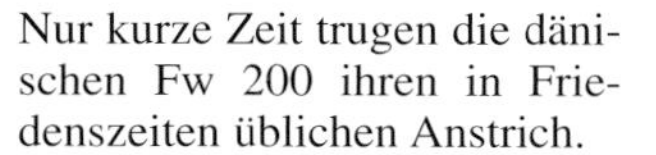
Nur kurze Zeit trugen die dänischen Fw 200 ihren in Friedenszeiten üblichen Anstrich.

Hier wurde kräftig in den Farbtopf gefasst. Die »Jutlandia« erhielt eine gänzlich in Orange gehaltene Lackierung.

Als deutsche Truppen Dänemark besetzten, befand sich die OY-DEM nicht auf britischem Territorium. Auch sie wäre dann mit Sicherheit von den Briten interniert worden. Die deutschen Besatzer Dänemarks gestatteten der DDL ihren zivilen Flugbetrieb weitgehend aufrecht zu erhalten. Auf die Streckenführung nahmen die deutschen Stellen jedoch Einfluss. Aus naheliegenden Gründen waren Englandflüge natürlich gestrichen worden. DDL übernahm nun auch Abschnitte im innerdeutschen Streckennetz. Unter anderem flog die Gesellschaft Wien-Aspern an. Hier ereignete sich im Dezember 1940 ein vergleichsweise glimpflich verlaufender Unfall. Der Flugzeugführer war, bedingt durch Fahrwerksbruch, gezwungen, eine Bauchlandung auszuführen. Es gelang jedoch relativ schnell, die Maschine wieder instand zu setzen. Dies beanspruchte den Zeitraum von lediglich acht Tagen. Die »Jutlandia« überstand die Wirren des Krieges. Sie flog beispielsweise noch bis Ende Februar 1945 auf der sicher nicht ungefährlichen Route Berlin – Kopenhagen – Malmö. Aufgrund eines wahrscheinlich vorgetäuschten Motorschadens verblieb die »Jutlandia« im neutralen Schweden. Erst nach Inkrafttreten der deutschen Kapitulation verließ der »Condor« den sicheren neutralen Ort und begab sich zuerst nach Stockholm. Am folgenden Tag schwebte der Airliner wohlbehalten in Kopenhagen ein.
In der einschlägigen Literatur ist eine andere Variante der Geschehnisse zu finden. Es heißt beispielsweise, dass die »Jutlandia« in den letzten Kriegstagen in der Umgegend von Kopenhagen, um sie vor der Zerstörung zu schützen, in einem Schuppen versteckt worden sein soll. Falls man nicht die Flügel abgenommen hatte, wäre dies angesichts der Maße des »Condor«, ein ziemlich beachtlicher Schuppen gewesen.
Soweit die Geschehnisse bis zum 10. Mai 1945.
Gründlich durchgecheckt begab sich die »Jutlandia« nach dieser Prozedur in der zweiten Maihälfte in eine neue Epoche der zivilen Fliegerei: den Nachkriegsluftverkehr, welcher sich in technischer und zahlenmäßiger Hinsicht in atemberaubender Geschwindigkeit entwickeln sollte. Der »Jutlandia« blieb hingegen nur noch eine verschwindend geringe Zeitspanne, um sich an diesen Aktivitäten beteiligen zu können. Bereits am 4.9.1946 geschah das, was ihr weiteres Schicksal besiegelte. Bei der Landung auf dem Airport Northolt brach das Spornrad. Dies hatte aufgrund der prekären Ersatzteilsituation ungleich gravierendere Folgen, als damals bei der »Saarland«. Die davongetragenen Blessuren waren so schwerwiegend, dass DDL beschloss, die Maschine nicht wieder instand zu setzen. Da die »Dania« bereits das Zeitliche gesegnet hatte, fiel sie daher als Ersatzteilspender aus. Auch ehemalige DLH-Maschinen waren nicht mehr verfügbar. Die einzigen beiden noch verfügbaren Fw 200 A-0 befanden sich in Brasilien, welche zumindest zu diesem Zeitpunkt noch genutzt wurden. Ende Januar löschte

die dänische Luftfahrtbehörde das Flugzeug aus dem Register. In der Folge fiel auch die »Jutlandia«, wie schon Jahre vorher die »Dania«, dem Schrotthändler anheim.

Fw 200 A-0 »Friesland« (Werknummer 2994, D-ARHW)
Die Werknummer 2994 zählte zu einem Los von drei Maschinen, welches die dänische »Jutlandia« sowie die DLH »Holstein«, spätere »Arumani«, beinhaltete.
Die DLH übernahm das Flugzeug mit der Registrierung D-ARHW und gab ihr den Eigennamen »Friesland«. Die Maschine wurde etwa Mitte Januar 1939 in die Flotte aufgenommen und auf verschiedenen Routen eingesetzt. Umgerüstet als Transporter für Einsätze in Norwegen verließ die »Friesland« zunächst die Reihen der Lufthansa, um ab Mitte April 1940 bei der 4.K.Gr. z.b.V. 107 Verwendung zu finden. Ende Juli kehrte die WNr. 2994 wieder kurzfristig zur Lufthansa zurück.
Für ein besonderes Unternehmen hatte man im September 1940 die DLH ausersehen. Zahlreiche deutsche Staatsbürger befanden sich, vom Kriegsgeschehen überrascht, seit längerer Zeit auf den Kanarischen Inseln oder auf französischem Gebiet in Nordafrika. Darunter auch Besatzungen deutscher Handelsschiffe. Die »Luftbrücke« zwischen Deutschland, Casablanca und Las Palmas brachte in den Monaten September bis Anfang Dezember 561 Personen »Heim ins Reich«. Im Rahmen dieser ausschließlich von DLH-Maschinen bewältigten Aktion wurden über 130 000 Flugkilometer zurückgelegt. Neben den erwähnten Personen wurde noch 27 Tonnen Fracht und Post befördert. Den letzten dieser weitreichenden Flüge absolvierte die D-ARHW.
Die nächste Episode ihres Flugzeuglebens führte die »Friesland« ab Februar 1941 zum KG 40. Zuvor wurde sie in der DLH-Werft Staaken mit Reichweitentanks und Reihenbildkameras ausgestattet. Auch alle anderen noch bei Lufthansa befindlichen »Condore« hatten sich in der Folge noch dieser Prozedur zu unterziehen. Nur so verfügten die Maschinen über die erforderliche Reichweite in ihrem neuen Aufgabegebiet als Seeaufklärer. Mit Kameras wurden hingegen wahrscheinlich nur zwei dieser Flugzeuge bestückt. Der ehemalige Airliner und Transporter wurde nun der für Aufklärungszwecke der 1./KG 40 unterstellt. Geschwaderintern verlegte sie ca. Ende Mai 1941 zur 10.(Erg.)/KG 40. Später zählte sie, ab August 1941, zum Bestand der IV./KG 40. Erst im Juli 1944 sollte die WNr. 2994 vom Schulbetrieb des KG 40 abgezogen werden und zur Lufthansa zurückkehren. Die Markierungen des KG 40 wurden übertüncht, und an ihre Stelle trat wieder die Zivilzulassung D-ARHW sowie der Namenszug »Friesland«. Nach der Eingangskontrolle und entsprechender Wartung/Umbauten schickte die DLH die »Friesland« wieder auf Strecke. Auf der Spanienroute ging sie Ende Juli wieder in den Liniendienst. Ab Ende Oktober zog die »Friesland« zwischen Berlin und Stockholm wieder ihre Bahn. Schon bald sollte einer dieser Flüge ihr und allen an Bord befindlichen Menschen zum Verhängnis werden.
Die Geschehnisse des 29.11.1944:
Die Crew, bestehend aus den Flugkapitänen Gutschmidt und Breitenbach sowie Maschinist Brauner und Funker Lenz, bereiteten sich auf einen weiteren Linienflug zwischen der Reichshauptstadt und Stockholm vor. Es schien, soweit man in diesen Zeiten überhaupt von Routine sprechen kann, ein Routineflug zu werden, eben mit allen bekannten Gefahren und Unwägbarkeiten dieser Zeit. Feindliche Flugzeuge stellten für die DLH ein zunehmendes Problem dar, sie hatten bereits so manches Opfer aus ihren Reihen gefordert. Im Zeitalter des Radars bot auch die Dunkelheit nur noch einen begrenzten Schutz.
Die BMW's hatten ihre Betriebstemperatur erreicht und die »Friesland« eilte mit zunehmender Geschwindigkeit dem Ende der Tempelhofer Startbahn entgegen. Stetig Höhe gewinnend meldete sich die Crew etwa eine Stunde später bei der Leitstelle Stettin ab. Nun bestand Funkkontakt mit der Leitstelle in Malmö. Kurz darauf gab der Funker die letzte Meldung ab, als er eine Peilung von den Schweden anforderte. Wenige Minuten später beobachteten schwedische Marineangehörige, die auf dem Leuchtturm von Falsterbo ihren Dienst verrichteten, ein brennendes, in die Ostsee stürzendes Flugzeug. Die »Friesland« und zehn an Bord befindliche Menschen hatten vor Makläppen ihr nasses Grab gefunden.
Die wahren Geschehnisse, die sich an diesem Abend neun Kilometer vor Falsterbo ereigneten, werden definitiv nur sehr schwer nach zu vollziehen sein. Im Zuge der seither vergangenen Jahre erschienen Theorien, die Unfall oder Beschuss des Flugzeugs zum Inhalt hatten. Die erste kann man in diesem Fall getrost ausschließen, da durch schwedische Stellen geborgene Teile Beschussspuren aufwiesen. In diesem Zusammenhang sei auch das geborgene Hauptfahrwerksbein erwähnt. Somit bleibt noch die Beweisführung, wer für den Abschuss des Airliners verantwortlich war. Ein schwedischer Bericht vom Oktober 1945 nennt 20-mm-Leuchtspurmunition, deren Fragmente man in einigen geho-

Ein Bild der »Friesland« aus den friedlichen Zeiten. Sie wurde Ende November 1944 während eines Fluges von Berlin nach Stockholm abgeschossen.

benen Teilen der »Friesland« fand. Bedauerlicherweise wurde der Bericht nicht konkreter, da man die Herkunft nicht identifizieren konnte (oder wollte). Die Meinung, dass die »Friesland« das Opfer eines alliierten Jägers geworden ist, kann nicht zweifelsfrei widerlegt werden. Gemäß einer anderen, wahrscheinlicheren Version soll den Absturz ein deutsches Vorpostenboot herbeigeführt haben. Es ist richtig, das auch solche deutsche Marinefahrzeuge mit 20-mm-Abwehrkanonen bestückt waren. Beispielsweise kam hier eine Version des MG 151/20 zum Einsatz. Wie erwähnt, wurden zwar Geschossfragmente gefunden, diese jedoch nicht genau typisiert. Somit bleibt die Klärung dieses tragischen Ereignisses weiterhin ein Fall für die Luftfahrthistoriker. Durch diesen fatalen Zwischenfall verlor die DLH ihre letzte Fw 200 A-0, deren verbliebene Überreste sich in der Ostsee in wenigen Metern Wassertiefe befinden.

Deutlich ist der Schriftzug »Arumani« zu erkennen. Erst in Brasilien wurden die letzten Markierungen der DLH entfernt.

Fw 200 A-0 (Werknummer 2995, D-ASBK / PP-CBJ)
Das sechste Serienflugzeug war eines von insgesamt vier Maschinen der Reihe A-0, welche im Jahr 1939 zur Auslieferung an die DHL gelangte und als »Holstein« in Dienst gestellt wurde. Ihre Verweildauer bei der deutschen »Einheitsgesellschaft« sollte jedoch nur ein kurzes Gastspiel sein. In den Flugpark gegen Mitte Februar 1939 eingereiht, verließ sie die Lufthansa bereits wieder im Juli. Ihr weiterer Weg führte die »Holstein« auf einen anderen Kontinent, nach Brasilien. Ihr neuer Besitzer war das »Syndicato Condor«, das bereits Ende 1939 ihre Schwestermaschine, die D-AXFO, in Empfang nahm. Die »Holstein« startete am 26.7.1939 von Berlin zum mehrere Zwischenlandungen beinhaltenden Trip nach Rio de Janeiro. Die Route führte über Sevilla, Bathurst und Natal, als sie am 29.7. wohlbehalten in der brasilianischen Metropole eintraf. War der erste Überführungsflug, der »Pommern«, von Flugkapitän Henke durchgeführt wurden, so übernahm dies in diesem Fall Flugkapitän Cramer von Clausbruch. Gegen Mitte des Folgemonats trat somit nun der zweite »Condor«, mit brasilianischer Zulassung PP-CBJ und dem Namen »Arumani« versehen, in die Dienste der brasilianischen Tochter der Lufthansa.
Das »Syndicato Condor« befand sich zu 100% im Besitz der Lufthansa. Die Wurzeln des brasilianischen »Ablegers« reichen zurück bis in das Jahr 1924. Der »Deutsche Aero Lloyd« und »SCADTA« (Sociedad Colombo Alemania de Transportes Aereos) gründeten das »Condor Syndikat«. »Aero Lloyd« ging hingegen 1926 in der »Luft Hansa« auf. Die im Januar 1926 aus »Junkers Luftverkehr« und »Aero Lloyd« hervorgegangene »Einheitsgesellschaft Deutsche Luft Hansa« gründete am 1.12.1927 das »Syndicato Condor Limitida«. Das »Condor Syndikat« erwies sich 1927 mit großem finanziellem Engagement als »Geburtshelfer« der »VARIG«. Auch hier kamen die Piloten und das fliegende Material aus Deutschland.
Doch nun zurück zum »Syndicato Condor« und deren Fw 200 »Arumani«. Die PP-CBJ flog im Liniendienst auf den Routen Rio de Janeiro und Buenos Aires oder Porto Allegre. Beide »Condore« waren in Brasilien kurz vor Beginn des Zweiten Weltkrieges in Dienst gestellt worden. Zwei Jahre konnte der Flugbetrieb trotz des zunehmenden Druckes der Amerikaner auf die brasilianische Regierung ohne größere Schwierigkeiten aufrecht erhalten werden. Es war nur logisch, dass Amerika deutsche Aktivitäten in diesem noch neutralen Land zumindest drastisch begrenzen wollte. 1941 verfinsterte sich nun zusehends auch der Himmel über den politischen Beziehungen zwischen den Vereinigten Staaten und Deutschland. Dies hatte auch Auswirkungen in Brasilien.
Die Namensänderung des »Syndicato Condor« in »Servicios Aereos Condor« hatte wohlüberlegte politische Gründe. Die brasilianische Regierung entschied, dass der Begriff „Syndicato" nur noch im Zusammenhang mit den Gewerkschaften benutzt werden durfte. Diese Schritte waren den verantwortlichen Stellen in den USA nicht genug. Nun griffen die Amerikaner zu drastischeren Mitteln. Nach altbewährter Methode drehte man am »Benzinhahn«. Standard Oil erhielt von der US-Regierung die Weisung, dass sie mit sofortiger Wirkung alle Flugtreibstofflieferungen einzustellen habe. Daraufhin war die Airline schon bald genötigt, den Betrieb einzustellen. Größere Reserven waren anscheinend nicht vorhanden. Nun waren auch die beiden »Condore« für unbestimmte Zeit am Boden. Die Achsenmächte Japan, Ita-

Die „Holstein" kam gegen Mitte Februar 1939 zur Lufthansa. Eine Zugehörigkeit, die nur wenige Monate andauern sollte.

lien und Deutschland befanden sich nun seit 7. bzw. 11. Dezember 1941 im Kriegszustand mit den USA. Durch den verstärkten diplomatischen Druck der USA ergriff die brasilianische Regierung drastische Maßnahmen. Deutsches Personal wurde unter teils unakzeptablen Bedingungen interniert. Im Juli 1942 übernahm der Staat Brasilien entschädigungslos die Tochter der DLH. Im November desselben Jahres entschied man auch über einen Namenswechsel. Die deutschstämmige Airline erhielt nun den Namen »Servico Aereo Cruzeiro do Sul«. Kurz nach diesen Ereignissen floss in Brasilien wieder das Benzin, und die Airline, mit nun neuem Firmenschild, konnte den Flugbetrieb wieder aufnehmen. Die Gesellschaft beflog zunächst die Strecke Buenos Aires nach Rio de Janeiro. Im Zuge der kommenden Jahre sollte die Wartung der Focke-Wulf-Maschinen zunehmende Probleme bereiten. Tropisches Klima und Verschleißerscheinungen setzten den »Condoren« empfindlich zu. Nachdem auch die Ersatzteilbeschaffung nicht mehr zu lösen war, beschloss man 1947 zunächst die »Abaitara« stillzulegen. Die BMW-Motoren waren, bedingt durch diese Situation, bereits 1943 gegen amerikanische Pratt & Whitney-Triebwerke gewechselt worden. Mit der »Arumani« war das Schicksal etwas gnädiger, sie flog noch bis März des Jahres 1950! Ihre Laufbahn endete jedoch gewaltsam. Eine DC-3 der »Panair do Brasil« hatte am 12.3.1950 ganze Arbeit geleistet. Die PP-PCK rammte den »Condor« während des Rollens auf dem Airport von Rio, Santos Dumont. Die Beschädigungen ließen aufgrund der prekären Ersatzteilsituation keine Instandsetzung mehr zu. Nicht verfügbare Ersatzteile haben schon im Mai 1947 das Schicksal der »Abaitara« besiegelt. So nun auch das der »Arumani«.
Eine Bemerkung zum Schluss: Da die DLH die »Holstein« an das »Syndicato Condor« abgegeben hatte, bestand Bedarf für eine neues Flugzeug. Dieses lieferte Focke-Wulf in Form der Werknummer 200-0020, die eigentlich eine japanische Zulassung tragen sollte. Um Verwechslungen zu vermeiden – es handelte sich hierbei um die »Holstein«(D-ACWG), die im Oktober 1940 zur DLH kam und 1941 dem KG 40 überstellt wurde.

Fw 200 A-0 (Werknummer 2996, D-AXFO / PP-CBI)
Auch dieses Flugzeug war für südamerikanische Gefilde bestimmt. Für die kurze Dauer von zwei Monaten, genauer von April bis fast Ende Juni, stand die D-AXFO »Pommern« der »Lufthansa« zur Verfügung. Natürlich hatte sie dort keine Routinearbeit zu verrichten, sondern wurde für eine lange Reise vorbereitet, die möglichst nicht so enden sollte, wie die bereits geschilderte vor Manila. Man hatte Henkes Missgeschick mit der D-ACON nur zu gut in Erinnerung. Die D-AXFO sollte als erster der beiden »Condore« eine Brücke nach Südamerika schlagen und anschließend dem »Syndicato Condor« bezüglich der dortigen weiteren Verwendung übergeben werden. Um ein Fiasko wie im Fall der Ju 90 V2 zu vermeiden, hatte die Fw 200 erst ihre Tropentauglichkeit unter Beweis zu stellen. Um diesen antreten zu können, startete Tank vor Abgabe an die DLH am 3.4.1939 vom Bremer Werksflugplatz mit Kurs auf einen unscheinbaren Flugplatz namens Gadames in der Wüste Libyens. Schon zum Zeitpunkt des Starts herrschten schlechte Witterungsverhältnisse, welche Tank auch während des Alpenüberflugs begleiteten. Er brachte den »Condor« auf 5000 m, wohl wissend, dass es mittlerweile kalt und die Luft zunehmend dünner geworden war. Im Gegensatz zur Crew verfügten die an Bord befindlichen Fw-Ingenieure keine Sauerstoffmasken. Oberingenieur Kaether war für Kraftstoff-Verbrauchs-Messungen zuständig und hatte, da er luftkrank wurde, folgend geschilderte Situation verursacht:
Die Maschine befand sich in Nähe des Großglockner, welchen Tank durch Wolkenlücken entdecken konnte. Ohne vorhergehende Anzeichen verstummten der Reihe nach plötzlich alle vier Motoren. Schon kurz darauf senkte der »Condor« seine Nase zum Gleitflug ins Ungewisse. Was war geschehen? Wieder einmal wäre eine falsche Tankschaltung einer Fw 200 zum Verhängnis geworden. Kurt Tank schaltete geistesgegenwärtig auf die Startbehälter um. Deren Inhalt konnte die Situation jedoch nur vorübergehend, für wenige Minuten, entschärfen. Tank schickte seinen Bordmonteur zu Kaether, welcher von der Luftkrankheit gebeutelt am Messpult saß und den Dreiwegehahn der Messtafel geschlossen hatte. Kleiner Handgriff, große Wirkung! Von Schuld konnte man hier sicher nicht sprechen, da bei einem Mann mit so wichtiger Funktion zumindest die Sauerstoffversorgung hätte sichergestellt werden müssen. Dennoch hatte sich Kaether beim etwas aus der Fassung geratenen Kurt Tank seine »Belobigungszigarre« abzuholen.
Mittlerweile befand sich die Maschine schon in Sichtweite der etwa noch 50 km entfernten Po-Ebene. Nach stundenlangem Weiterflug setzte der »Condor« wohlbehalten auf dem staubigen, 500 km von Tripolis entfernten Flugfeld Gadames auf. Wieder aus der fernen Wüste zurückgekehrt ereignete sich schon bald ein tatsächlicher Unfall. Aufgrund einer missglückten Landung am 27. April 1939 in Berlin-Staaken trug die D-AXFO nicht unbeträchtliche Blessuren im Tragflächenbereich davon. Nach der Bauchlandung hatte die Reparatur schnell vonstatten zu gehen, da man ansonsten

Mit diesem Flugzeug startete Kurt Tank zu einem Streckenflug nach Libyen.

Auch die »Pommern« stand nur wenige Monate im Dienst der Lufthansa. Die Aufnahme entstand auf dem Flughafen von Rio, Santos Dumont (29.6.1939).

den Brasilienflug nicht termingerecht durchführen konnte. Aufgrund dieser Situation »borgte« man sich die Tragflächen der noch im Bau befindlichen, späteren »Kurmark«. Kaum repariert wurde die »Pommern« für den Brasilienflug vorbereitet. Kurt Tank wollte die Maschine selbst überführen. Es blieb bei seinem Wunsch, da das RLM auf Weisung Görings ihm dies untersagte. Auch als Begleitperson wurde ihm dies nicht gestattet. Man kann sich seine Reaktion vorstellen, als Tank erfuhr, dass ausgerechnet Henke seinen Platz einnehmen sollte. Es sollen »unchristliche« Worte gefallen sein. An Bord befanden sich: Flugkapitän Henke, Flugkapitän Schuster (Syndicato Condor), fünf Bordwarte von DLH, Focke-Wulf, des »Syndicato Condor« sowie Bordfunker Brachnitz.
Am Abend des 27.6.1939 rollte die »Pommern« in Berlin-Tempelhof zum Start. Um 20.30 Uhr hob Henke den »Condor« von der Startbahn und schwenkte stetig Höhe gewinnend, auf Kurs Sevilla. Dort, nach dem Füllen der Kraftstofftanks, ging es weiter in Richtung des afrikanischen Kontinents mit Ziel Bathurst. Auch hier wurde der Durst der Triebwerke gestillt. Die nächste nonstop zu erreichende Etappe war bereits Natal. Hier berührten die Räder der »Pommern« erstmals brasilianischen Boden. Von da aus startete der »Condor« zum letzten Streckenabschnitt mit Ziel Rio de Janeiro. Am 29. Juni um 15.25 Uhr (MEZ) schwebte der »Condor« wohlbehalten über den Flughafen Santos Dumont ein. Das Ende einer strapaziösen, 11 105 km durchmessenden Luftreise hatte ihr Ende gefunden. Inklusive Standzeiten hatte das Unternehmen eine Zeitspanne von 40 Stunden und 54 Minuten in Anspruch genommen. »Nebenbei« wurde daraus auch ein Rekordflug. Die erwähnte Kilometerzahl wurde in 34 Stunden und 48 Minuten reiner Flugzeit bewältigt. Dies entsprach einer Durchschnittsgeschwindigkeit von 319,1 km/h. Bezogen auf die annähernd 41 Stunden reduzierte sich deren Wert auf 271,5 km per Stunde. Schon nach kurzer Zeit waren alle an die Lufthansa erinnernden Markierungen bis auf die Linienführung der Farbverlaufs gegen landesübliche Kennungen ersetzt worden. An Stelle der Registrierung D-AXFO trug die Maschine nun die Kennung PP-CBI. Aus der »Pommern« wurde nun die »Abaitara«. Bereits einen Monat später sollte ihre Schwestermaschine »Holstein« in Brasilien eintreffen. Beide versahen ihren Dienst auf den bereits erwähnten Routen. Die »Abaitara« quittierte im Mai 1947 ihren Dienst. Chronischer Ersatzteilmangel machte eine akzeptable Wartung unmöglich. Auch die in die Wege geleiteten Beschaffungsmaßnahmen in Dänemark blieben offensichtlich ohne Erfolg. Es ist nicht belegbar, dass entsprechende Teile tatsächlich geliefert wurden. Es ist jedoch anzunehmen, dass Teile der »Abaitara« für die noch bis 1950 fliegende »Arumani« verwendet wurden. Die sog. »Kanibalisierung« wäre hier der einzig gangbare Weg gewesen.
Die seit 1947 abgestellte »Abaitara« wurde im August 1950 aus dem Register gestrichen. Die von einer DC-3 gerammten »Arumani« im Mai desselben Jahres. Das »Condor-Sterben« hatte nun auch die beiden letzten Exemplare dahingerafft.

Fw 200 A-0 »Grenzmark«
(Werknummer 3098, D-ACVH)
Die achte Serienmaschine war zwar von der Lufthansa geordert worden, kam jedoch nicht zur Auslieferung. Der Grund hierfür war eine Weisung des RLM, welches die Fw 200 als Führer-Begleitflugzeug zusätzlich zur WNr. 3099 beanspruchte. Die »Grenzmark«, der Name war wohl schon von der DLH vorgesehen, hatte im Innenbereich vor Indienststellung einige Modifikationen über sich ergehen zu lassen.

Die »Abaitara« wurde 1947 ausgemustert und 1950 aus dem brasilianischen Luftverkehrsregister gelöscht.

Eigentlich für die DLH vorgesehen, wurde das Flugzeug der Regierungsstaffel zugeteilt und diente fortan als sogenanntes Führerbegleitflugzeug.

Auch die »Grenzmark« besitzt die Linienführung der bei DLH üblichen Farbmarkierungen. Die Motorenverkleidungen sind hingegen hell. ▶

Rückansicht der »Grenzmark«. Die ursprüngliche Leitwerksmarkierung wich einem schlichten Hakenkreuz. Die Kennung D-ACVH wurde durch NK+NM ersetzt. ▼

Die »Grenzmark« im Tarnkleid der Luftwaffe. Die Aufnahme entstand 1942 anlässlich eines Besuches von Ferdinand Porsche in Orel. ▶

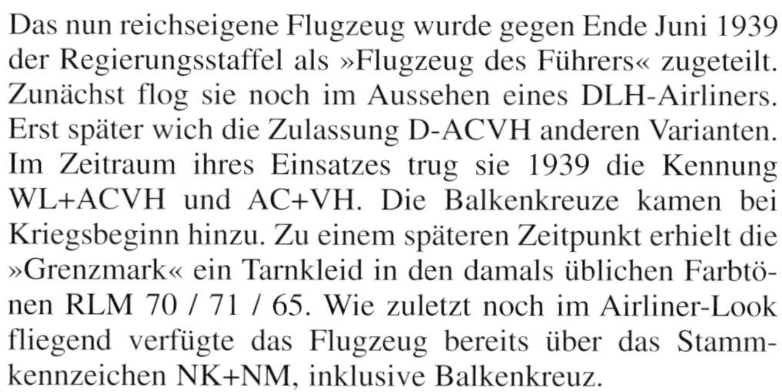

Das nun reichseigene Flugzeug wurde gegen Ende Juni 1939 der Regierungsstaffel als »Flugzeug des Führers« zugeteilt. Zunächst flog sie noch im Aussehen eines DLH-Airliners. Erst später wich die Zulassung D-ACVH anderen Varianten. Im Zeitraum ihres Einsatzes trug sie 1939 die Kennung WL+ACVH und AC+VH. Die Balkenkreuze kamen bei Kriegsbeginn hinzu. Zu einem späteren Zeitpunkt erhielt die »Grenzmark« ein Tarnkleid in den damals üblichen Farbtönen RLM 70 / 71 / 65. Wie zuletzt noch im Airliner-Look fliegend verfügte das Flugzeug bereits über das Stammkennzeichen NK+NM, inklusive Balkenkreuz.
Hitler nutzte die Maschine im September 1939 während eines Truppenbesuches in Polen. Einen Monat vorher brachte die »Grenzmark« im August 1939 Außenminister Ribbentrop und andere Mitglieder der Delegation bezüglich Geheimverhandlungen des »Nichtangriffspaktes« nach Moskau. Auch dieses Flugzeugleben währte nur kurz. Einen Tag vor Weihnachten des Jahres 1941 flog die »Grenzmark« an die Ostfront, um den Landsern »Gaben« des Führers zu bringen. Die Landung auf dem Flugfeld von Orel jedoch missglückte. Mit gebrochenem Rückgrat und aus den Halterungen gerissenen Motoren lag der »Condor« bäuchlings auf der verschneiten Piste – Totalverlust.

Fw 200 A-0 »Ostmark/Immelmann III« (Werknummer 3099)

Das als V3 bezeichnete Muster sollte den ursprünglichen Absichten zu Folge ebenfalls im Dienste der Lufthansa fliegen. Doch auch hier meldete das RLM Bedarf an. Das Flugzeug sollte künftig als persönliches Reiseflugzeug des Führers zum Einsatz kommen. Da für die Zwecke Hitlers kein Flugzeug »von der Stange« genügen konnte, waren sehr umfangreiche Modifikationen durchzuführen. Hitlers Pilot, Hans Bauer, weilte, gewissermaßen als die Bauaufsicht des Führers, mehrere Wochen bei Focke-Wulf in Bremen, um die Arbeiten an »Ostmark« und »Grenzmark« zu überwachen.

Auch die Fw 200 V3 sollte den Plänen zufolge für DLH fliegen. Sie wurde jedoch im Oktober 1939 in die Regierungsstaffel integriert und später von Hitler als Reiseflugzeug genutzt.

Die Unterschiede zur DLH-Ausführung:

- Hinter dem Kanzelbereich wurde eine kleine Küche installiert. Dahinter liegend ein kleiner Raum, wo Hitler seine Mahlzeiten einnehmen konnte. Ausgestattet mit Esstisch, Obstschrank und einer Liegecouch ermöglichte es ihm ein erholsames Reisen. Zudem kamen noch zwei zusätzliche Sitze zum Einbau. An diesen Raum grenzte ein Besprechungszimmer mit Schreibtisch, Schreibmaschine nebst Zubehör.
- Der in der Führerkabine befindliche Sessel war ein Gegenstand, der Legenden bildete. Das Möbel war steuerbordseitig montiert und soll abwerfbar gewesen sein. Dies zumindest wird in zahlreichen Publikationen vermittelt. Das Pawlas-Archiv veröffentlichte in den Siebziger Jahren einen Beitrag zu diesem Thema mit zahlreichen aussagefähigen Fotos. Richtig ist, dass im Sessel ein Fallschirm integriert war. Dieser kam jedoch erst, wie hier bemerkt, in der Führermaschine Fw 200 C-4 zum Einbau. In der V3 kam man hier über die Planung und Vorversuche nicht hinaus. Einer der Gründe laut Bauer: »Der Führer wollte keinen Fallschirm, da sein Pilot auch keinen trug. Es sei wohl ein Sessel geplant gewesen, aber nicht in die V3 zum Einbau gekommen.«
- Die nächste Legende beihaltet eine Rückenpanzerung des Sitzes sowie dass es sich um einen nach unten abwerfbaren Sitz gehandelt haben soll. Das schwere Möbel soll auf einer Platte montiert gewesen sein, die einen Bodenausschnitt darstellte und per verplombten Handhebel samt Sitz nur noch ein gähnendes Loch im Rumpfboden hinterlassend, sich vom Flugzeug trennte. Dies funktionierte natürlich nur, falls in der Rumpfaußenhaut zwischen den Spanten ebenfalls ein entfernbarer Ausschnitt existiert hätte. Den Mechanismus hatte man jedenfalls in Bremen mit Sandsäcken immer wieder an einer Rumpfattrappe getestet. Das andere alles nur eine Fabel? Zumindest im Fall der »Ostmark« kann man dies mit Fug und Recht behaupten. Auch Hermann Göring meldete für seinen »Condor« Bedarf an. Angesichts seiner Leibesfülle hätte die Sache wohl etwas anders dimensioniert werden müssen.
- Da Hitler ein reges technisches Interesse zeigte, ließ er sich vor seinem persönlichen Sitz eine Konsole mit Geschwindigkeits- und Höhenmesser sowie eine Uhr installieren.
- Auf jegliche Bewaffnung wurde im Fall der Fw 200 V3 verzichtet. Diese kam erst in den Maschinen der C-Version zum Einbau. Desgleichen die erwähnte Rettungsmöglichkeit.

Die »Ostmark« (D-ARHU) wurde am 19.10.1939 der Regierungsstaffel übergeben. Dort trug die mittlerweile als »Immelmann III« bezeichnete Fw 200 A-0 verschiedene Kennungen. Die Varianten reichten von D-2600 über WL+2600 und 26+00.

Mit der Kennung WL+2600 flog die Maschine im Herbst 1939. Im Erscheinungsbild auf den ersten Blick noch einem Lufthansa-Condor gleichend, fehlte jedoch die übliche rote Hakenkreuz-Binde am Seitenleitwerk. Zudem unterschieden sie die hellen Motorhauben sowie der Schriftzug »Immelmann III« vom Lufthansa-Standard.
Als D-2600 trug die sonst silberfarbene Maschine nun die weithin sichtbaren Nazisymbole am Seitenleitwerk. Das Kennzeichen in dieser Form hatte man von der »Immelmann II«, einer Ju 52/3m (WNr. 4021), die spätere D-AHUT, übernommen.
Im Zustand als 26+00 trug die Maschine zunächst noch ihr silberfarbenes Outfit mit hellen Cowlings und ohne Parteimarkierungen am Seitenleitwerk. Zu einem späteren Zeitpunkt wurde sie im Sichtschutz 70 / 71 / 65 lackiert.
Bevor die Werknummer 3099, ex D-ARHU, ihren Dienst bei der »Fliegerstaffel des Führers« antrat, sollte die Maschine in Rechlin eingehend getestet werden. Erst ab 19.10. ist das Flugzeug offiziell zugeteilt worden. Die Fw 200 fiel zwei Tage vor dem Attentat auf Hitler, am 18.7.1944, einem Bombenangriff zum Opfer.

Fw 200 A-0 »Kurmark« (Werknummer 3324, D-ABOD)
Die »Kurmark« stellte das zehnte Exemplar im Bunde der A-Serienmaschinen dar. Focke-Wulf erhielt die Bestellungen sozusagen »Scheibchenweise«. Dieses Flugzeug wurde vom Hersteller auf Eigeninitiative gefertigt, d. h. dass noch kein Bauauftrag der Kundenseite existierte. Der Grund hierfür war, dass Focke-Wulf ein Ersatzflugzeug für die »gestrandete« V1 (D-ACON) parat haben wollte. Die Maschine wurde gegen Ende Januar 1939 dem RLM zum Kauf angeboten, welche die Werknummer 3324 bereits in seinem Lieferplan zu Anfang des Monats bereits berücksichtigt hatte. Die Sache mit der Bezahlung war hingegen eine andere.
Zur Sachlage: Die Situation resultierte aus der Absicht des RLM, die beiden derzeit eingesetzten Regierungsflugzeuge durch zwei Fw 200 B zu ersetzen. Zum Zeitpunkt der Verfügbarkeit der beiden »B« sollten die bisher genutzten Fw 200 A wieder an die DLH retourniert werden. Daher bestand von Seiten des RLM kein Bedarf mehr für ein zusätzliches Flugzeug. So der Sachstand im Juni 1939. Weder Focke-Wulf, noch der Lufthansa gelang der Durchbruch in dieser Angelegenheit. Verbürgt ist nur, dass die DLH die WNr. 3324 Mitte August desselben Jahres übernahm. Der offizielle Auftrag für dieses Flugzeug erfolgte jedoch erst Anfang September 1939.
Deutschland befand sich nun im Krieg und der Einsatz der »Kurmark« als Airliner war nicht von langer Dauer. Schon Mitte April 1940 verließ sie die Reihen der DLH, um als Transporter umgebaut für den Narvikeinsatz bei der 4./K.Gr z.b.V 107 eingesetzt zu werden. Das militärische Kennzeichen CB+FB trug die Maschine bis zum Ende ihres kurzen Flugzeuglebens. Wie die anderen »Condore« trug auch die

ehemalige »Kurmark« einen gänzlich anderen Anstrich, bestehend aus den RLM-Tönen 70/71 und 65. Als letzter Pilot flog diese Maschine Flugkapitän Henke, nun Leutnant der Reserve, zum nördlichsten Punkt der deutschen Landeoperation nach Narvik. Er hatte sich befehlsgemäß ein Bild von der Lage zu machen und diese bei seiner Rückkehr vorzutragen.
Kurz nach seiner Rückkehr nahm das Schicksal seinen Lauf. Am 22. April hatte Henke sein Glück wohl überstrapaziert. Er drehte nach dem Start in Staaken noch eine als Abschiedsgruß gedachte Platzrunde. Diese, zu verwegen geflogen, quittierte der »Condor« mit Flächenbruch. Henke und die ganze Crew verloren beim Aufschlag ihr Leben.

Fw 200 V4/V10 (Werknummer 200-0001)

Bei dieser Maschine handelte es sich um das erste Musterflugzeug der Reihe Fw 200 B, welches zunächst als V4 bezeichnet wurde. Ursprünglich für die DLH bestimmt, kam es jedoch nicht zur Auslieferung an die Airline. Statt dessen wurde die Maschine als Bildaufklärer (V10) umgerüstet und mit zusätzlichen Rumpftanks versehen, so dass 5000 km Reichweite im Bereich des Möglichen lagen. Die ungenügende Bewaffnung bestand aus fünf MG 15. Das Flugzeug wurde noch vor Mitte November 1939 an Rowehls Verband überstellt. Bereits am 23.11.1939 ging das Flugzeug auf dem Platz Jever durch Triebwerksausfall während des Starts verloren. Die Besatzung blieb unverletzt. Die nicht mehr instandsetzbare Maschine wurde daraufhin abgeschrieben und verschrottet.

Fw 200 D-1 (ex KB-1) »Kurmark«
(Werknummer 200-0009, D-AEQP)

Die im September 1940 bei DLH in Dienst gestellte D-AEQP »Kurmark« zählte ursprünglich zu einem Exportauftrag der finnischen AERO O/Y. Die OH-CLA »Karjala« kam jedoch nicht zur Auslieferung. Sie unterstand zunächst dem RLM, welches das Flugzeug der 4./K.Gr. z.b.V. 107 zuwies und dort als Transporter mit großer Reichweite zum Einsatz kam. Wie erwähnt übernahm es die Lufthansa nach Beendigung der militärischen Nutzung. Die DLH setzte die Fw 200 D in den Monaten September und Oktober 1940 auf den Routen nach Algier und Casablanca ein. Es handelte sich hierbei um Sonderflüge, an denen insgesamt vier »Condore« beteiligt waren.
Im November 1940 rief erneut das Militär und die D-AEQP wurde nun der 1./KG 40 zugewiesen. Auf dem Platz Bordeaux-Merignac stationiert, diente sie als Kurierflugzeug sowie zu Ausbildungszwecken. Bereits am 23.11.1940 wurde auch sie das Opfer der Royal Air Force, welche den Flugplatz mit Bomben belegte.

Fw 200 D-1 (ex KB-1) »Westfalen«
(Werknummer 200-0010, D-AFST)

Wie ihr Vorgänger, die 0009, stammte auch dieses Flugzeug aus dem finnischen Auftrag. Im ursprünglich vorgesehenen Fall hätte die KB-1 das finnische Kennzeichen OH-CLB getragen. Als Name war »Petsamo« vorgesehen. Auch die WNr. 200-0010 wurde auf Weisung des RLM im Juni 1940 an die Luftwaffe überstellt. Ursprünglich für die Nutzung bei der 4./Kgr. z.b.V. 107 vorgesehen, wurde die Fw 200 D schon bald darauf der K.Gr. z.b.V. 172 zugeführt. Im September befand sich die »Westfalen« in den Reihen der Lufthansa, wo sie im Rahmen der bereits erwähnten Sonderflüge nach Casablanca und Algier zum Einsatz kam. Die D-AFST absolvierte am 19. September den ersten Flug im Rahmen dieser Rückführungsaktion. Schon im November führte sie ihr Weg wieder in das militärische Lager. Nun der 2./K.Gr. z.b.V. 108 unterstellt, erlitt das Flugzeug einen Monat später in Gardemoen (Norwegen) während einer Bruchlandung schwerste Beschädigungen. Die Maschine wurde im Dezember 1940 als 70 %-Bruch abgeschrieben.

Fw 200 D-2a (ex KC-1) »Rheinland«
(Werknummer 200-0019, D-AWSK)

Die »Rheinland« stammte aus einem für Japan bestimmtem Baulos, welches, wie das der Finnen, nicht zur Auslieferung an den ursprünglichen Kunden gelangte. Dies betraf die Werknummern 200-0017 bis 200-0021. Im Gegensatz zu den finnischen Exportmaschinen mit Pratt & Whitney-Motoren verfügten die D-2 über BMW 132 H-Triebwerke.
Zunächst wurde auch diese Maschine für die Luftwaffe vorgesehen. Ab September 1940 Einsatz bei Lufthansa im Rahmen der Flüge für die Waffenstillstandskommission unter der Zulassung D-AWSK. Hierzu erfolgte in Berlin-Staaken die Ausrüstung mit Rumpftanks bezüglich Erhöhung der Reichweite. Drei der insgesamt fünf Export-Fw 200 KC-1 standen zumindest für eine bestimmte Zeitspanne im Dienst der Lufthansa. Die Ausnahme bildeten hierbei die WNr. 200-0017/18, welche als Fw 200 C gefertigt, militärischen Zwecken dienten. Sie flogen zu keinem Zeitpunkt für die Lufthansa.
Die Werknummer 200-0019 wurde von der DLH abgezogen und im Februar 1941 der I./KG 40 unterstellt. Geschwaderintern folgte später die Verlegung zur 10.(Erg.)/KG 40. Schon wenige Monate danach wechselte die Maschine zur IV./KG 40. Zu Anfang des Folgejahres Unterstellung zur 11./KG 40. Danach nutzte die 8./KG 40 das Flugzeug für Schulungszwecke. Dies stellte die letzte Station innerhalb des KG 40 dar. In der Folge flog eine Besatzung des KG 40 die Maschine nach Lecce in Süditalien. Hier wurde die Maschine in die III./KG z.b.V 1, die bekannte »Savoia-Staffel«, eingegliedert. Bereits am 2.6.1941 musste das Flugzeug

Die D-AWSK »Rheinland« stammte aus einem ursprünglich für Japan bestimmten Baulos. Die Maschine kam als D-2 zur Auslieferung. Die Aufnahme entstand 1941 in Griechenland. Zu diesem Zeitpunkt trug die Maschine die Kennung F8+BU des KG 40.

Hierbei handelte es sich um die zweite »Holstein« (D-ACWG), welche die WNr. 200-0020 trug und als D-2 ausgeliefert wurde.

als Verlust gemeldet werden. Während eines Transporteinsatzes zwischen Lecce und Benghasi versuchte ihr Pilot aufgrund Treibstoffmangels vor der griechischen Insel Zante, notzuwassern. Der »Condor« wurde zerstört, drei Mann der Crew kamen um.

Fw 200 D-2b (ex KC-1) »Holstein«
(Werknummer 200-0020, D-ACWG)

Wie die Seriennummer zeigt, handelte es sich auch hier um eine Export-Flugzeug des japanischen Auftrags. Die Fw 200 KC-1, so die Exportbezeichnung, wurde als Fw 200 D-2 für die Luftwaffe vorgesehen. Doch zunächst führte sie ihr Weg zur Lufthansa, welche die D-2b als D-ACWG registrieren ließ und als »Holstein« in Dienst stellte. Diesen Namen trug vormals bereits die nach Südamerika überführte D-ASBK (WNr. 2995). Lufthansa nutzte die neue »Holstein« ab Oktober 1940. Im Februar des Folgejahres verließ die D-ACWG wieder deren Reihen für die Nutzung bei der Luftwaffe. Nach entsprechenden Umrüstungsmaßnahmen diente sie bei der 1./KG 40 als Bildaufklärer. Noch im gleichen Monat Wechsel zur 3./KG 40. Die Einheit lag auf dem Platz Bordeaux-Merignac. Der Flugplatz wurde am 13. April von 24 Wellington der RAF angegriffen. Unter den Opfern befand sich auch die F8+GL, ex D-ACWG. Der Gegner verlor bei dem Angriff eine Wellington.

Fw 200 D-2c (ex KC-1) »Pommern«
(Werknummer 200-0021, D-AMHL)

Hierbei handelte es sich um die fünfte für Japan bestimmte Exportmaschine, welche für die Luftwaffe gebaut, im Oktober 1940 jedoch an die Lufthansa überstellt wurde. Hier hatte man zunächst allerdings keine Verwendung für das Flugzeug. Noch im gleichen Monat erfolgte daher der Wechsel zu Focke-Wulf, wo sie als Reisemaschine und Erprobungsträger eingesetzt wurde. Es wird berichtet, dass die Maschine auch für Tests des Propellerherstellers Schwarz herangezogen wurde. Die WNr. 200-0021 verblieb bei Focke-Wulf für vielfältige Aufgaben bis zum Januar 1943. Gegen Ende Januar wurde die Maschine in die LTS 290 integriert. Zunächst diente Fw 200 der Schulung von Besatzungen. Später folgten Versorgungsflüge für das bedrängte Afrikakorps. Die Staffel verlegte hierzu gegen Ende März in den Mittelmeerraum. Der »Condor« absolvierte lediglich einen Flug nach Tunis, wurde aber bereits Anfang April wieder zurück nach Tempelhof beordert, um dort nach entsprechenden Umbauten in den Dienst der Lufthansa zu treten. Erst im November 1943 fand die D-AMHL im Liniendienst der DHL Verwendung. Im Zeitraum von November 1943 bis April 1944 versah die »Pommern« ihren Dienst auf der Route Berlin – Kopenhagen – Oslo. Im Anschluss daran beflog sie die berüchtigte Spanien-Route K 22. Einer der Flüge zwischen Stuttgart-Echterdingen und Barcelona wurde der »Pommern« und allen an Bord befindlichen Menschen zum Verhängnis. Ihr Kapitän startete am 27.9.1944 in Stuttgart-Echterdingen zu einem nächtlichen Nonstopflug in die spanische Metropole. Um den Schutz der Dunkelheit zu nutzen, wurde erst um 20.15 Uhr gestartet. Auf Kurs ging die Crew in etwa 1500 m Höhe. Die Streckenführung legte man über französisches Territorium, flog allerdings entlang der Schweizer Grenze. Die größte und unkalkulierbare Bedrohung stellten bei diesen Flügen die alliierten Nachtjäger dar, denen auch so manches zivile Flugzeug zum Opfer fiel. Auch hier gab es keine Überlebenden. Die Hintergründe ihres Verschwindens sind rekonstruierbar. Die Maschine wurde das Opfer eines amerikanischen Nachtjägers der 415 th Night Fighter Squadron. Den Luftsieg errangen Captain Harold F. Augspurger (Pilot) und 2nd Lieutnant Austin G. Petry (Radar Operator). Die Einheit flog zu diesem Zeitpunkt die im Rahmen des Reverse Lend Lease-Abkommens gelieferten britischen Bristol »Beaufighter«. Der Verband war zu diesem Zeitpunkt in Lonvic (Dijon), Frankreich, stationiert.

Der amerikanische Gefechtsbericht erwähnt zum Vorfall vom 27. September 1944 folgendes:

»At 20:20 hours while flying an vector of 280 at 8,500 ft. received a contact while in a turn. Contact was made at 6 miles about 10 degrees to port at 8,500 ft. Closed into 4,000 ft. and obtained a visual an aircraft - identity unknown - then dropped into clouds and closed to 1,000 ft. and pulled out to starboard side of e/a* above the clouds an same level as e/a. Enemy aircraft identified from tail structure as either a Ju 52 or Fw 200. E/A was flying straight and level at 8,500 ft. Fired one three second burst with 20 degree deflection. Hits were seen on starboard wing and engine. E/A immediately burst into flames and crashed at 20:30 hours. Fighter rapidly overtook e/a at estimated speed at 260 mph. Positive identification was made later at the scene of the crash: Fw 200K.«

*Abkürzung für »Enemy Aircraft«

Die Route K-22 verlief gemäß einer Streckennetz-Übersicht der DLH vom 22.5.1944, datiert etwa zwei Wochen vor der Normandie-Invasion, über Stuttgart – Lyon – Barcelona – Madrid – Lissabon.
Die Flugroute führte die nach Verlassen des Reichsgebiets über französisches Territorium, entlang der Schweizer Grenze, in Richtung Lyon. Die Tragödie hatte sich an diesem Abend bei Saint Nicolas les Citeaux ereignet. Nördlich davon stürzte die Maschine in ein sumpfiges und bewaldetes Gelände bei Villebichot. Von der »Pommern« hatte man erst wieder in den Jahren 2000/2001 etwas vernommen, als kleine Fragmente des »Condor« und Kleinteile der Fracht auf einem Acker gefunden wurden.

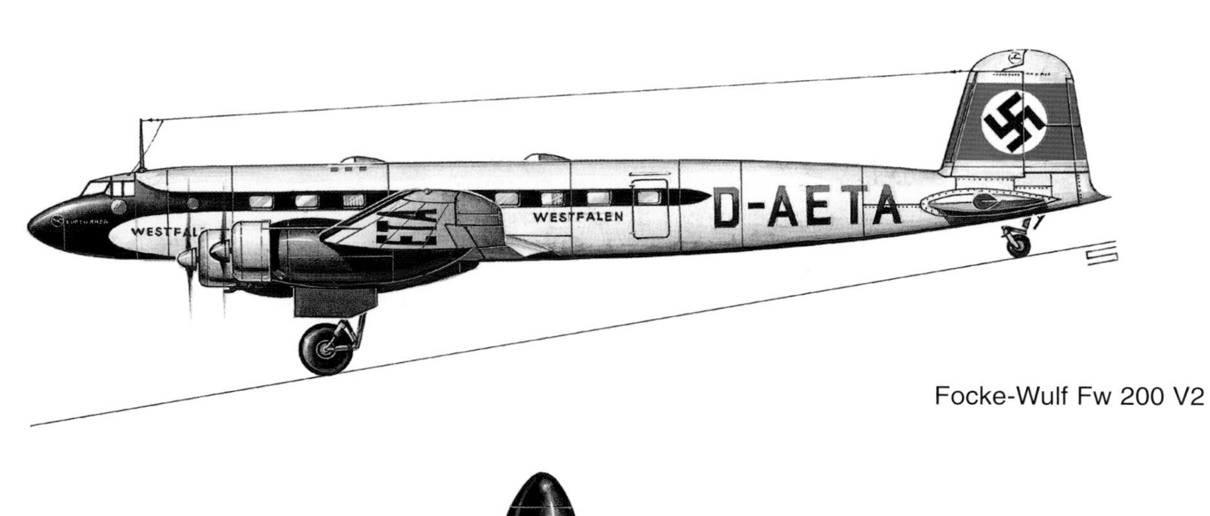

Focke-Wulf Fw 200 V2

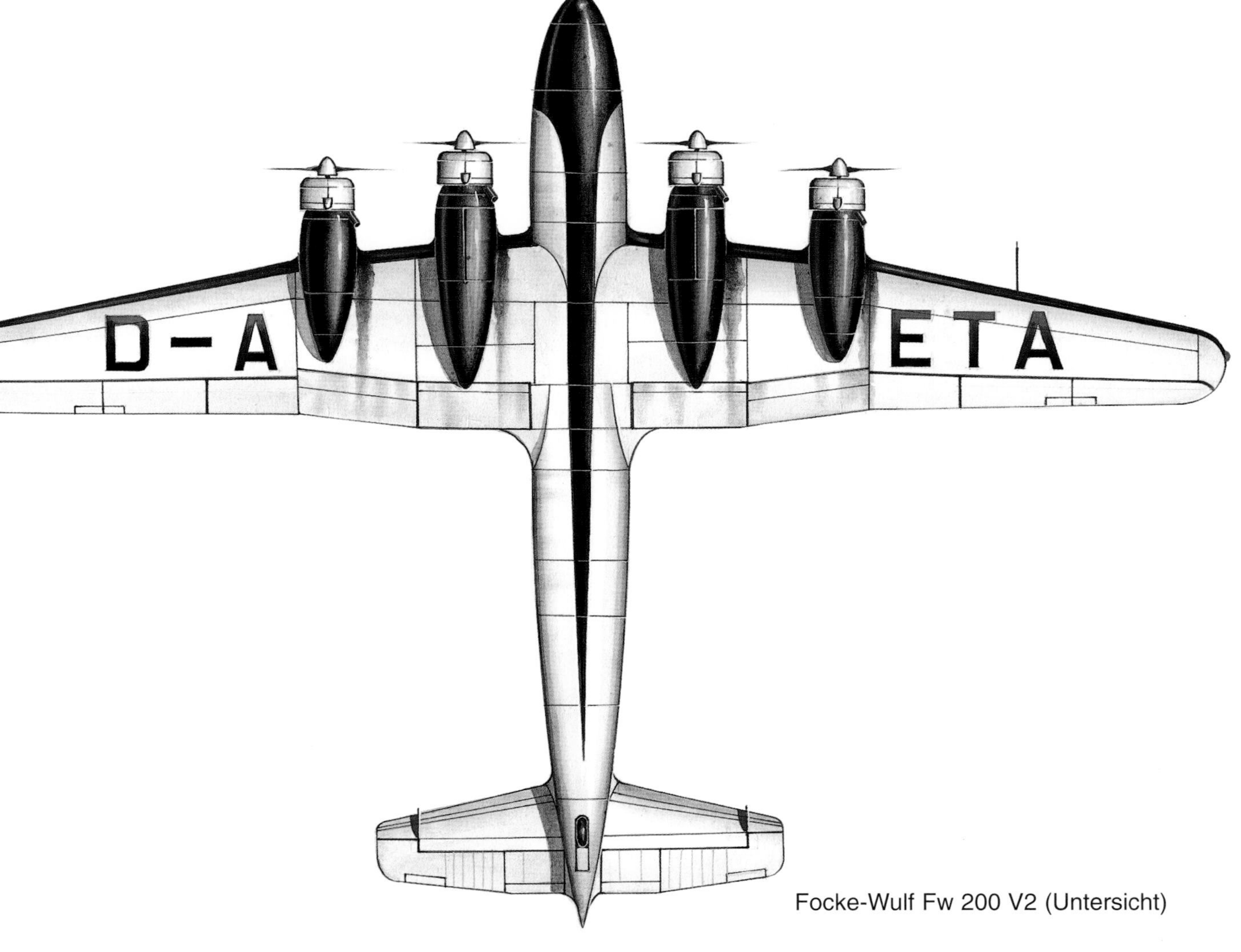

Focke-Wulf Fw 200 V2 (Untersicht)

Focke-Wulf Fw 200 V2

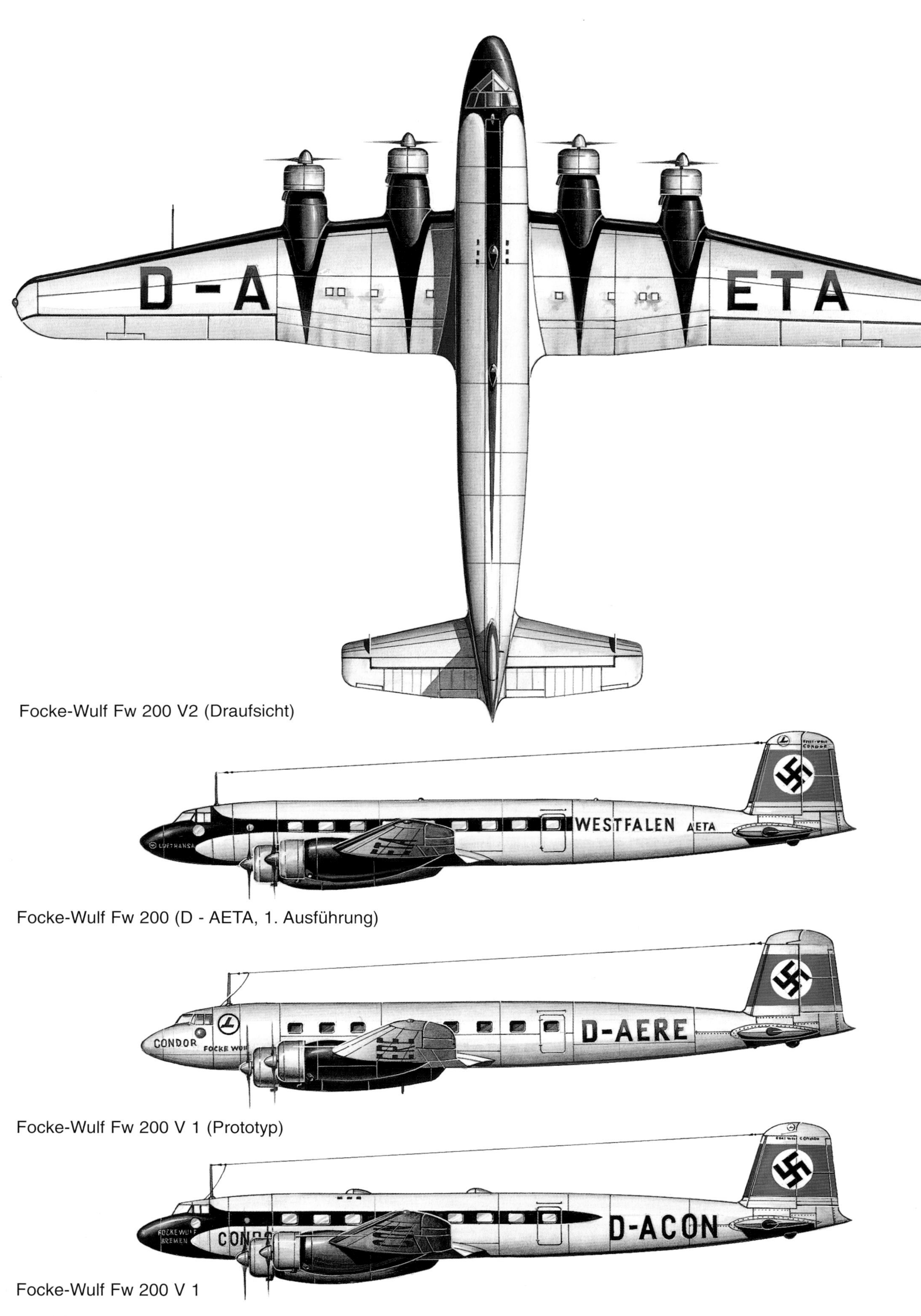

Focke-Wulf Fw 200 V2 (Draufsicht)

Focke-Wulf Fw 200 (D - AETA, 1. Ausführung)

Focke-Wulf Fw 200 V 1 (Prototyp)

Focke-Wulf Fw 200 V 1

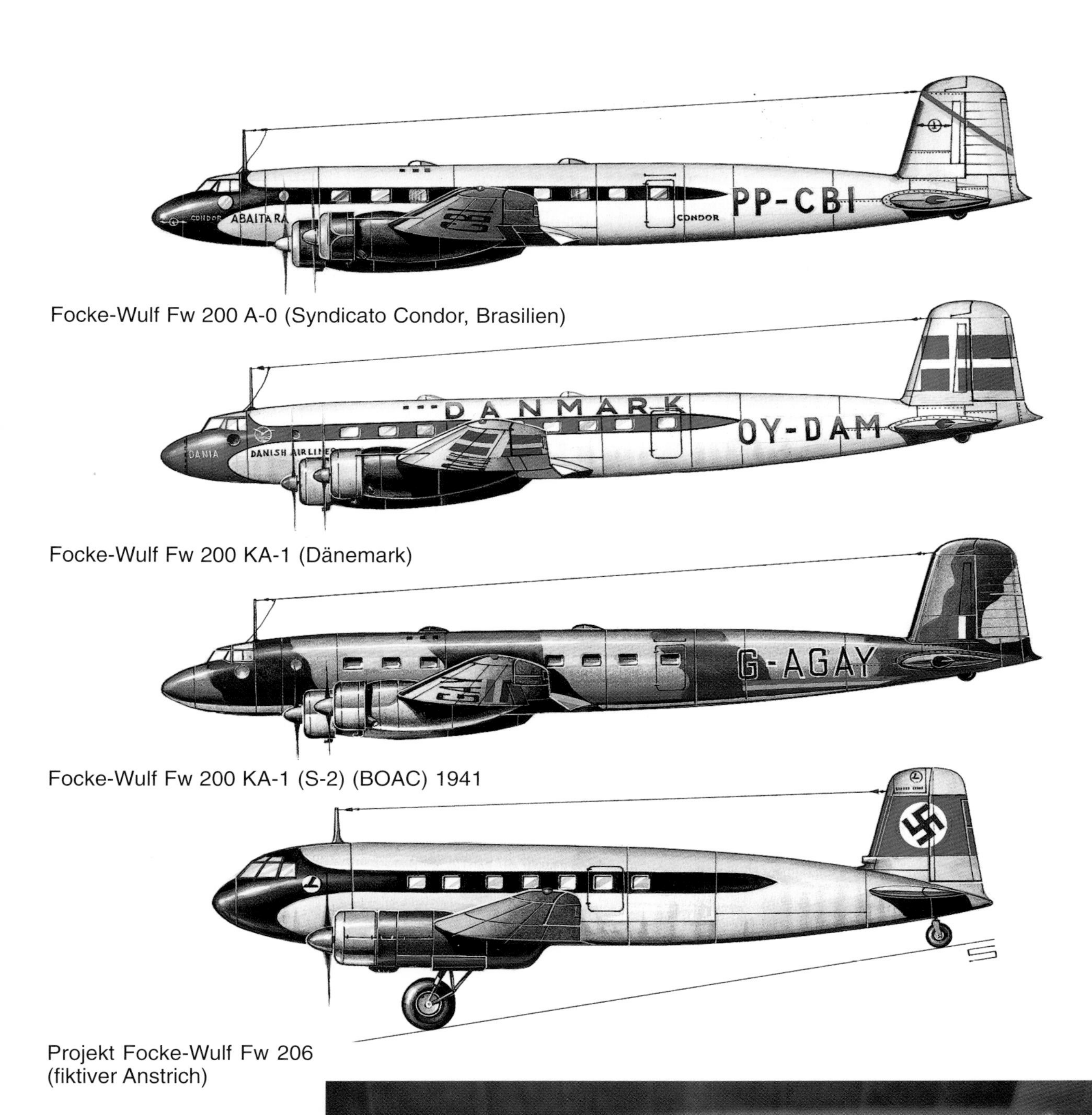

Focke-Wulf Fw 200 A-0 (Syndicato Condor, Brasilien)

Focke-Wulf Fw 200 KA-1 (Dänemark)

Focke-Wulf Fw 200 KA-1 (S-2) (BOAC) 1941

Projekt Focke-Wulf Fw 206
(fiktiver Anstrich)

Modellaufnahme der Focke-Wulf Fw 200 »Condor« von Ralf Schlüter.

Focke-Wulf Fw 200 V2, Werk-Nr. 2484 »Westfalen«.

Ganz- und Detail-Abbildungen des Modells Focke-Wulf Fw 200 (zivile Ausführung) von Ralf Schlüter.

Beim Betrachten einer Landkarte wird klar, dass die entlang der Schweizer Grenze fliegende »Pommern« direkt das Jagdgebiet der in der Nähe Lyon stationierten amerikanischen 415th Night Fighter Squadron kreuzte. An diesem Tag, auch nicht Tage davor oder danach, ist kein anderer »Condor« als Verlust gemeldet worden. Nachweisbare »Condor«-Verluste gab es vor dem unglückseligen Ereignis am 14.8.1944 (WNr. 200-0218) und am 9.11.1944 (WNr. 200-0267). Diese beiden Maschinen flogen beim KG 40 und stehen hier nicht im Zusammenhang. Für den Monat September sind keine weiteren Ausfälle von Fw 200, außer der »Pommern«, bekannt.
Um Verwechslungen zu vermeiden sei nochmals erwähnt, dass die DLH bereits 1939 eine »Pommern« flog. Es handelte sich hierbei um die WNr. 2996, D-AXFO, welche später in Südamerika vergleichsweise noch lange ihre Bahn am Himmel zog.

Fw 200 C

Weniger bekannt ist die Tatsache, dass der Lufthansa auch »Condore« des Typs Fw 200 C zur Verfügung standen. Es handelt sich hier um eine militärische Form des »Condor«, welche das Thema des zweiten Bandes der Fw 200-Dokumentation bilden wird.
Beginnend mit der im Jahr 1938 kurzzeitig für die DLH fliegende Fw 200 V1, bis hin zu den im Finale des Krieges in Tempelhof zur Umrüstung befindlichen Fw 200 C, waren nicht weniger als 23 »Condore« dem Flugpark der DLH zugeteilt worden oder zumindest dafür vorgesehen. Ihre Verlustliste ist lang.

Zeugnis – Der »Condor« im Urteil der Lufthansa

Ein Bericht der DLH gibt Informationen zum Thema Erfahrungen im Streckenverkehr:
»Im planmäßigen Streckenverkehr wurden mit insgesamt fünf nacheinander gelieferten Flugzeugen von Anfang Juni 1938 bis zum April 1939 rd. 2550 Flugstunden geleistet. Die Fw 200 V 2 ›Westfalen‹ hat bis zu diesem Zeitpunkt rd. 930 Stunden, das zuletzt gelieferte Flugzeug S 6 ›Holstein‹ etwa 160 Stunden geflogen. Dabei muss berücksichtigt werden, dass einzelne Flugzeuge längere Zeit wegen Vornahme von Änderungen, wie Verstärkung der Flügelbeplankung, Änderung der Pfeilform usw., im Herstellerwerk waren.
Das Muster Fw 200 erfreut sich bei den Fluggästen großer Beliebtheit. Der Einsatz wird als großer Fortschritt empfunden und hat sich in einer guten Besetzung besonders auf den Strecken Berlin – München, Berlin – Wien – Belgrad, Berlin – Frankfurt, Berlin – London usw. ausgewirkt. Neben der großen Reisegeschwindigkeit wird der gegenüber dem Standardmuster Ju 52 verbesserte Reisekomfort lobend hervorgehoben wie bequemere Sitze, größere Sitzabstände, verminderte Lärmbelästigung und der Restaurationsbetrieb. Die bei dem schlanken Flügel von einigen Seiten befürchtete größere Böenempfindlichkeit ist bisher nicht beobachtet worden. Das mag vor allen Dingen darauf zurückzuführen sein, dass meist in größerer Höhe, also außerhalb der Böenzone, geflogen wird.
Die fliegerischen Eigenschaften werden von den Flugzeugführern im großen und ganzen günstig beurteilt. Von mehreren Seiten wird die gute Eignung der Fw 200 für Landungen bei schlechtem Wetter hervorgehoben: das Flugzeug kann bei voll ausgefahrener Klappe mit steilem Gleitwinkel

Der Rumpf der »Thüringen« (D-ASVX) auf dem Rathausplatz von Kopenhagen. Die Maschine wurde wieder instandgesetzt und von DDL für kurze Zeit übernommen.

gelandet werden und hat bei der beim Schlechtwetteranflug erforderlichen Geschwindigkeit von 160 bis 170 km/h noch ausreichende Ruderwirkung und -Kräfte. Diese günstigen Eigenschaften werden vor allem im Gegensatz zu dem Muster Ju 52 betont, dessen Gleitwinkel durch Anstellen des Doppelflügels nicht in gleichem Maße vermindert wird. Dazu kommt noch, dass von der vollen Anstellung des Doppelflügels beim Anflug nicht häufig Gebrauch gemacht wird, da hierbei das Flugzeug bereits anfängt ›weich‹ zu werden.
In betriebswirtschaftlicher Hinsicht hat die Fw 200 einen merklichen Fortschritt gebracht. Der nachfolgende Vergleich mit dem Standard-Flugzeug Ju 52 zeigt, dass das viermotorige Muster Fw 200 dank seiner strömungstechnisch besseren Durchbildung bei gleicher Motorbelastung etwa 35 Prozent schneller als die Ju 52 ist und für die gleiche Reichweite weniger Betriebsstoff verbraucht als die dreimotorige Ju 52. Obwohl das Fluggewicht der Fw 200 nur um etwa 39 Prozent über dem der Ju 52 liegt, ist die Nutzlast bei gleicher Reichweite um etwa 75 Prozent größer. Der als Maßstab für die Betriebswirtschaftlichkeit angegebene Brennstoffverbrauch je Nutztonnage beträgt unter den vorgenannten Voraussetzungen nur 54 Prozent des für die Ju 52 erforderlichen.
Während der bisherigen Betriebszeit haben sich größere Mängel im Aufbau des Flugzeuges nicht gezeigt, wenn man von der Ausbildung des Windschutzes absieht. Dieser hat im Schlechtwetterflug die unangenehme Eigenschaft, das Regenwasser auf den vorderen Sichtscheiben zu stauen. Schon bei leichtem Regen wird die Sicht derart stark behindert, dass praktisch ›blind‹ geflogen werden muss.
Trotz dieser Anstände hat sich die Baufirma bisher noch nicht zu grundsätzlichen Änderungen entschließen können. Versuche mit verschiedenartigen Abweisern für Regen haben keinen durchgreifenden Erfolg gebracht. Die vordere Sichtscheibe kann nur auf einen verhältnismäßig kleinen Spalt geöffnet werden, ohne dass Regen den Führer ins Gesicht trifft. Dieser Spalt gibt aber nach den bisherigen Erfahrungen keine genügende Sichtmöglichkeit im Schlechtwetterflug, besonders beim Anflug. Im übrigen frieren bei Vereisung nicht nur die vorderen Sichtscheiben, sondern auch die seitlichen Schiebescheiben zu, eine Erscheinung, die verschiedentlich bei aerodynamisch gut geformten Windschutzaufbauten bei 2- und 4-motorigen Flugzeugen beobachtet worden ist. Die Versuche des Herstellers, mit Scheibenwischern mit und ohne Glykolberieselung, mit einem Flügelrad auf der vorderen Sichtscheibe usw. das Festsetzen der Regentropfen auf der Scheibe zu verhindern, haben noch keinen durchgreifenden Erfolg gebracht. Gegen die Vereisung versuchte Focke-Wulf, die Sichtscheiben mit Warmluft anzublasen. Die Warmluftleitung wird von der Führerraumheizung abgezweigt. (Diese Maßnahme kann aber erst bei den Flugzeugen durchgeführt werden, die eine verstärkte Heizung bekommen.)

Die Baufirma hat bei der Konstruktion der Fw 200 besonderen Nachdruck auf ein niedriges Baugewicht gelegt und ist infolgedessen bei der Dimensionierung aller Bauglieder stark an die Grenzen herangegangen. Im Laufe der Betriebszeit haben sich eine ganze Reihe von Brüchen an verschiedenen kleineren Baugliedern ereignet, die Verstärkungen und damit eine Gewichtserhöhung mit sich brachten. Die reichliche Verwendung von Elektron, insbesondere für die Beplankung des Flügelendes, der Tankabdeck-Klappen, der Beplankung der Rumpfunterseite usw., hat sich im großen und ganzen nicht bewährt.«

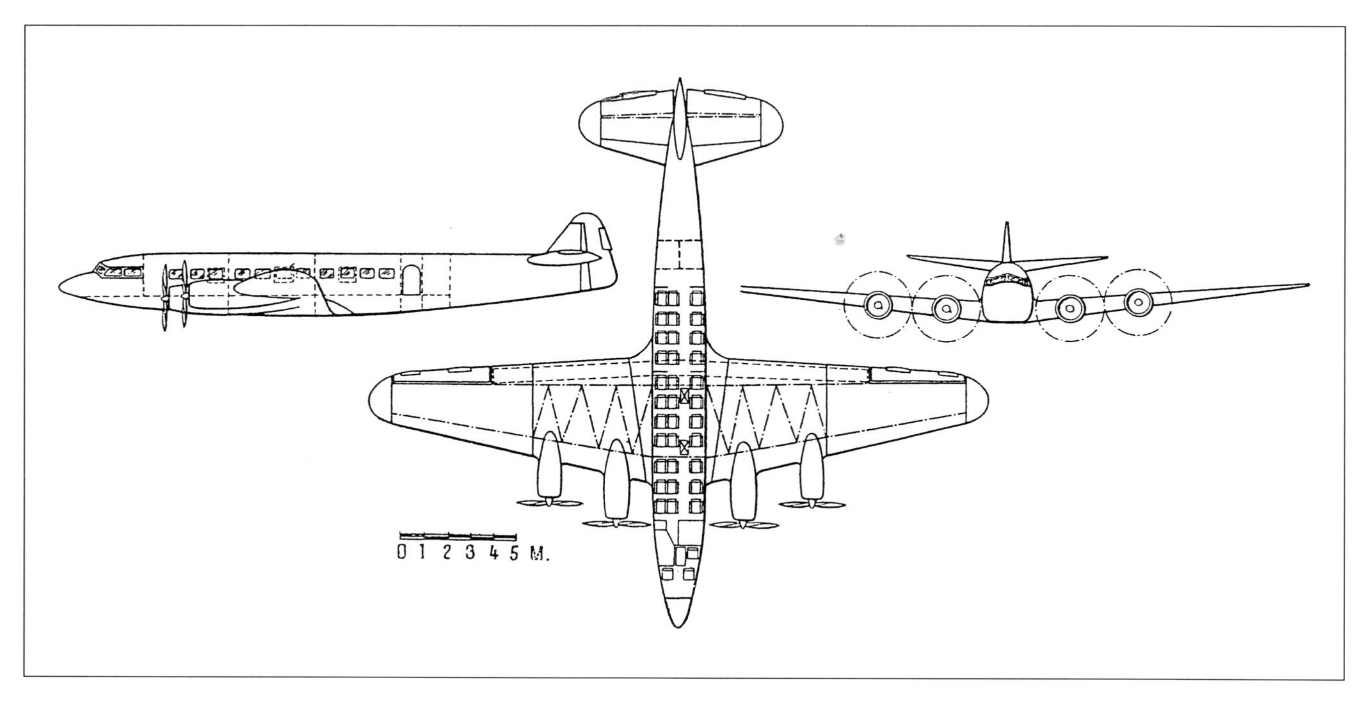

Dreiseiten-Ansicht der Bloch 161.

Auf den Spuren des »Condor« – Die S.E.161 »Languedoc«

Betrachtet man Fotos dieses formschönen französischen Flugzeugtyps, so erscheint der »Condor« vor dem »geistigen Auge«. Blickt man jedoch auf die Tragflächen, den Motoren- und Fahrwerksbereich, so werden jedoch auch Erinnerungen an die DC-3 wach.

Marcel Bloch entwickelte 1935 auf Anregung der Fluggesellschaft Air Afrique ein zweimotoriges Flugzeug, etwa mit der Douglas DC-2 vergleichbar. Die MB 220, ein zwölfsitziger Tiefdecker, stellte während des Erprobungsstadiums (Erstflug Dezember 1935) sogar zwei Geschwindigkeitsrekorde auf. Das Muster ging in Produktion und diente zudem als Konstruktionsgrundlage für die wesentlich größere, viermotorige MB 160. Nach diesem Entwicklungsschritt entstand die daraus abgeleitete MB 161, die den ursprünglichen Plänen zufolge, ab 1940 bei Air France fliegen sollte. Der Prototyp, ein 33-sitziger, schlanker Tiefdecker (F-ARTV), absolvierte im September 1939 seinen Erstflug.
In diesem Zusammenhang ist auch der schwere Bomber MB 162 zu erwähnen, welcher im November 1938 in Modellform auf dem Pariser Aerosalon erstmals öffentlich vorgestellt wurde. Das Orginal absolvierte am 1. Juni 1940 seinen Jungfernflug. Das relativ späte Datum ist dadurch zu erklären, dass man die Arbeiten an der zivilen MB 161 forcierte. Mittlerweile befanden sich deutsche Truppen im Land, und wie vieles andere wurde auch die MB 162 zur Kriegsbeute. Unter der Federführung von Focke-Wulf wurde das Flugzeug 1942 Testreihen unterzogen.
Im Januar des Jahres 1939 fusionierten die beiden Luftfahrtkonzerne Bleriot und Bloch zum Konzern SNCASO. Drei Jahre später, 1942, übernahm ein Konzern aus Toulouse das MB 161-Projekt. Die Firma sollte ebenfalls eine ellenlange Bezeichnung erhalten – SNCASE (Societe Nationale de Constructions Aeronautiques du Sud-Est). Das Projekt wurde jedoch unter der vorherigen Kennung, also MB 161, weitergeführt. Die vielversprechende Entwicklung, die sich, wie dem Betrachter kaum entgangen sein wird, sehr stark an die Fw 200 »Condor« anlehnt, sollte wie erwähnt, zunächst bei Air France eingesetzt werden. Der 1939 begonnene Zweite Weltkrieg setzte dem Vorhaben nun ein jähes Ende. Man benötigte die Produktionskapazitäten für andere, in diesen Tagen wichtigere militärische Flugzeugtypen.
Erst während der deutschen Besetzung Frankreichs, unter der Vichy-Regierung, erhielt der Hersteller 1941 »grünes Licht« für die Weiterarbeit am MB 161-Projekt. Mittlerweile lag eine Order der deutschen Luftwaffe vor, die zwanzig Einheiten dieses Typs beschaffen wollte. Die Bloch 161 (damals noch so bezeichnet), Werknummer 161-01 (F-ARTV), wurde zunächst von der Lufthansa unter der Zulassung D-OXWM erprobt. Im Juni 1942 erhielt die erwähnte SNCASE den Auftrag, 20 Bloch 161 für Deutschland zu fertigen. Zehn davon waren für die DLH bestimmt. Die entsprechende Bestellung wurde jedoch 1943 storniert. Noch im Oktober des gleichen Jahres kam die 161-01 zum Versuchsverband d. Ob.d.LW, wo sie ab dem Folgemonat als T9+BB ab November getestet wurde. Das Flugzeug ging am 10. Mai 1944 bei einem Landeunfall durch anschließenden Brand verloren. Die DLH nutzte zudem die beiden Bloch (Wnr. 161 0001 und 0002), welche dann am 2. Mai 1944 während eines Luftangriffs auf Toulouse-Mortaudran vernichtet wurden.
Die Produktion der Passagierflugzeuge nahm erst nach Kriegsende unter der Bezeichnung S.E.161 konkrete Formen an. Am 17. September 1945 begannen die Testreihen des als S.E. 161 »Languedoc« bezeichneten Musters (F-BATA). Air France orderte vierzig Einheiten dieses Flugzeugtyps. Gesellschaften wie Air Atlas oder Air Liban interessierten sich ebenfalls für die S.E. 161. Bei Air France sollte die »Languedoc« auf europäischen und nordafrikanischen Routen zum Einsatz kommen. Im Mai des Jahres 1946 erfolgte dort die schon längst fällige Einführung der S.E. 161 auf Linienflügen. Im Routinebetrieb stellten sich jedoch verschiedene Mängel heraus. Daraufhin »groundete« Air France vorübergehend die Maschinen bereits ein halbes Jahr nach deren Einführung. Air France nutzte die S.E. 161 bis 1952 im Passagierdienst. Danach kamen die verbliebenen Maschinen im Frachtverkehr zum Einsatz. 1954 wurde die gesamte »Languedoc«-Flotte der Air France durch die amerikanische DC-4 ersetzt.
Flog der Prototyp zunächst noch mit vergleichsweise lei-

Die »Languedoc« in den Farben von Air France.

stungsschwachen Gnomê & Rhône 14 N-Motoren (900 PS), so tauschte man diese in der Serienausführung gegen kraftvollere amerikanische Triebwerke der Bauart Pratt & Whitney R-1830 mit 1200 PS Leistung. Dieser 14-Zylinder-Sternmotor »Twin Wasp« fand auch bei den DC-3 der Air France Verwendung, womit zudem eine Standardisierung erreicht werden konnte. Durch die Installation der P & W-Motoren und andere notwendige Faktoren erhöhte sich das Startgewicht der »Languedoc« von 20.577 kg auf 23.500 kg. Verbesserungswürdige Punkte waren das zu schwach ausgelegte Fahrwerk, desgleichen die Kabinenheizung, welche ebenfalls nicht befriedigte.
Die Ausmusterungsphase der »Languedoc« in der Airliner-Rolle begann bei Air France im Jahr 1952. Fluggesellschaften wie Aviaco, Misrair oder Tunis Air erwarben etliche dieser Secondhand-Maschinen und setzten sie bis ca. 1959 ein. Die polnische LOT orderte 1948 als einziger ausländischer Erstkäufer insgesamt fünf Einheiten. Doch bereits im Folgejahr begann die Umrüstungsphase auf ein »linientreues« Muster, die Ilyuschin IL-12 B. Die Serienproduktion bei SNCASE lief nach genau hundert gebauten S.E. 161 im Jahr 1950 aus. Die Geschichte der »Languedoc« ist hier jedoch noch nicht zu Ende. Etwa die Hälfte der Flugzeuge wurde von Armee de I'Air bzw. der Aeronavale genutzt, wobei sie hauptsächlich Transportaufgaben wahrnahmen. Mindestens vier S.E. 161 wurden zu fliegenden Testständen für die Erprobung von Leduc-Strahltriebwerken umgerüstet. Das Triebwerk wurde in einer massiven Lafette auf dem Rumpfrücken, etwa auf Höhe der Flächen, installiert. Die mit hoher Geschwindigkeit austretenden heißen Gase konnten dank des Doppelleitwerks der »Languedoc« keinen Schaden anrichten. Auch als Testplattform für Lenkwaffen und als Radar-Trainer wurden einige Maschinen eingesetzt. Die letzten Flugzeuge dieses Typs wurden etwa 1970 ausgemustert.
Für den Zivilmarkt konzipiert, konnte die MB 161 in den widrigen Zeiten des Krieges nicht eingesetzt werden. Erst ihrem Nachfolger, die S.E. 161, welche in hundert Exemplaren nach dem Krieg als S.E. 161 »Languedoc« gebaut wurde, war ein mäßiger Erfolg beschieden. In der Nachkriegszeit standen bald modernere, vorzugsweise amerikanische Muster zur Verfügung, welche auch die »Languedoc« im Zuge der fünfziger Jahre ersetzten. Neben der mächtigen amerikanischen Konkurrenz kam ein wesentlicher Punkt hinzu. Die S.E. 161 war in verschiedenen Bereichen konstruktionsmäßig als noch nicht ganz ausgereift zu betrachten.

Die technischen Merkmale der S.E. 161 in Kurzform:

- Konfiguration: Tiefdecker in Ganzmetall-Halbschalenbauweise.
- Rumpfquerschnitt: Rechteckig, oben abgerundet (Rumpflänge 24,25 m), ohne Druckkabine.
- Trapezförmige Flächen mit 29,40 m Spannweite.
- Auslegung mit Doppelleitwerk.
- Transportkapazität bis zu 44 Passagiere.
- Keine Ausstattung mit Druckkabine.
- Dreiteiliger Flügel in Trapezform, motorentragendes Mittelstück plus Außenflächen.
- Geschweißte Treibstofftanks in den Flächen mit einer Gesamtkapazität von 2.400 l. Bei einer unbekannten Anzahl von Flugzeugen wurde die Treibstoffmenge auf insgesamt 7.800 l erhöht.
- Triebwerksanlage bestehend aus vier P & W R-1830-92-Vierzehnzylinder-Doppelsternmotoren mit je 1.200 PS.
- Energieübertragung auf Dreiblatt-Luftschrauben mit 3,35 m Durchmesser.
- Ausstattung des Prototyps mit Gnomê & Rhône 14N (900 PS Startleistung).
- Das Startgewicht steigerte sich von 20.577 kg (Prototyp) auf 23.500 kg im Fall der Serienausführung.

Im Vergleich hierzu differieren die Maße, Gewichte und Leistungen des Ursprungsmodells MB 160 erheblich. Mit einer Spannweite von 27,40 m blieb sie deutlich unter der »Languedoc«. Auch die Auftriebsfläche war mit 105 m² ungleich geringer. Die Hispano-Suiza 12X-Motoren erlangten mit 720 PS nur etwa ²/₃ der Leistung der P & W-Motoren. Auch die Reichweite von nur 1.800 km sowie die vergleichsweise niedrige Transportkapazität von lediglich 12 Reisenden konnte nicht befriedigen. In der Folge diente die MB 160 als Grundlage für die»Languedoc«.

Der Einfluss des »Condor« auf die Entwicklung der S.E. 161 ist unverkennbar.

Technische Daten verschiedener Flugzeugmuster aus den Niederlanden, Italien und Frankreich

Technische Daten	Fokker F.XXXVI	SM 74	Dewoitine D.338	S.E.161 Languedoc
Spannweite	33,00 m	29,68 m	29,35 m	29,40 m
Länge	23,60 m	21,36 m	22,13 m	24,25 m
Höhe	5,99 m	5,50 m	5,57 m	5,15 m
Startgewicht	16 500 m	14 000 kg	11 150 kg	23 500 kg
Höchstgeschwindigkeit	240 km/h	300 km/h	260 km/h	435 km/h
Reichweite	1350 km	1000 km	1950 km	2500 km
Dienstgipfelhöhe	4400m	7000 m	4900 m	7800 m
Triebwerke	Wright »Cyclone«	Piaggio »Stella« X.RC	3 x Hispano Suiza 9V 16/17	P & W R-1830-92
Leistung (Start)	750 PS	700 PS	650 PS	1200 PS
Passagiere	16-32	24-27	22	33-44
Crew	4	4	3	5
Erstflug	1934	1934	1935	1939/1945
Stückzahl	——	3	31	100
Produktionszeitraum	——	1934-1935	1935-1937	1945-1949

Technische Daten verschiedener britischer Konstruktionen

Technische Daten	D.H. 86	D.H. 91	A.W. 27	Short S.32
Spannweite	19,66 m	32,00 m	37,49 m	38,8 m
Länge	14,05 m	21,79 m	34,75 m	27,7 m
Höhe	3,96 m	6,78 m	7,01 m	——
Startgewicht	4643 kg	13 381 kg	22 000 kg	32 210 kg
Höchstgeschwindigkeit	300 km/h (Reise)	338 km/h	274 km/h	530 km/h
Reichweite	1408 km	1670 km	1290 km	5470 km
Dienstgipfelhöhe	5304 m	5060 m	5500 m	——
Triebwerke (4)	Gipsy Six I oder II	Gipsy Twelf	A.S. Tiger IX	Hercules VI C
Leistung (Start)	——	550 PS	850 PS	1650 PS
Passagiere	——	22	27-40	12-24 (Druckk.)
Crew	——	4	5	——
Erstflug	14.1.1934	20.5.1937	1938	——
Stückzahl	62	7	14	Nur Projekt
Produktionszeitraum	1934-1937	1937-1939	1938-1939*	——

* 1941 Umrüstung zur »Ensign II«

Technische Daten US-Airliner

Technische Daten	Douglas DC-4 E	Douglas DC-4-1009	B-307 Stratoliner	B-377 Stratocruiser
Spannweite	42,14 m	35,81 m	32,69 m	43,05 m
Länge	29,74 m	28,60 m	22,67 m	33.63 m
Höhe	7,48 m	8,38 m	6,33 m	11,66 m
Flügelfläche	200,21 m²	135,63 m²	138,05 m²	164,20 m²
Flächenbelastung	139,3 kg/m²	212,4 kg/m²	147,7 kg/m²	406,1 kg/m²
Leergewicht	19 308 kg	19 641 kg	13 730 kg	35 751 kg
Startgewicht	30 164 kg	33 113 kg	20 385 kg	66 680 kg
Passagiere / Crew	52/5	42-74/6-8	33-38 / 5	55-112/ 8-10
Höchstgeschwindigk.	394 km/h	451 km/h	396 km/h	605 km/h
Reisegeschwindigkeit	322 km/h	365 km/h	354 km/h	505 km/h
Reichweite (norm.)	——	3600 km	3050 km	5500 km
Reichweite (max.)	——	4700 km	3846 km	7360 km
Dienstgipfelhöhe	6980 m	6800 m	8000 m	10 500 m
Triebwerke (4)	Pratt & Whitney R-2180-S1A1G	Pratt & Whitney R-2000-9	Wright GR-1820	Pratt & Whitney R-4360
Hubraum	35,72 l	32,77 l	29,88 l	71,5 l
Leistung (Start)	1450 PS	1450 PS	1200 PS	3500 PS
Treibstoffkapazität	8327 l	10 866 l (max. 13 596 l	8600 l	29 500 l

Die Technik der Fw 200 A

Allgemeine Darstellung

Zunächst Ausführungen des Konstrukteurs zur Auslegung des Flugzeugs, zu technischen Aspekten sowie zur Flugsicherheit.
Kurt Tank zur Sicherheit des mehrmotorigen Flugzeugs:
»Zahlenmäßig sind diese Sicherheitsverhältnisse von Dr. Stüper, einem Mitarbeiter von Prof. Prandtl in Göttingen, näher untersucht worden. Es ergibt sich etwa folgendes Bild: Gegenüber dem einmotorigen Flugzeug hat das viermotorige Flugzeug, das nach Ausfall eines Motors noch fliegen kann, die 72-fache Sicherheit; das dreimotorige Flugzeug, das nach Ausfall eines Motors noch fliegen kann, hat die 132-fache Sicherheit; das zweimotorige Flugzeug, das nach Ausfall eines Motors fliegen kann, hat die 316-fache Sicherheit und das viermotorige Flugzeug, das nach Ausfall von zwei Motoren noch fliegen kann, hat die 14.450-fache Sicherheit.
Aus diesen Zahlen geht hervor, dass eine viermotorige Anordnung, bei der nach Ausfall von zwei Motoren der Flug noch fortgesetzt werden kann, allen anderen Anordnungen weit überlegen ist. Die Sicherheitserhöhung gegenüber der dreimotorigen Anordnung beträgt das 110-fache.«

Die Wirtschaftlichkeit des Flugzeuges wird definiert durch den Wert:

$$\frac{\text{Nutzlast x Reisegeschwindigkeit}}{\text{PS im Reiseflug}}$$

»Für die außerordentlich kurze Entwicklungszeit war uns die gute Zusammenarbeit mit den Herren der DLH eine sehr wertvolle Unterstützung.
Der jetzt fertig dastehende Focke-Wulf ›Condor‹ ist ein freitragender Tiefdecker von relativ großer Spannweite. Das Seitenverhältnis ist 1:9,1. Für die Wahl dieses hohen Seitenverhältnisses waren maßgebend die vorher erwähnten Anforderungen an die Sicherheit und Wirtschaftlichkeit. Als Bauweise wurde weitgehend offene Schalenbauweise angewandt, die eine große Auflösung des Flugzeuges während des Baues ermöglichte. Als Werkstoff kam hauptsächlich Duralumin und Elektron zur Verwendung. Lediglich die Endrippe des Außenflügels und die Ruder wurden mit Stoff bespannt. Außerdem ist die Rumpfspitze in Holz ausgeführt, weil hier der Peilrahmen untergebracht ist, um zusätzlichen Luftwiderstand zu vermeiden.
Da die Wirtschaftlichkeit eines Flugzeuges in hohem Masse von der Wartung abhängt, wurde für weitgehende Zugänglichkeit aller Teile, die gewartet werden müssen, gesorgt. So ist z.B. beim Rumpf der tragende Verband an der unteren Seite nicht in die Außenhaut, sondern unmittelbar in den Fußboden verlegt worden, sodass für die unter dem Fußboden liegenden Frischluft- und Heizleitungen, elektrische Leitungen und Steuerzüge an jeder beliebigen Stelle Klappen vorgesehen werden konnten, ohne die Tragfähigkeit zu beeinträchtigen. Dazu ist der Vorteil vorhanden, dass die Wartung von außen erfolgen kann und Beschmutzung und Zerstörung der Inneneinrichtung vermieden wird.
Der nur mit seinem Hauptholm durch den Rumpf durchlaufende Flügel ist dreiteilig ausgeführt. An das die Triebwerke und das Fahrwerk aufnehmende Mittelstück sind die beiden Außenflügel durch flanschartige Beschläge angeschlossen. Durch zahlreiche Windkanalversuche im eigenen Windkanal wurde die Formgebung des Flügels hinsichtlich seines Verhaltens in überzogenem Flugzustand untersucht. Die hierbei festgestellte Stabilität um die Längsachse und bei großen Anstellwinkeln wurde durch die Flugversuche bestätigt gefunden. Zur Herabsetzung der Landegeschwindigkeit auf 100 km/h bei 117 kg/m² Flächenbelastung ist der Flügel mit großen Spreizklappen ausgerüstet, die hydraulisch betätigt werden.
Der bei vollem Klappenausschlag von ca. 60° erreichte sehr steile Gleitwinkel erleichtert das Anschweben auch in ungünstig gelegene Flugplätze. Zum Start werden die Klappen bei einem Ausschlag von 150 benutzt, um den Start zu verkürzen.
Am Leitwerk ist bemerkenswert, dass Querruder, Höhenruder und Seitenruder elektrisch getrimmt werden, wobei die Trimmschaltung des Höhenruders so angeordnet ist, dass der Flugzeugführer mit dem Daumen der rechten Hand, ohne das Steuer loszulassen, sich jede gewünschte Entlastung der Steuerkräfte sofort einschalten kann. Meine durch persönli-

Klare Formen, entstanden nach neuen aerodynamischen Erkenntnissen, welche das Bild des faszinierenden »Condor« prägten.

che Flugerfahrung erworbenen Kenntnisse von allen dem Flugzeugführer entgegentretenden Nöten waren Anlass für diese und andere Neuerungen.
Für den konstruktiven Aufbau des Triebwerks stand an erster Stelle die für einen pünktlichen Luftverkehr notwendige Forderung, in kürzester Zeit ein Triebwerk gegen ein Reservetriebwerk auszuwechseln. Es ist uns gelungen, zu erreichen, einen vollständigen Wechsel in 12 Minuten* bis zum Anlaufen des neuen Motors mit drei Mann durchzuführen. Eine derartig kurze Zeit ist bisher noch in keiner anderen Triebwerks-Konstruktion erreicht worden! Es ist selbstverständlich, dass alle Triebwerke untereinander austauschbar sind.
Das gesamte Fahrwerk (Sporn und Räder) wird hydraulisch eingefahren, und zwar in Flugrichtung, um bei etwaigem Versagen der hydraulischen Anlage durch den Staudruck ein sicheres Notausfahren zu erreichen.
Der für zwei Führer und einen Funker ausgerüstete Besatzungsraum im Rumpfbug ist sehr übersichtlich angeordnet. Besonderer Wert ist auch wieder auf eigenen Erfahrungen fußend, ist hierbei auf gute Sicht bei Schlechtwetter-Anflug und -Landung gelegt worden. Durch Öffnen der vorderen Scheiben und der Seitenscheibe ist auch bei Vereisung gute Sicht vorhanden ohne Zugbelästigung.
Hinter dem Besatzungsraum schließt sich ein kleines Abteil an, das links einen Raum für Handgepäck enthält und in dem rechts der vierte Mann der Besatzung, der Steward, auf einer Anrichte die Erfrischungen für die Fluggäste warm oder kalt zubereitet.
Dann folgt der eigentliche Fluggastraum für 26 Gäste, unterteilt in Raucher- und Nichtraucherkabine. Die Ausstattung und Bequemlichkeit dieses Raumes soll die anschließende Vorführung zeigen. Die Heizung erfolgt über einen von Auspuffgasen beheizten Dampfüberdruckkessel, durch die am Rumpfbug eintretende Frischluft vorgewärmt wird.
Für die Schallabdämpfung sind eingehende Versuche durchgeführt worden.
An das Abteil für Nichtraucher schließt links ein WC und rechts ein besonderer Postraum an, und schließlich folgt der große Gepäck- und Frachtraum, der durch eine besonders große Tür von außen zugänglich ist.

Die beschriebene Gesamtanordnung der Einrichtung und Ausrüstung im Rumpf zeigt, dass der ganze Rumpf bis auf ein kleines Stück zwischen hinterer Gepäckraumwand und Leitwerk restlos ausgenutzt ist. Dadurch ist der Beweis erbracht, dass kaum totes Gewicht im Flug mitgeschleppt wird.
Es ist bereits vorgesehen, dass im kommenden Jahr in die Serie von einer bestimmten Baunummer ab, an Stelle der jetzigen Motoren ohne Getriebe, die Sternmotoren 132 H eingebaut werden. Auf Grund der bisher durchgeführten Flugmessungen werden dann folgende Leistungen erreicht:

Höchstgeschwindigkeit	400 km/h
Wirtschaftliche Reisegeschwindigkeit	365 km/h
Steigzeit auf 1.000 m	2 min.
Dienstgipfelhöhe	7.000 m
Dienstgipfelhöhe bei Ausfall eines Motors	5.400 m
Flugfähig noch bei Ausfall von zwei Motoren bei	4.800 m
Geschwindigkeit bei Ausfall von zwei Motoren und bei Dauerleistung von den noch laufenden Motoren	260 km/h in 1.750 m Höhe.

Die genannten Zahlen erbringen den Beweis, dass es uns gelungen ist, ein Verkehrsflugzeug zu schaffen, das hinsichtlich Wirtschaftlichkeit und Sicherheit einen großen Schritt nach vorwärts bedeutet.«

Soweit die Ausführungen von Kurt Tank. Wenden wir uns nun zunächst den technischen Belangen des Atlantikbezwin-

* Diese Zeitspanne scheint wohl der absolute Rekord gewesen zu sein. Tank erwähnt in diesem Zusammenhang 15 Minuten. Andere Quellen sogar 30 Minuten (Anm. d. Verf.).

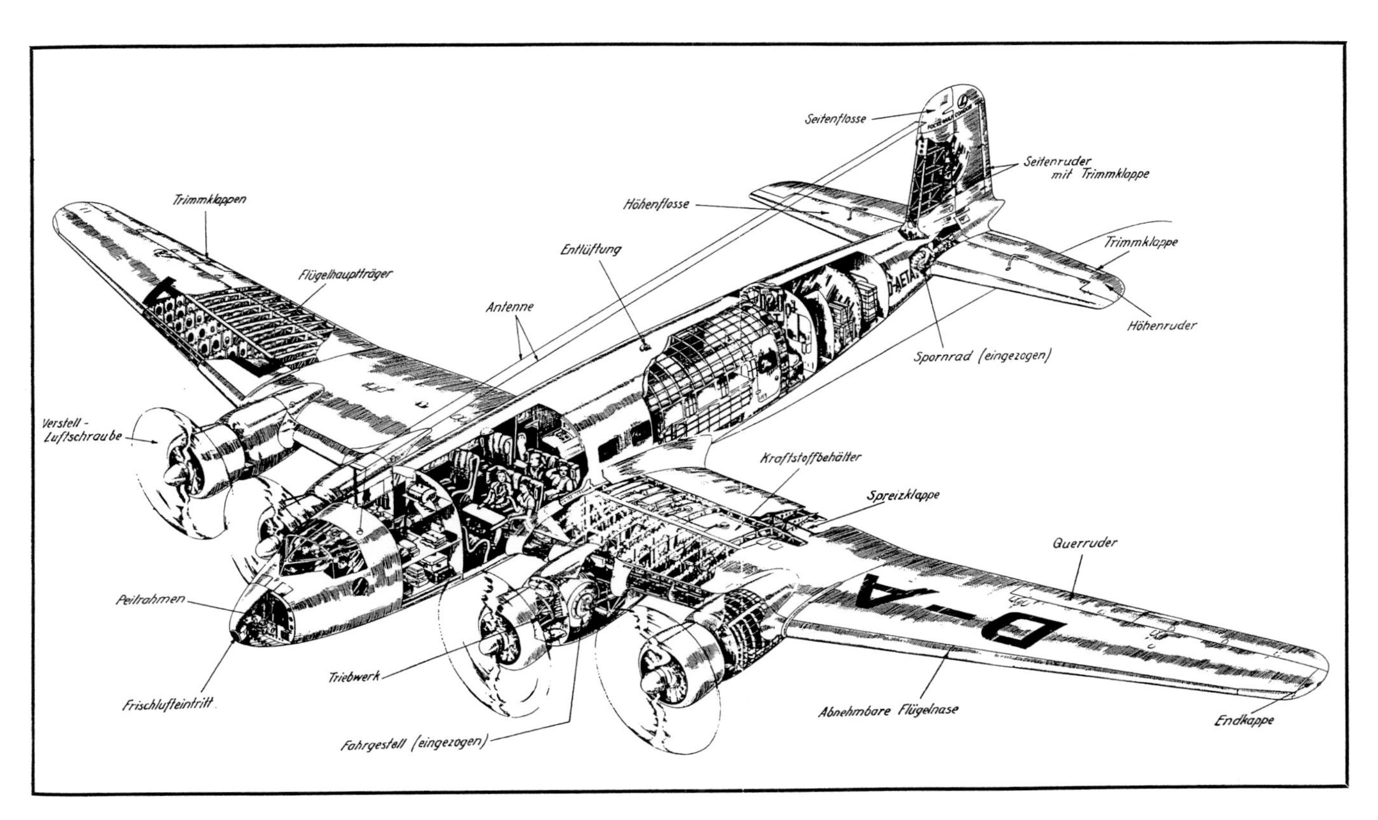

Das »Innenleben« des »Condor«, dargestellt anhand einer Focke-Wulf-Werkszeichnung.

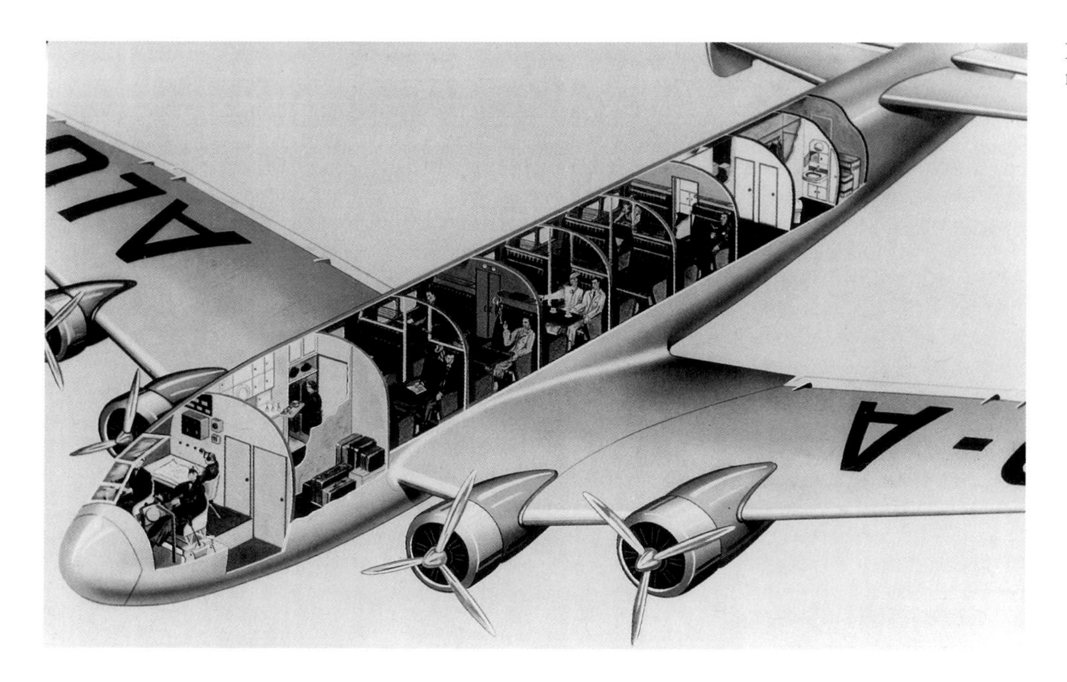

Die Gestaltung des Innenraumes der Ju 90.

Ungleich schlichtere Möglichen bot hier die »Tante Ju«.

gers D-ACON zu, der vor seinem Flug über den Atlantik in verschiedenen Bereichen modifiziert wurde.
Das Rumpfwerk, schlank und langgestreckt in seiner Form, maß in der Länge 23,85 m. Der Aufbau des Rumpfwerks bestand aus einer Schalenkonstruktion, zusammengefügt aus sechzehn Einzelsegmenten. Die gesamte Rumpfstruktur bildete im Verbund von Spanten und Längsprofilen eine widerstandsfähige Einheit, welche später bei den für Kampfeinsätze gebauten Versionen entsprechend der höheren Beanspruchung verstärkt werden musste. Diese Maßnahme betraf ebenfalls das Tragwerk. Auf eine Druckkabine, wie sie beispielsweise bei der Boeing 307 bereits damals zur Anwendung kam, wurde im Fall der realisierten »Condor«-Varianten verzichtet. Lediglich die bedauerlicherweise nicht verwirklichte niederländische Exportversion sollte über dieses innovative Merkmal verfügen. Der Bereich der Flugzeugführer gestaltete sich reich instrumentiert. Den Cockpitbereich mit einer Länge von 2,25 m teilten sich Pilot, Copilot und im Rücken der beiden steuerbordseitig der Arbeitsplatz des Funkers mit weiteren gegenüberliegend platzierten Funkapparaturen. Im Anschluss an das »Nervenzentrum« des »Condor« folgte abgegrenzt ein Stauraum für Gepäck sowie im Fall der Passagierausführung der Bereich des Stewards. Unmittelbar daran grenzte das durch ein Schott abgeteilte Raucherabteil, ausgelegt für neun Reisende. Der dahinterliegende Hauptbereich fasste 16 Passagiere, welche ebenfalls bequeme Sessel, Tischchen und Leselampen vorfanden. Im Fall der D-ACON war jedoch eine möglichst große Treibstoffmenge das Gebot. So wurde alles, was für die bevorstehende Aufgabe nicht von Nutzen war, entfernt und durch ein umfangreiches Tanksystem ersetzt. In rückwärtiger Richtung angrenzend befanden sich bei Airlinern ein Waschraum sowie abgegrenzt Räumlichkeiten für Garderobe, Gepäck oder Fracht. Den Abschluss des Rumpfes bildete der gegenüber dem Prototypen neu gestaltete Leitwerksbereich mit nun 10 m² Seitenleitwerksfläche und 20,6 m² Flächeninhalt des Höhenleitwerks. Diese Baugruppe wurde, entsprechend der Tragflächen, freitragend konstruiert.
Das trapezförmige, dreiteilige Tragwerk in der neuen Konfiguration maß in seiner Spannweite 32,84 m, bei einem Flächeninhalt von 118 m². Es wurde in Tiefdecker-Anordnung und dem durchgehenden Hauptholm mit dem Rumpfwerk verbunden. An der Übergangsstelle Flächen/Rumpf kam auch ein sog. Schraubenkranz zum Einbau, mit der

Absicht, die im Flug auftretenden, nicht unbeträchtlichen Torsionskräfte auf den Rumpf zu übertragen. Das Tragwerk diente nicht nur als auftriebgebendes Element, sondern es nahm zudem im Mittelstück in mehreren Tanks den kostbaren Treibstoff auf. Die Konstruktion der Außenflächen wurde gegenüber der Prototypenausführung überarbeitet und wies nun eine Pfeilung von 7° auf. Diese Baugruppe nahm auch die Querruder auf. An der Unterseite des rückwärtigen Flügelbereichs kamen mehrfach geteilte und hydraulisch angelenkte Spreizklappen zum Einbau.
Die Antriebskomponente bestand im Fall der V1 zunächst aus vier Pratt & Whitney »Hornet« der Ausführung S1E-G mit 760 PS Startleistung. Der »Hornet« wurde in der Folge bei BMW in metrischen Maßen gefertigt und daraus wiederum der BMW 132 entwickelt. Ein Triebwerk, das in den kommenden Jahren vervollkommnet und in zahlreichen Varianten produziert wurde. Besonders interessant ist das sog. »Einheitstriebwerk«, das als komplettes Segment, ausgestattet mit Ölbehälter und sonstigem zum Betrieb notwendigen Equipment von einer geübten Crew in einem Zeitrahmen von 12-30 Minuten ausgewechselt werden konnte. Im Bauzustand der D-ACON fand nun anstelle des »Hornet« der BMW 132 L Verwendung. Es handelte sich hierbei um Neunzylindermotoren mit einem Hubraum von 27,7 l. Die L-Version verfügte über ein Leistungsspektrum von 800 PS am Start und 620 PS im Dauerbetrieb. Die Energie wurde auf Zweiblattluftschrauben übertragen und so in Vortrieb verwandelt. In den Folgemustern kamen teils weit leistungsstärkere Motoren mit bis zu 1.000 PS zum Einbau. Es handelte sich hierbei um den BMW 132 H/1.
Die normale Betriebstoffkapazität des »Condor« lag je nach Version zwischen 2.300 und 3.460 Litern in Flächentanks. Die Kapazität der D-ACON erreichte zusammen mit den Rumpfbehältern hingegen 11.150 Liter. Die Zuführung des Treibstoffs konnte mittels einer Umpumpanlage der jeweiligen Situation angepasst werden. Zudem stand für jeden Motor ein Startbehälter mit 87-Oktan-Benzin zur Verfügung. Im Normalbetrieb konsumierten die Triebwerke jeweils etwa 100-115 Liter per Stunde.
Das sehr filigran wirkende Hauptfahrwerk dieses Flugzeugtyps war nicht unbeträchtlichen Kräften ausgesetzt, zumal dieses Gewicht von Version zu Version des »Condor« ein immer höheres Niveau erreichte. Diese Baugruppe stellte die wesentliche Achillesverse des Flugzeugs dar. Das Startgewicht lag bei der V1 mit 14.000 kg noch in einer vergleichsweise niedrigen Kategorie. Der Umbau des Flugzeugs zur Rekordmaschine schlug mit einem Gesamtgewicht von 21.200 kg zu Buche. Die regulären Zivilausführungen brachten 17.000 kg auf die Waage. Im Zuge der militärischen Entwicklung dieses Flugzeugtyps stieg das Abfluggewicht sogar auf 22.700 kg. Dies konnte nur von einem entsprechend angepassten Fahrwerk aufgenommen werden. Aus diesem Grund erhielten die Maschinen der B-Version bereits die widerstandfähigeren, doppelbereiften Hauptfahrwerke.
Soweit ein Streifzug durch die technische Welt der Fw 200 in geraffter Form. Ungleich detaillierter beschäftigte sich der folgende Teil dieses Kapitels mit der Technik des »Condor«, wobei jede Baugruppe ein eigenes Unterkapitel bildet.

Das Rumpfwerk

Der Rumpf der Fw 200 wurde in Ganzmetall-Halbschalenbauweise erstellt. Die Rumpfstruktur bildeten hierbei 16 Schalen, deren Gesamtzahl sich in acht Seiten- und jeweils vier Ober- bzw. Unterschalen aufteilte. Elf Hauptspante bildeten im Zusammenwirken mit einer Vielzahl von Längsverstrebungen und einer mittragenden Beplankung eine für zivile Zwecke ausreichende Einheit. Mit hölzerner Bugkappe und Leitwerksbereich maß der Rumpf 23,85 m. Der Rumpf setzte sich aus folgenden Hauptgruppen zusammen:

- Führerbereich (Spant 1 bis 3, Länge = 2,25 m)
- Rumpfvorderteil (Spant 3 bis 5, Länge = 4,63 m)
- Rumpfmittelteil (Spant 5 bis 7, Länge insges.t = 7,23 m)
- Rumpfhinterteil (Spant 7 bis 11, Länge = 2,85 m)

Blick in die Kabine in Flugrichtung. Massive Ohrensessel, bespannt mit rustikalen Stoffen prägten das Bild.

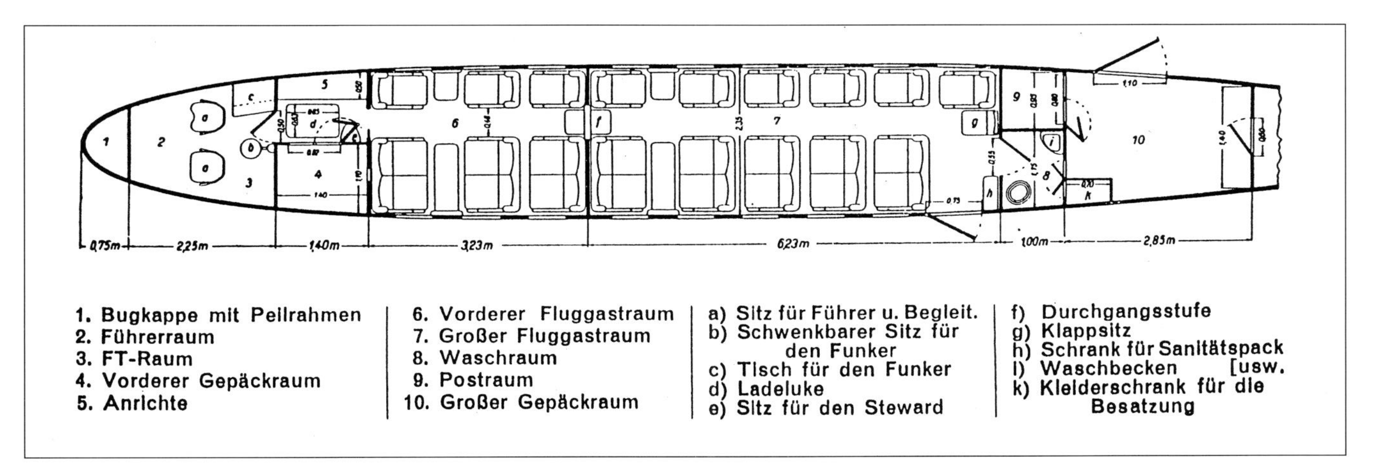

Raumaufteilung des »Condor«-Rumpfes mit Bemaßung.

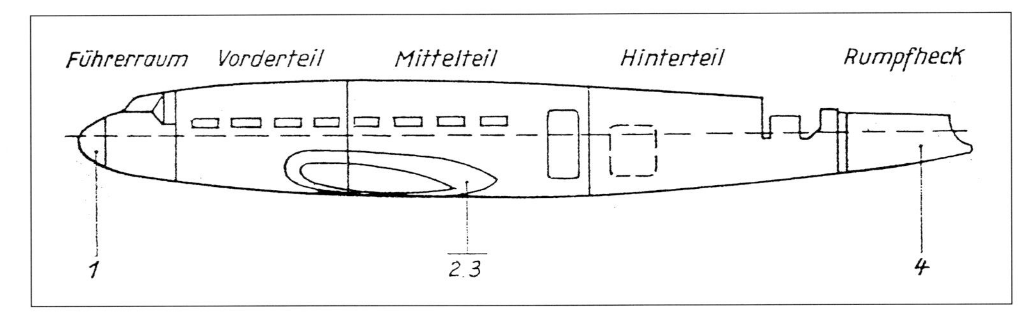

Eine Übersicht der Fw 200-Rumpf-Baugruppen.

Die Ausstattung der Fluggasträume laut Handbuch.

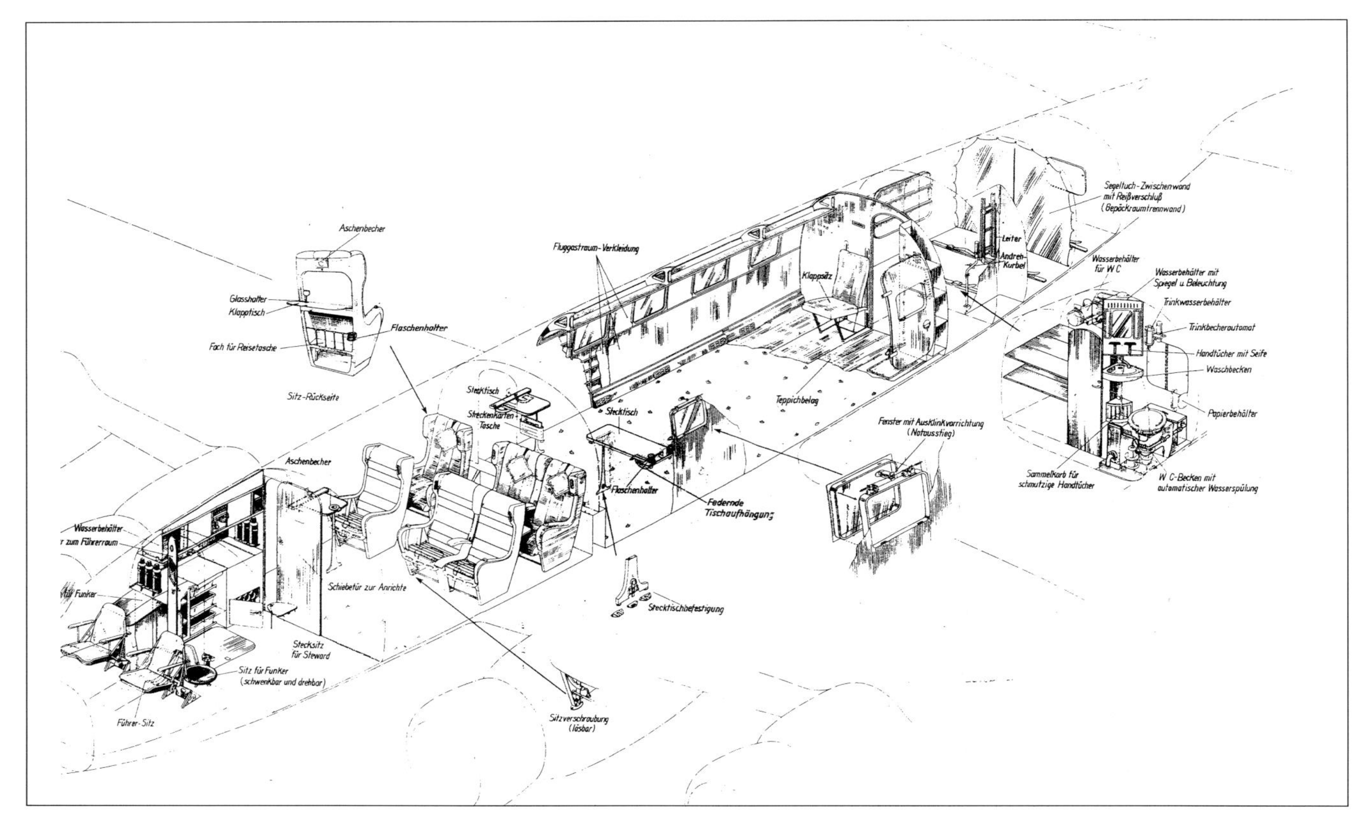

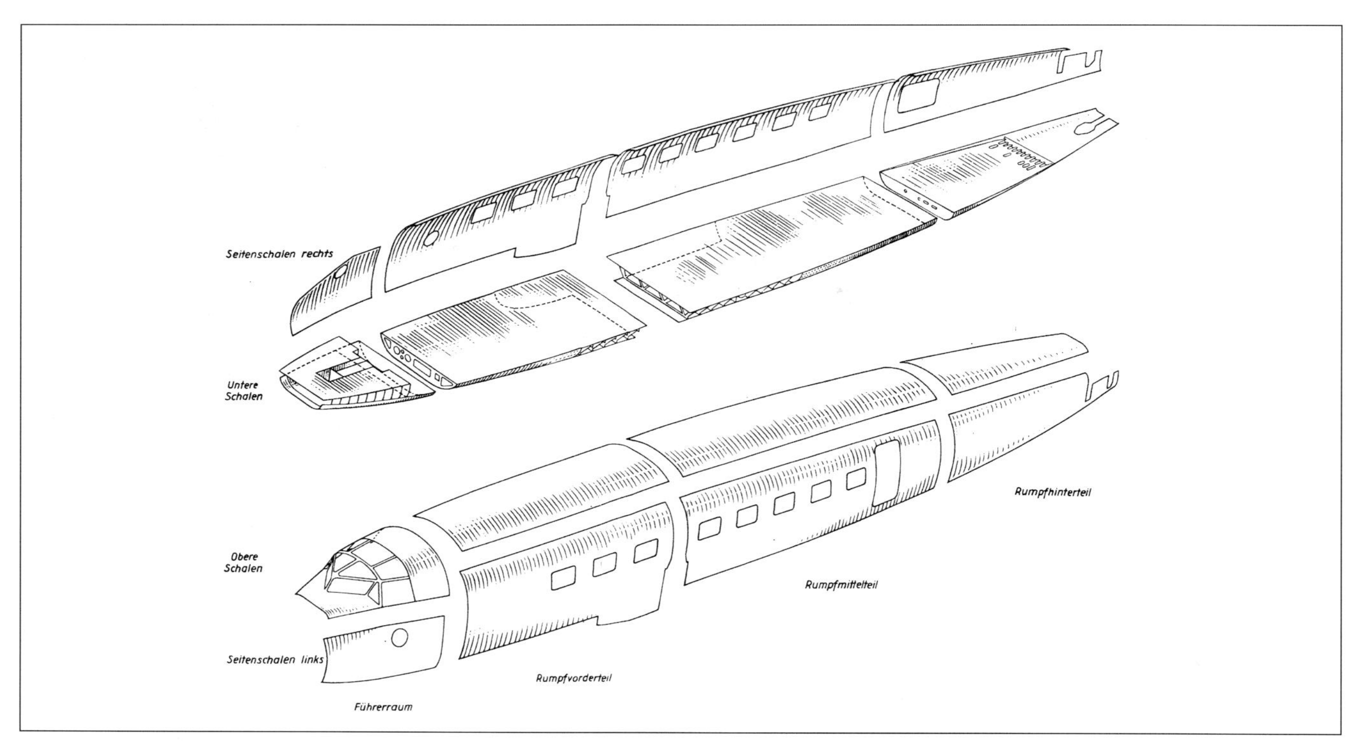

Das Rumpfwerk als Einheit bildeten insgesamt 16 Einzelschalen.

Originalfoto der vorderen rechten Rumpfseitenschale.

Der Führerraum

Der Flugzeugführerbereich

Der Arbeitsplatz der Piloten befand sich zwischen Spant 1 und 3. Dieser in der Länge 2,25 m messende Teil hatte zudem den Funker aufzunehmen, welcher hinter den Flugzeugführern, an einem steuerbordseitigen Tisch und Schwenksitz, platziert wurde. Die entsprechenden Ausrüstung wird an späterer Stelle dargestellt.

Das markante »Gesicht« des »Condor« am Beispiel der DLH »Nordmark«. (unten)

Die in Holz gefertigte Bugkappe nahm den Peilrahmen sowie den Luftkanal auf. Dessen Mündung ist auf dem Foto der »Nordmark« gut zu erkennen.

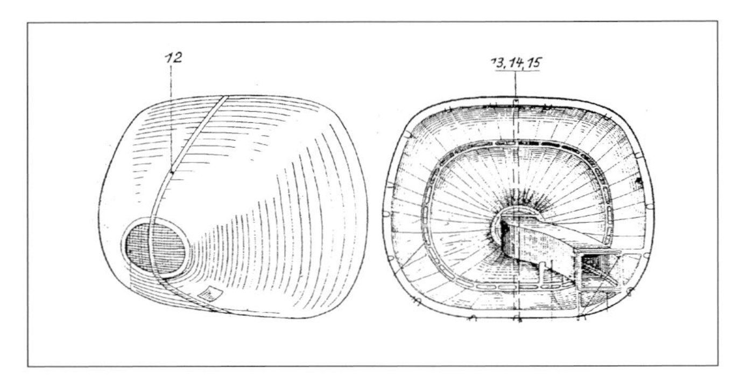

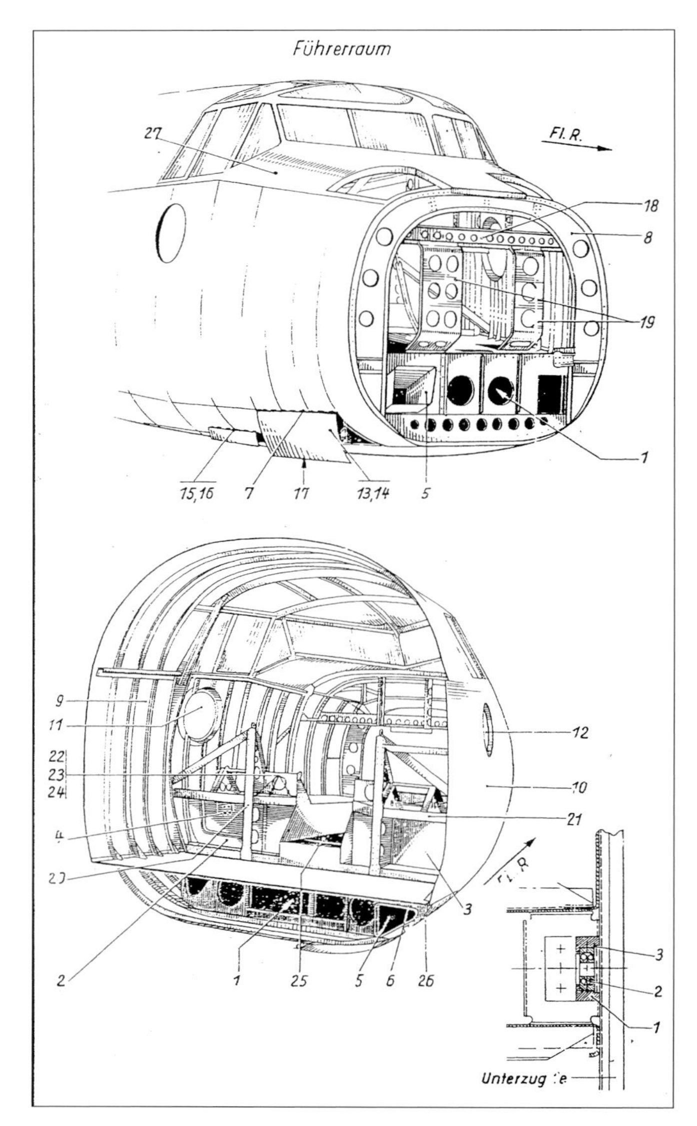

Der Führerraum, hier dargestellt in einer Vorder- und Rückansicht, gestaltete sich aus vier Schalen.

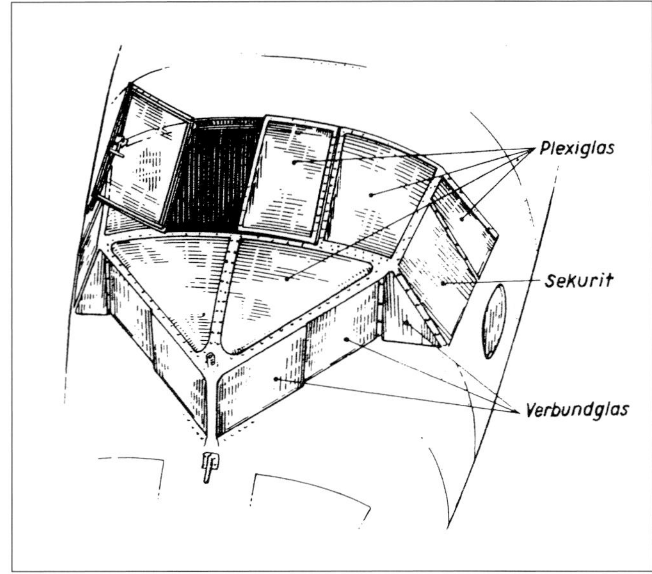

Aufbau der Cockpitverglasung.

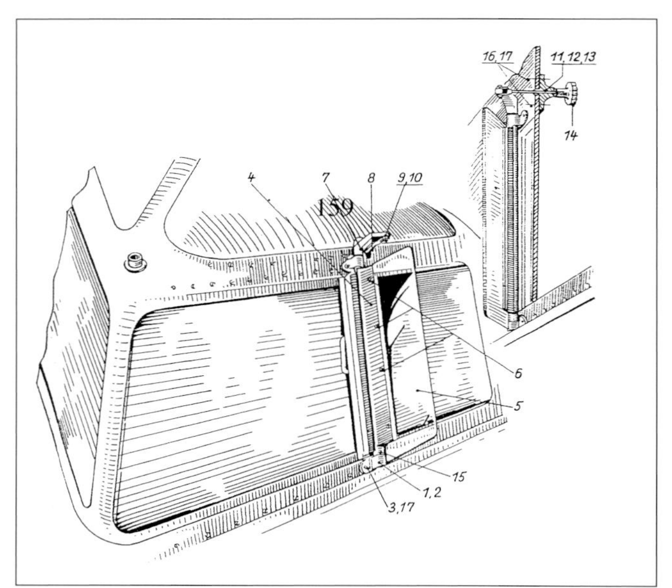

Details der backbordseitigen Führerraumverglasung.

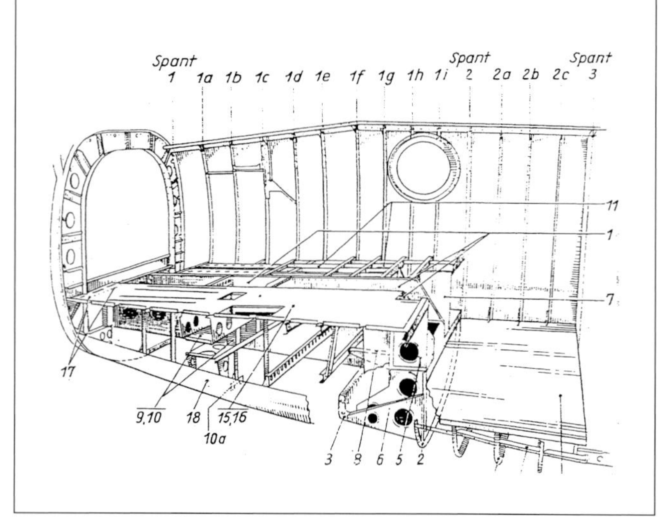

Die Struktur des Bugsegments (Spant 1-3) ▶

Seitenansicht der »Arumani«. Die oberen, klappbaren Scheiben sind ebenfalls geöffnet.

Das Cockpit der Fw 200 A.

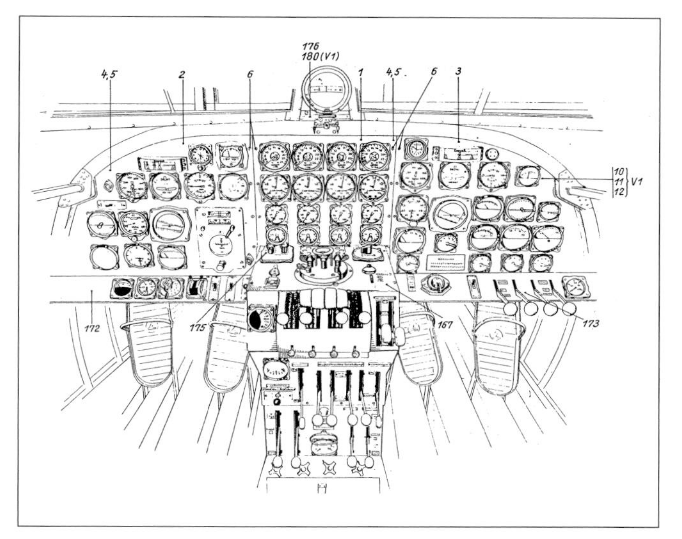

Übersichtszeichnung (Handbuch) des Flugzeugführerbereichs.

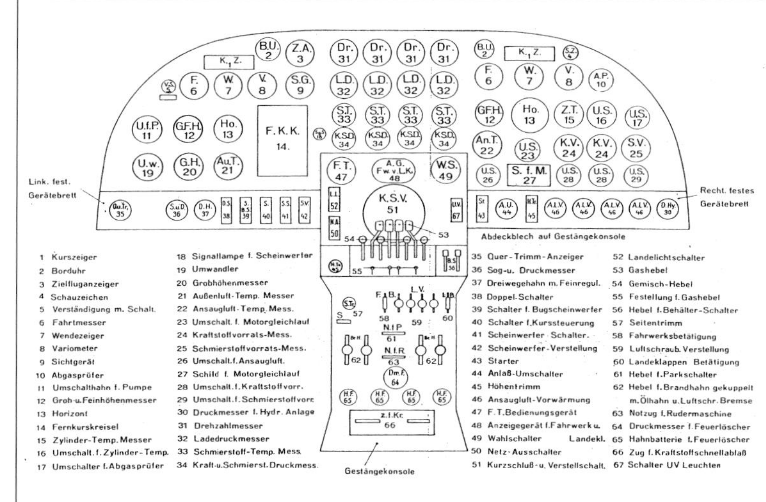

Die umfangreichen Instrumente in einer erklärenden Darstellung.

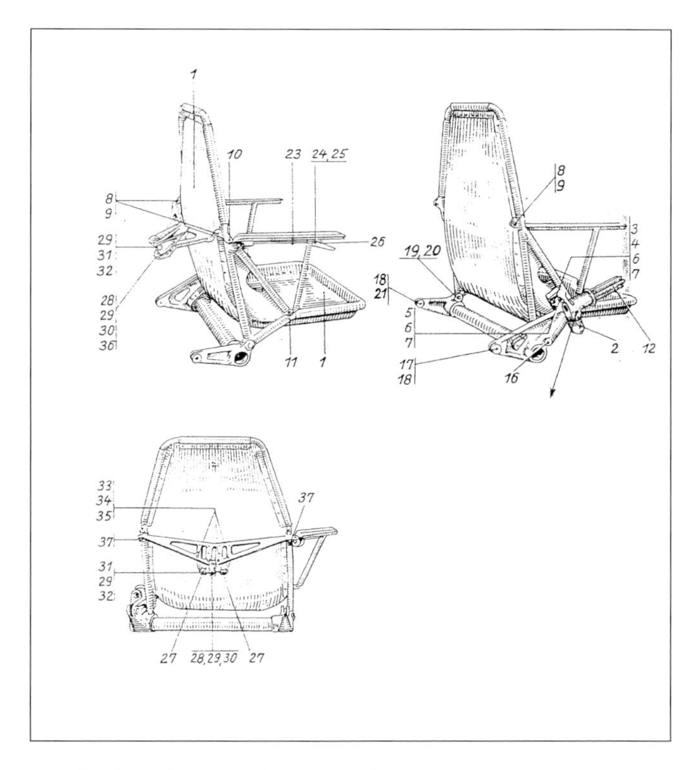

Handbuchzeichnungen der Pilotensitze.

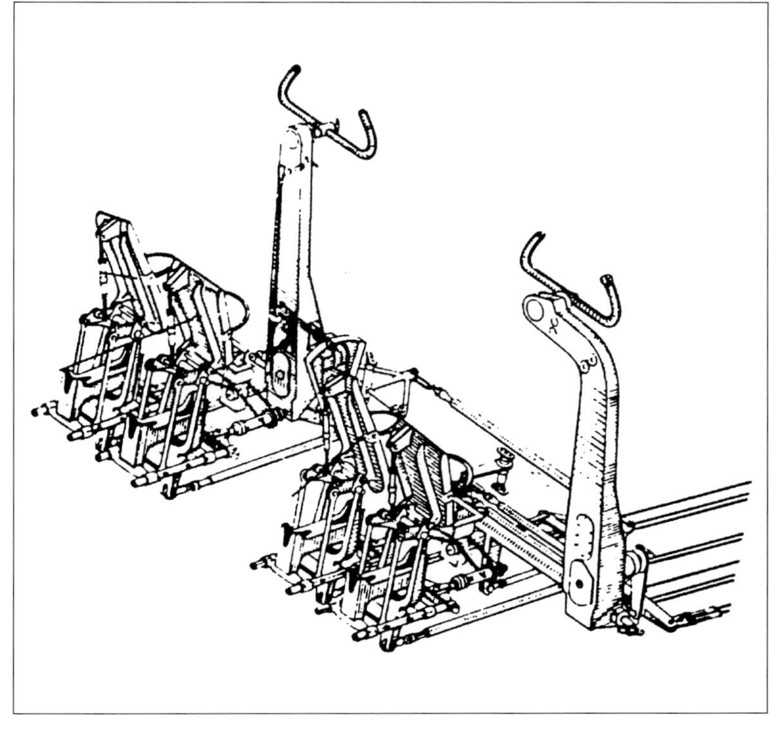

Die Steuerhörner dienten zur Anlenkung der Höhen-/Querruder.

Der Passagierbereich

Das Rumpfvorderteil

Dieser sich zwischen Spant 3 und 5 erstreckende Bereich nahm steuerbordseitig den Stewardraum mit Anrichte und auf der gegenüberliegenden Seite den vorderen Gepäckraum auf. Dessen Grundmaße betrugen 140 x 110 cm, bei einem Raumvolumen von 2,25 m³. Im Rumpfboden befand sich auf Höhe des Durchgangs eine Ladeluke mit den Maßen 85 x 63 cm. Hinter Spant 4 platzierte man den vorderen Passagierbereich, welcher neun Reisende aufnahm. Auf einer Länge von 3,23 m wurden backbordseitig drei bequeme Doppelsessel, gegenüberliegend drei in Einzelausführung montiert. Hierbei waren die ersten beiden Reihen gegenüberliegend angeordnet und mit Tischchen ausgestattet. Dieser erste Bereich stellte ein Raucherabteil dar, welches notwendigerweise über einen leistungsfähigen Luftaustausch verfügte. Der Nichtraucherbereich wurde durch Spant 5 abgetrennt. Alle Bereiche waren jedoch mittels einer Türe miteinander verbunden. Drei Fenster je Seite gewährten eine akzeptable Sicht nach draußen.

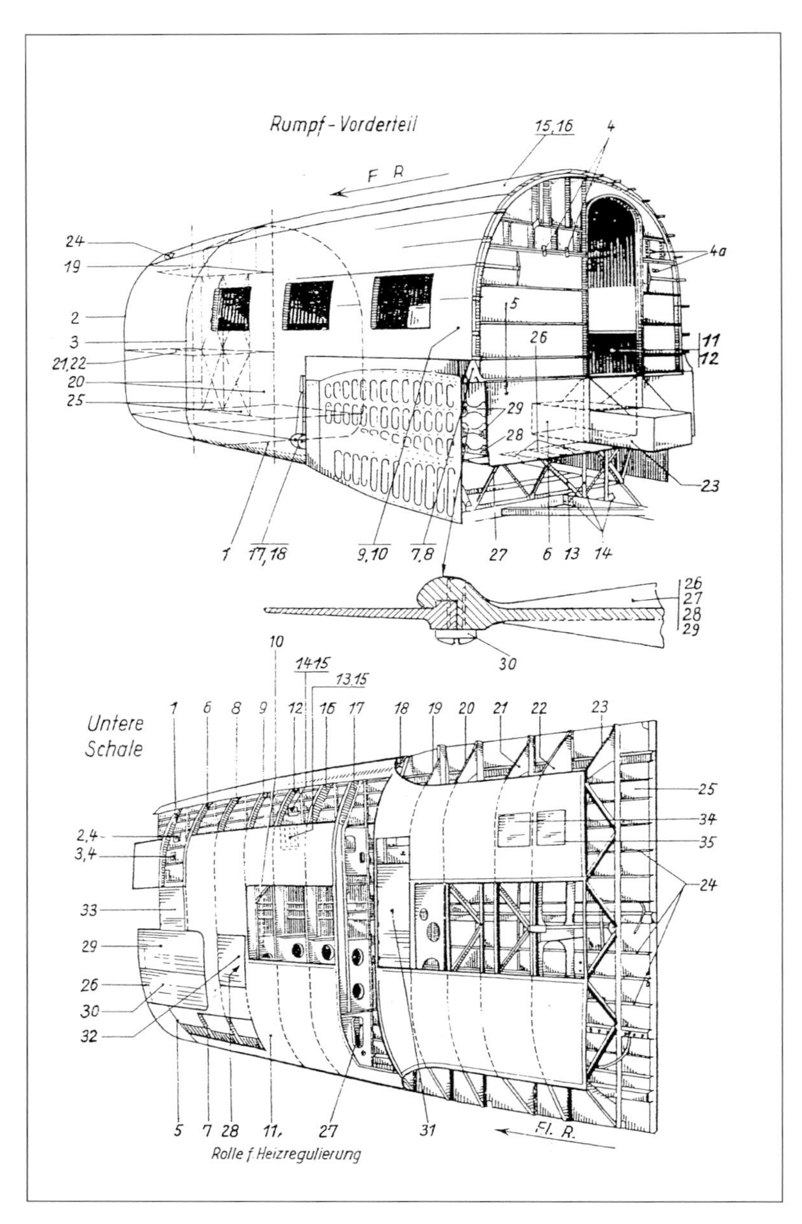

Die Struktur des Rumpfvorderteils bestand aus vier Einzelschalen (Spant 3-5). Seitlich ist die sogenannte »Schubplatte« für den Flügelanschluss erkennbar.

Blick in den vorderen Rumpfbereich, welcher das Raucherabteil aufnahm.

Die Flugbegleiterin, zu jener Zeit als »Lufthostess« bezeichnet, bildete einen neuen Berufsstand.

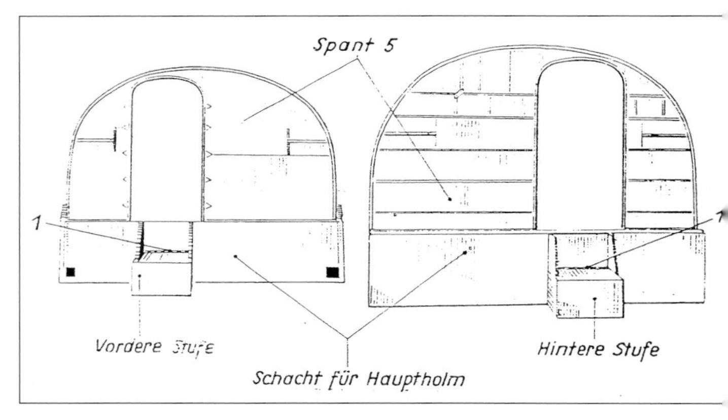

Der Rumpfspant 5 in Vorder- und Rückansicht. Man beachte die Stufe, welche aufgrund des durch den Rumpf geführten Hauptholmes notwendig wurde.

Das Rumpfmittelteil

Bei Spant 5, also der Abgrenzung zwischen Vorderraum und dem Großen Fluggastraum, war aufgrund des durchgehenden Hauptholms der Tragfläche eine Stufe konstruktiv nicht vermeidbar. Das zwischen Spant 5 und 7 befindliche Rumpfmittelteil bot auf einer Länge von 6,23 m und einer maximalen Rumpfbreite von 2,35 m insgesamt 16 Fluggästen Platz. Dieser Bereich war ein Nichtraucherabteil. Die Aufteilung der fünf Sitzreihen entsprach dem bereits erwähnten vorderen Fluggastraum. Ein zusätzlicher Klappsitz befand sich am Ende des Abteils. Auf der Backbordseite befand sich hinter der letzten Doppelsesselreihe der Einstiegsbereich mit dem direkt daneben platzierten Sanitätsschrank.

Die Räumlichkeiten für die Passagiere verfügten über eine Gesamtgrundfläche von 22,30 m² bei einem Raumvolumen von 40,60 m³. Die Rumpfhöhe betrug zwischen 1,7 und 1,85 m. Die DLH forderte je Passagier ein Mindestraumvolumen von 1,5 m³. Focke-Wulf erfüllte diese Vorgabe mit 1,56-1,62 m³, entsprechend der Anzahl der Plätze.

In rückwärtige Richtung blickend, neben dem Einstiegsbereich, genauer zwischen Spant 6 und 7, wurde ein Waschraum, kombiniert mit Toilette (Grundmaß: 1,00 x 1,15 m) installiert.

Zu diesem Bereich erwähnte ein DLH-Bericht: »Die Verwendung von Wasser hat auch bei der Toilette mit Druckspülung bei Frost zu Schwierigkeiten geführt. Ferner macht die Schaffung eines genügend großen Auffangbehälters große Schwierigkeiten, da unter dem tragenden Fußboden nur wenig Höhe zur Verfügung steht sowie außerdem die Längsabmessungen durch die Lage der Rumpfspanten beschränkt sind.« Steuerbordseitig wurde ein Postraum (1,00 x 0,95 m) platziert.

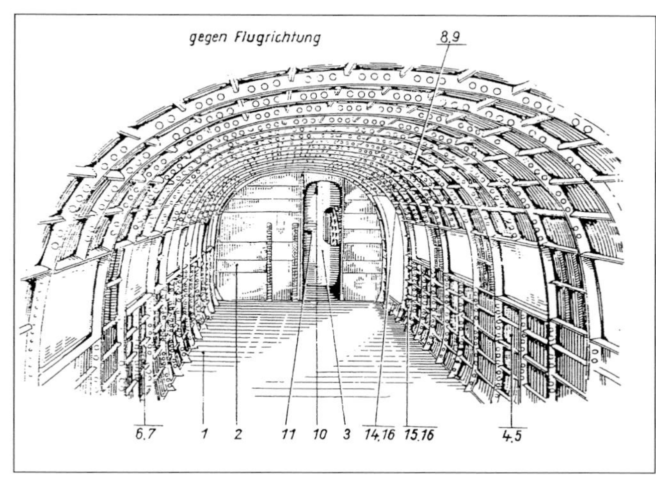

links oben:
Das Nichtraucher-Abteil wurde zwischen Spant 5 und 7 platziert.

rechts oben:
Die Struktur des Rumpfmittelteils bildeten vier Schalensegmente (Sicht in Flugrichtung).

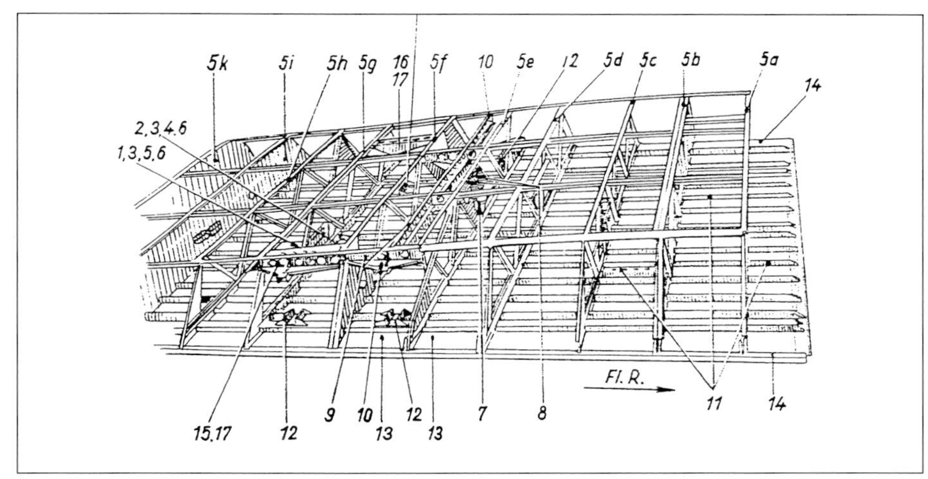

Aufbau des Rumpfbodens im Bereich des Mittelteils.

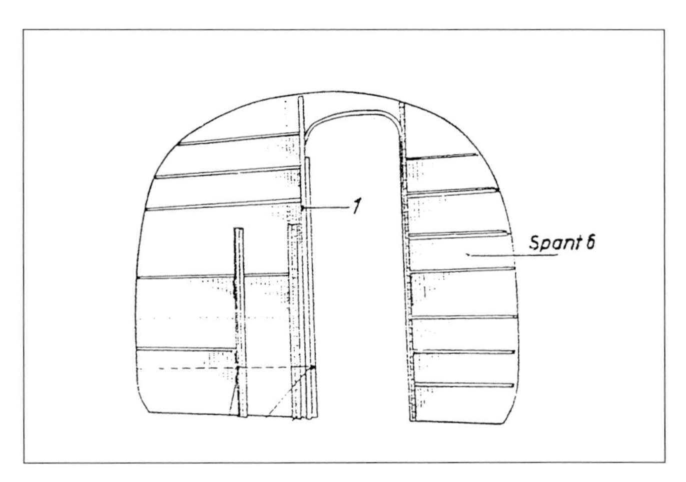

Rumpfspant 6.

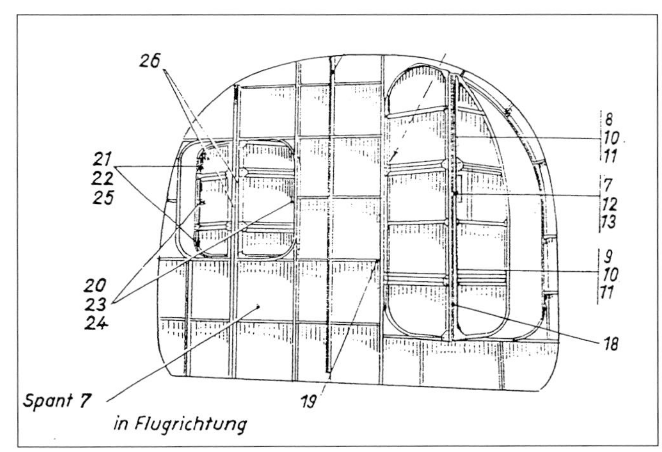

Rumpfspant 7.

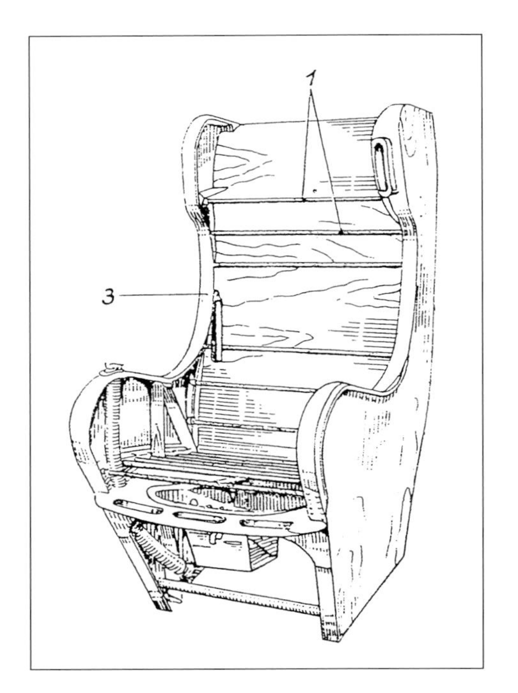

Aufbau der Passagiersessel.

Entsprechend die doppelsitzige Variante.

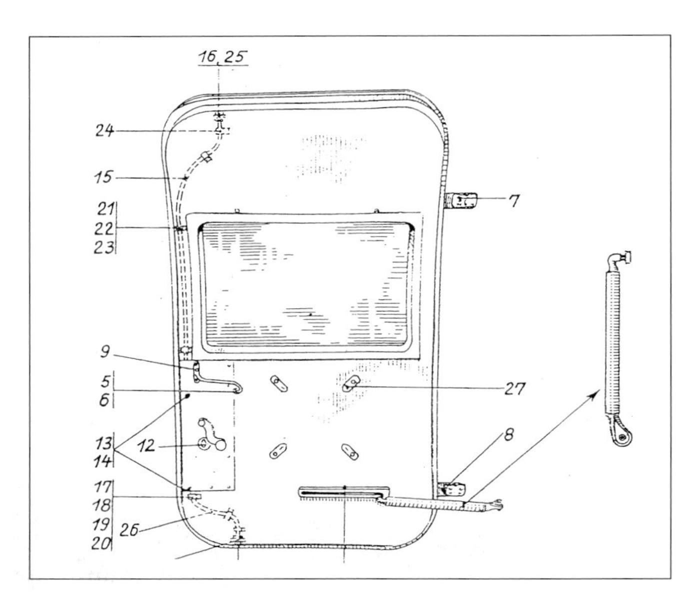

Die backbordseitige Eingangstüre.

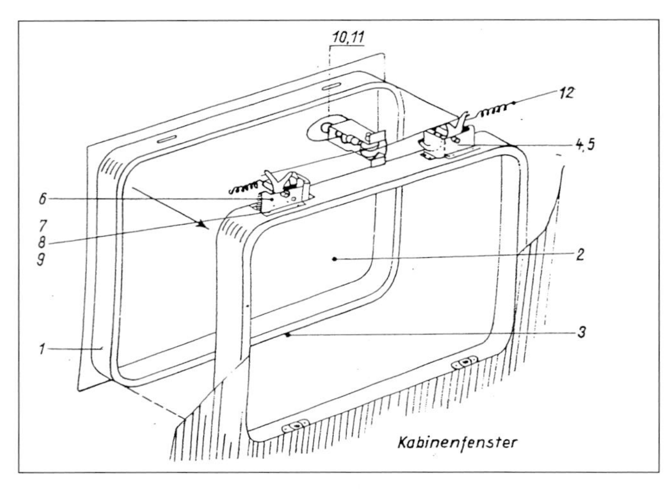

Mitte rechts:
Aufbau der Kabinenfenster mit Ausklinkvorrichtung (Notausstieg).

Der hintere Rumpfbereich

Den Abschluss bildete (ab Spant 7) ein über die gesamte Rumpfbreite reichender und 2,85 m langer Gepäckraum mit 8,30 m³ Volumen. Hier wurde auch die Garderobe der Besatzung abgelegt. Auf der Steuerbordseite kam eine Ladeluke zum Einbau. Der hintere Rumpfbereich nahm in den geschilderten Teilen 3,85 m Rumpflänge in Anspruch. Der Bauanteil des Rumpfhinterteils erstreckte sich hingegen bis Spant 11. Im Gegensatz zu den Militärversionen der Fw 200 wurde im Fall der Zivilausführungen der Betriebsstoff aus Sicherheitsgründen ausschließlich in den Tragflächen mitgeführt.

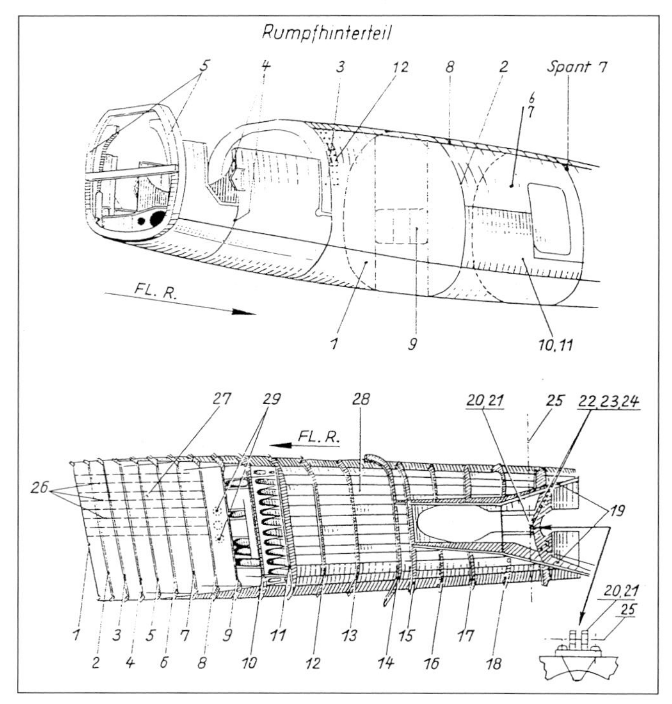

Aufbau des hinteren Rumpfbereiches ab Spant 7. ▶

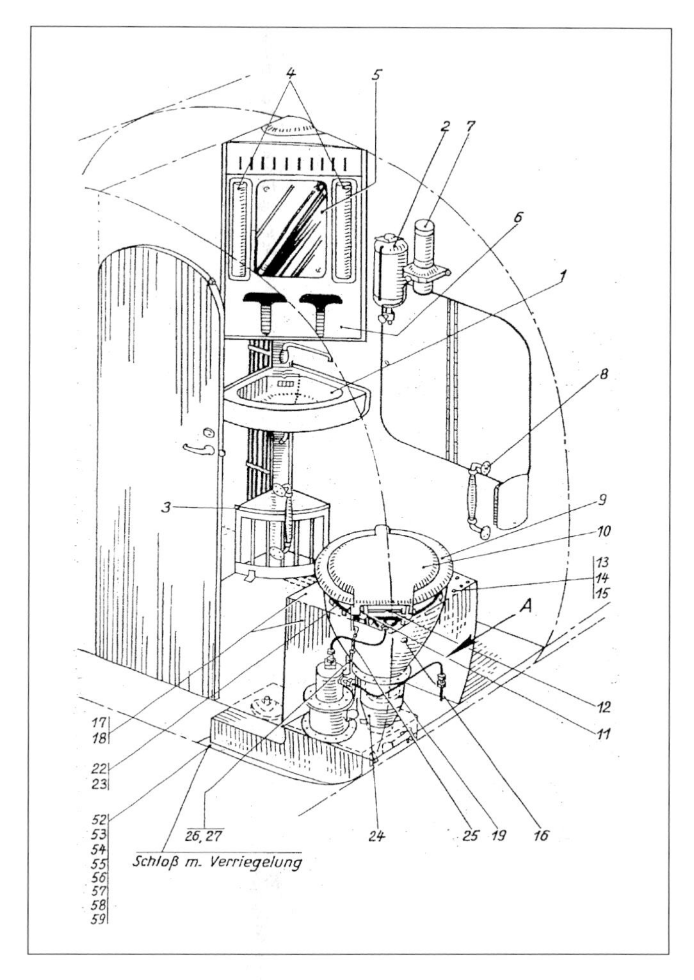

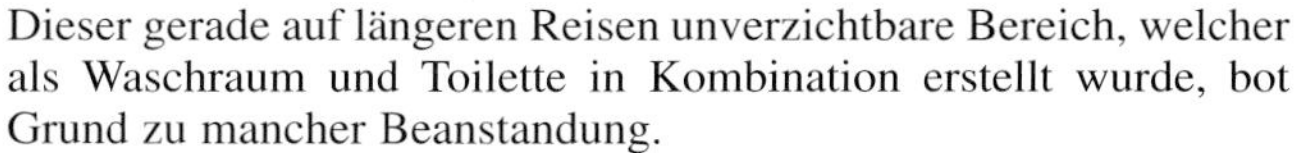
Dieser gerade auf längeren Reisen unverzichtbare Bereich, welcher als Waschraum und Toilette in Kombination erstellt wurde, bot Grund zu mancher Beanstandung.

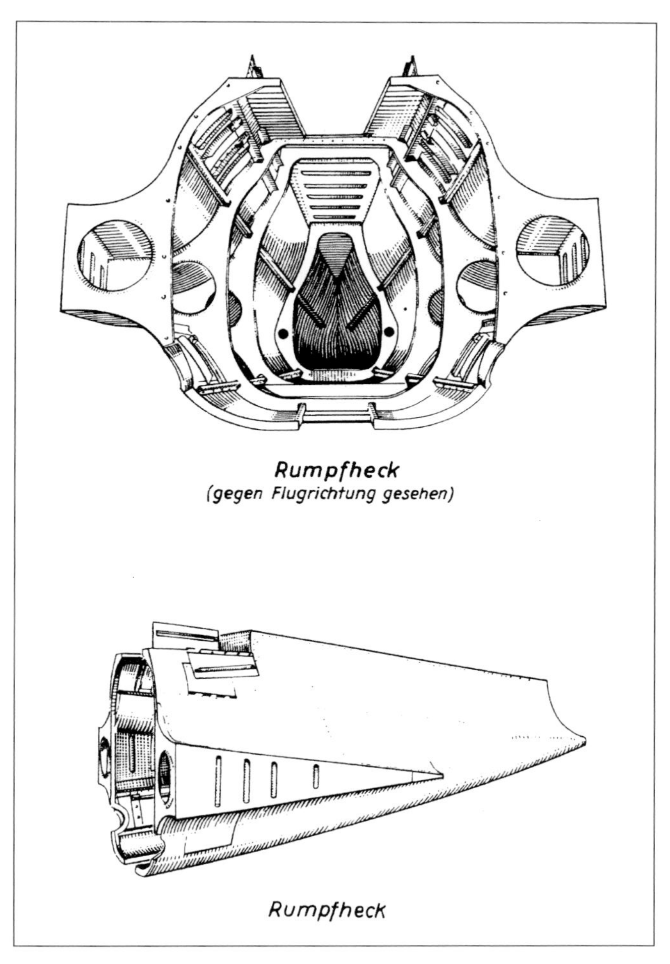

Den Abschluss des Rumpfes bildete der Heckkonus.

Der Leitwerksbereich

Das Höhenleitwerk

Entsprechend dem Rumpfwerk wurde auch der trapezförmige Leitwerksbereich in Ganzmetallbauweise erstellt. Den Aufbau des zweiholmigen Höhenleitwerks bildeten je Seite 15 Nasenrippen, kombiniert mit zahlreichen Rippengurten und Hautprofilen. Im Fall der Fw 200 V1 betrug die Spannweite 9,60 m. Ein Wert, der sich durch den Umbau auf das spätere beibehaltene Maß von 10,20 m erhöhte. Der Flächeninhalt betrug hierbei 20,60 m², inklusive Ruderflächen. Der Anstellwinkel des Höhenleitwerks konnte am Boden verstellt werden.

Die Höhenruder

Diese Steuerflächen bestanden aus jeweils 21 Vollwand- bzw. Fachwerkrippen sowie einem Holm als stützendes Element. Die Duralumin-Struktur wurde im Gegensatz zur Flosse mit Stoff bespannt. Die Montage an der Höhenflosse erfolgte in dreifach gelagerter Form, wobei ein Lager der Anlenkung diente. Die Ruder waren mit einer elektrisch ansteuerbaren Höhen-Trimmklappe sowie beidseitig mit Ausgleichs-Trimmklappen ausgestattet. Ruder mit außen liegendem Ausgleich.
Arbeitsbereiche wie folgt (Sollwerte nach Vermessungsplan):

- Höhenruder (30° oben, 25° unten)
- Trimmklappe (15° oben, 15° unten, nur Backbord)
- Ausgleichklappe (15° oben, 15° unten)

Detailansicht der frühen Form des Leitwerkbereichs am Beispiel der »Westfalen«.

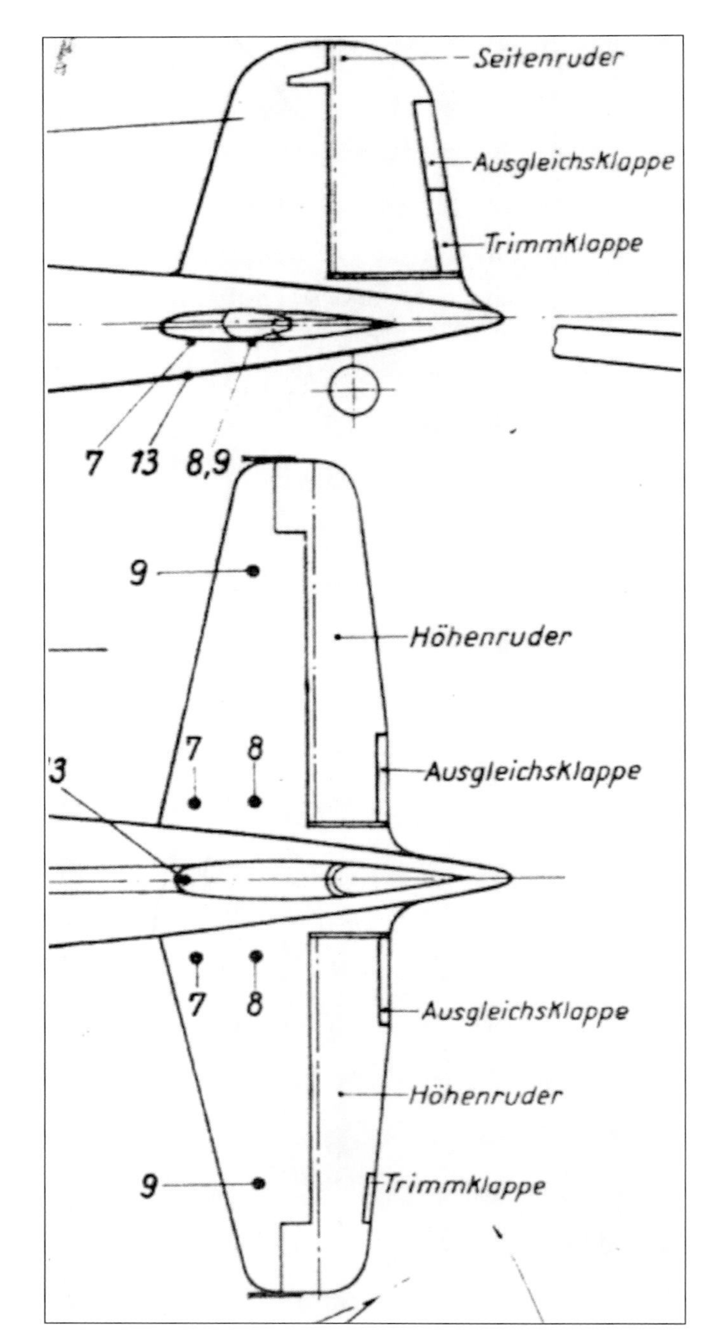

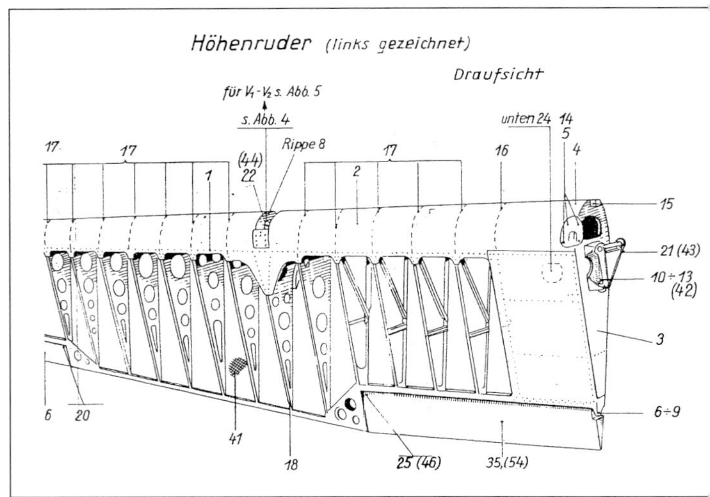

Struktur des Höhenruders (Arbeitsbereich: 30° oben/25° unten).

Das Seitenleitwerk

War man bei Junkers aufgrund der Auslegung der Ju 89 bei der Ju 90 auf ein Doppelleitwerk fixiert, so entschied man sich bei Focke-Wulf für ein zentrales Seitenleitwerk, welches ebenfalls in Ganzmetallbauweise erstellt wurde. Sieben Rippen und zwei Holme bildeten die Grundstruktur, die durch die Metallbeplankung zusätzliche Festigkeit erlangte. Die trapezförmige Seitenflosse war für 10 m² Flächeninhalt dimensioniert. Die Wurzeltiefe sowie die Höhe betrugen ca. vier Meter.

Das Seitenruder

Die Ruderstruktur bestand aus 14 Vollwand/Fachwerkrippen und einem Holm als Rückgrat. Der Ganzmetallaufbau erhielt entsprechend den anderen Ruderflächen die klassische Stoffbespannung. Das Seitenruder verfügte über eine Trimm- und Ausgleichklappe. Die Reduzierung der Steuerkräfte wurde durch vorgelagerten Gewichtsausgleich erreicht.

Die Arbeitsbereiche (Sollwerte nach Vermessungsplan):

- Seitenruder (30° links, 30° rechts)
- Trimmklappe (25° links, 25° rechts, Platzierung unten)
- Ausgleichklappe (3-12° li., 3-12° re., Platzierung oben)

◀ Handbuchzeichnung des Leitwerks.

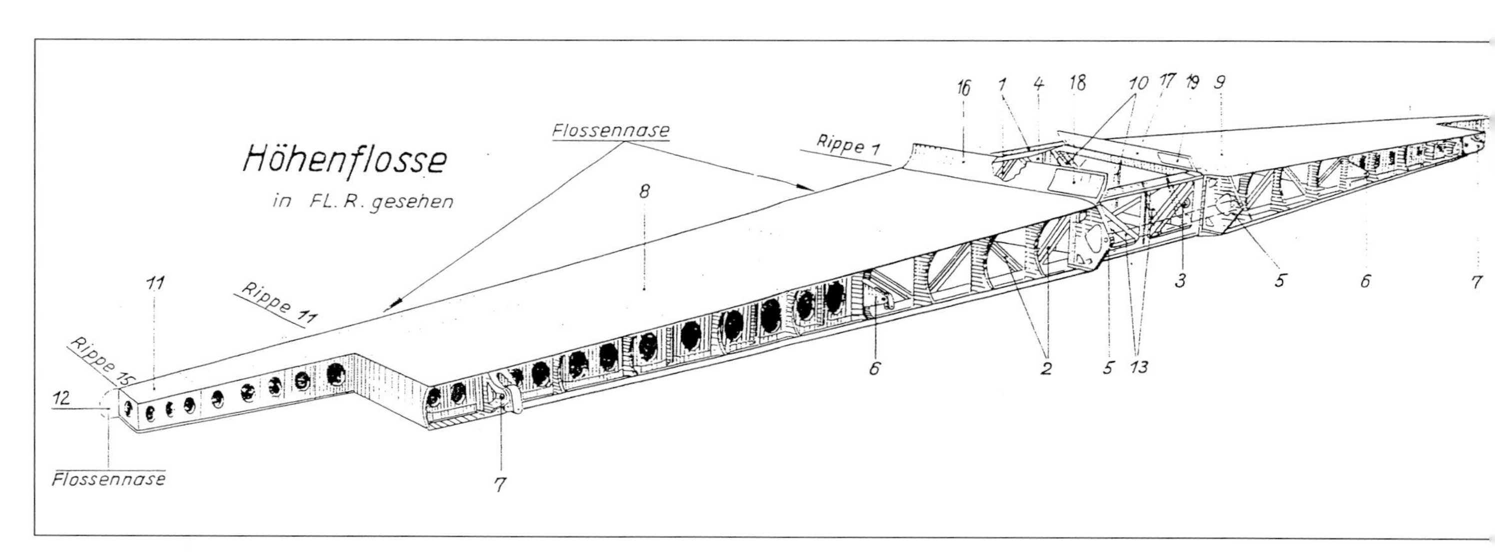

Aufbau der Höhenflosse, deren Anstellwinkel am Boden verstellt werden konnte.

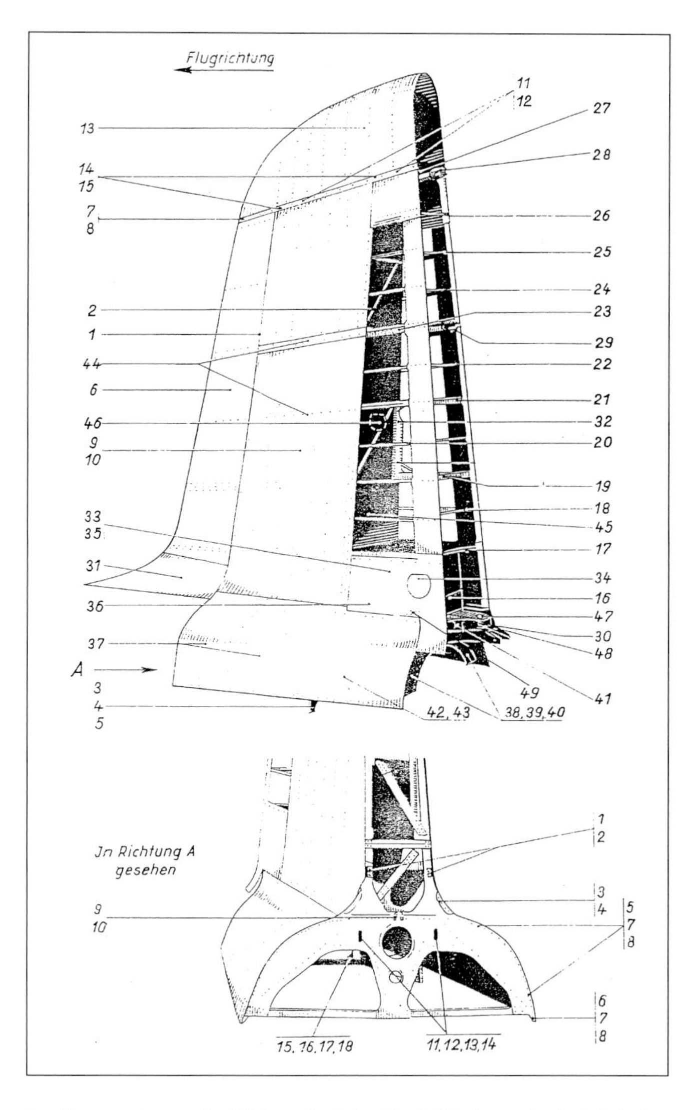

Im Gegensatz zur Ju 90 kam bei der Fw 200 ein zentral platziertes Seitenleitwerk zur Anwendung.

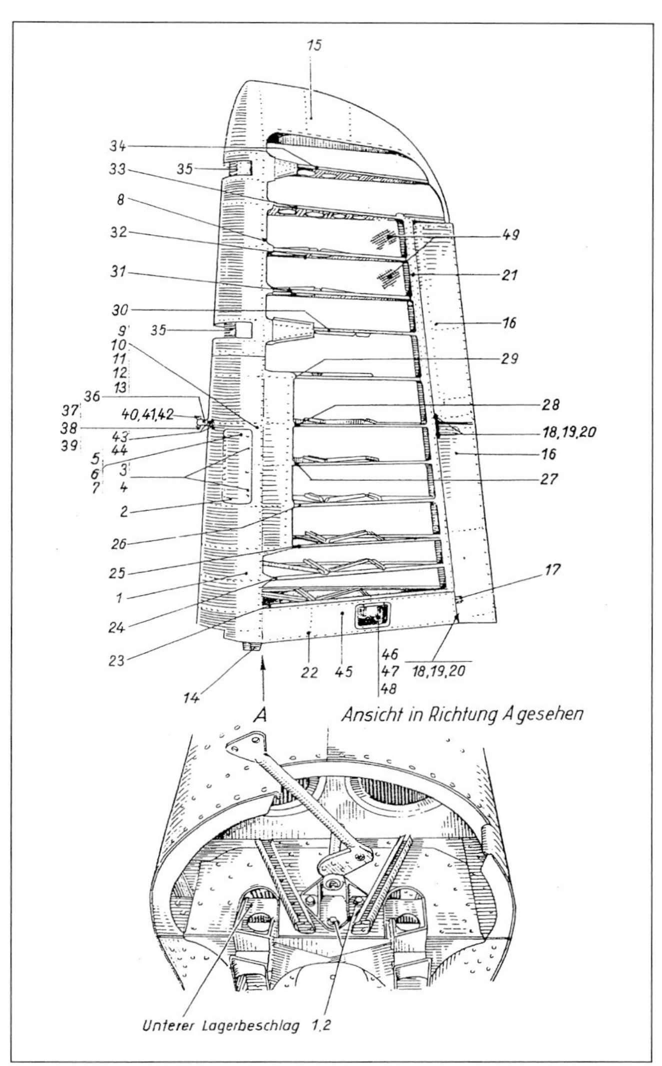

Das stoffbespannte Seitenruder war für einen betseitigen Arbeitsbereich von 30° ausgelegt.

Der Übergang zwischen Leitwerks- und Rumpfflächen wurde durch den Interferenzwiderstand mindernde Verkleidungsbleche aerodynamisch gestaltet. Den Abschluss bildete der abnehmbare Heckkonus.

Abschließend zum Thema Leitwerk ein Bericht der DLH:

»Eine Fw 200 der dänischen Luftverkehrsgesellschaft musste auf dem Fluge von Kopenhagen nach London in Hamburg zwischenlanden, da bei böigem Wetter mit eingeschalteter Kurssteuerung so starke Schwingungen des Seitenleitwerks und des Rumpfes eintraten, dass die Seitenflosse und der Übergang zwischen Flügel und Rumpf stark beschädigt wurden. Verschiedene Diagonalstäbe des Seitenflossenholms waren teils an-, teils durchgerissen. Die Untersuchung ergab folgendes:

Die Kurssteuerung war entgegen der Vorschrift bei dem böigen Wetter auf volle Empfindlichkeit eingestellt und hatte Trampelschwingungen auf das Seitenruder aufgebracht, die durch die frei schwingenden Seitenrudertrimmklappen verstärkt wurden. Die Trimmklappen konnten darum frei schwingen, weil sie für den Fall von Störungen am Trimmmotor nach dem Ausschalten in die Mittelstellung zurückgehen können. In diesem Fall war wahrscheinlich infolge der starken Erschütterungen die Sicherung des Elektromotors herausgefallen, was aber erst nach der Landung bemerkt wurde.

Auf Grund dieses Falles wird bei sämtlichen Flugzeugen des Musters Fw 200 der zwischen Motor und Getriebe eingebaute Kuppelmagnet zur Betätigung der Trimmklappen ausgebaut. Als vorübergehende Maßnahme wird eine starre Verbindung zwischen Motor, Getriebe und Trimmklappe hergestellt. Hierdurch kann zwar bei ausgeschaltetem Motor die Trimmklappe nicht ohne weiteres in die Mittelstellung zurückgehen. Es wird aber dadurch vermieden, dass die Trimmklappe in der Mittelstellung frei schwingen kann. In der endgültigen Ausführung der Rudertrimmklappen ist vorgesehen, dass diese in der Mittelstellung mechanisch einrasten. Die Übergangslösung wurde sofort bei allen Flugzeugen eingeführt.«

Das Tragwerk

Allgemeine Anmerkungen

Der Aufbau des trapezförmigen Tragwerks beinhaltete das Flächenmittelstück sowie zwei daran angeflanschte Außenflächen. Im Fall der V1 kam ein Tragwerk mit 32,97 m (120 m²) zum Einsatz. Bei deren Umbau wurden hingegen 32,84 m messende Flächen verwendet (118 m²). Die genauen

Das erste Tragwerk der Fw 200 V1 mit 32,97 m Spannweite.

Dieselbe Ausführung aus einem anderen Blickwinkel.

In beiden Ausführungen verfügte das Tragwerk über einen durchgehenden Hauptholm. ▼

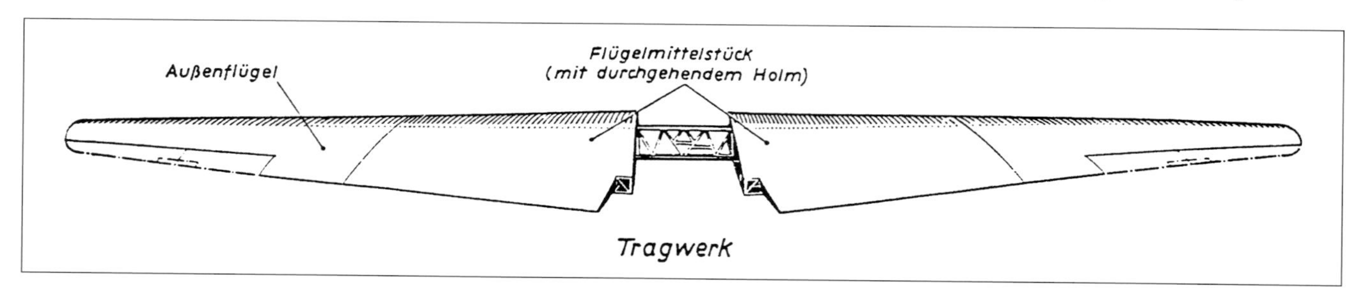

Am Beispiel der »Grenzmark« die Fläche mit 32,84 m Spannweite.

Die »Grenzmark« in einer Frontansicht. Hier wird die große Flügelstreckung besonders deutlich.

Unterschiede verdeutlicht die entsprechende Zeichnung. Die Auftrieb erzeugende Form bildete ein NACA-Profil, ähnlich NACA 23015, ein Profil mit 15 % Dicke. Die größte Flügeltiefe wurde an der Wurzel mit 4,92 m erreicht. Die Mittlere lag hingegen bei 3,70 m. Die gesamte Treibstoffkapazität der Zivilausführung wurde im inneren Flächenbereich mitgeführt. Hier standen je Seite vier Tanks mit einem Gesamtvolumen von 3.644 l (3.062 l tatsächliche Befüllung) zur Verfügung. Im Zuge der Entwicklung erreichte die zivile Fw 200-Ausführung (A-0) eine Flächenbelastung von 144 kg/m^2 (anfangs 119 kg/m^2). Erwähnenswert ist die große Flügelstreckung (9,14), welche bis dahin nur die DC-3 aufwies.

Ein DLH-Bericht weist zum Tragwerk folgendes aus:
»Da die ursprünglich geplante Umstellung der Elektronflügelbeplankung auf Dural nach Ansicht der Baufirma eine untragbare Gewichtserhöhung gebracht hätte, wurde die Stärke der Elektronbeplankung von 0,8 auf 1 mm heraufgesetzt, ohne dass damit das Auftreten von Rissen, besonders im Bereiche der Luftschraubenstrahlen, geringer geworden wäre. Die Lufthansa hat sich daher entschlossen, das Elektron an diesen Stellen allgemein durch 0,6 mm starkes Duralblech zu ersetzen. Diese Änderung ist bei einigen Flugzeugen bereits durchgeführt. Rissbildungen sind auch bei aus Elektron hergestellten Motorhauben aufgetreten. Grundsätzliche Besserung brachte erst die Umstellung der vorderen Haubenteile auf Aluminiumblech. Unter starker Korrosionseinwirkung hatten die abnehmbaren Rumpfheck-Klappen zu leiden. Ob hieran ausschließlich unzureichende Konservierung, wie an einzelnen Flugzeugen festgestellt, schuld ist, kann heute noch nicht endgültig gesagt werden.
Auch die aus Elektron hergestellten Kraftstoffbehälter sind verschiedentlich durchkorrodiert. Konstruktive Verbesserungen sowie der Einbau besonderer Korrosionsschutzpatronen (unter Mitwirkung der I. G. Farben) sind beabsichtigt. Unabhängig davon werden die beiden für das »Condor« Syndicat bestimmten Fw 200 mit Aluminiumbehältern ausgerüstet.
Focke-Wulf führt die zahlreichen Beanstandungen an den Elektronblechen in erster Linie auf mangelhaftes Material zurück und hat sich entschlossen, statt des bisher verwendeten Elektrons A.M. 503 nur noch A.M. 537 zu verwenden.«

Der Innenflügel

Diese Baugruppe diente zur Aufnahme der vier Triebwerke sowie des wesentlichen Teils der Betriebsstoffkapazität und des Hauptfahrwerks, dessen wichtigster Verankerungspunkt sich am Hauptholm befand. Das Tragflächensegment maß an der Wurzel 4,92 m. Die Montage am Rumpf erfolgte in Tiefdeckeranordnung. Beide Innenflügelsegmente wurden durch den Hauptholm miteinander verbunden, welcher bei Spant 5 durch den Rumpf geführt wurde. In diesem Bereich war daher eine Stufe unvermeidbar. Die Verankerung des inneren Flächenbereichs am Rumpfwerk erfolgte durch sogenannte Schraubenkränze. Es handelte sich hierbei um äußerst massive Beschläge, die zudem im hinteren Wurzelbereich mit einem Querkraftbeschlag kombiniert wurden. Diese konstruktive Lösung beinhaltete nicht weniger als 159 Schraubverbindungen. Der Übergangsbereich wurde durch eine Blechverkleidung in eine möglichst optimale Form gebracht, um den Interferenzwiderstand, also die an den Übergangsstellen auftretende Wirbelbildung, möglichst gering zu halten.
Der Aufbau des Innenflügels beinhaltete einen Hauptholm mit großer Höhe, welcher die durch die Biegemomente der Fläche auftretenden Kräfte günstiger aufnehmen konnte. Zur Verarbeitung der Torsionskräfte benötigte man eine anders geartete Lösung. Hierzu wurde der durch den durchgehenden Hauptholm mit dem nicht durch den Rumpf geführten Vorderholm zu einem Kastenträger vereint. Die Flügelhaut wurde zudem mittels des bereits erwähnten Schraubenkranzes mit der Rumpfschale verbunden. Diese Art der Problemlösung war bei einem Großflugzeug bisher noch nicht angewendet worden. Sie stammte von Kurt Tank und wurde von Wilhelm Bansemir in die Realität umgesetzt. Diese Lösung wirkte sich auf die Gestaltung des ungewöhnlichen Hauptfahrwerks aus. Davon an späterer Stelle.

Die Außenflügel

Der Aufbau der Außenflächen bestand aus Haupt- und Nasenholm, kombiniert mit Fachwerk- und Vollwandrippen. Im Gegensatz zum Innenflügel wurde hier nicht die gesam-

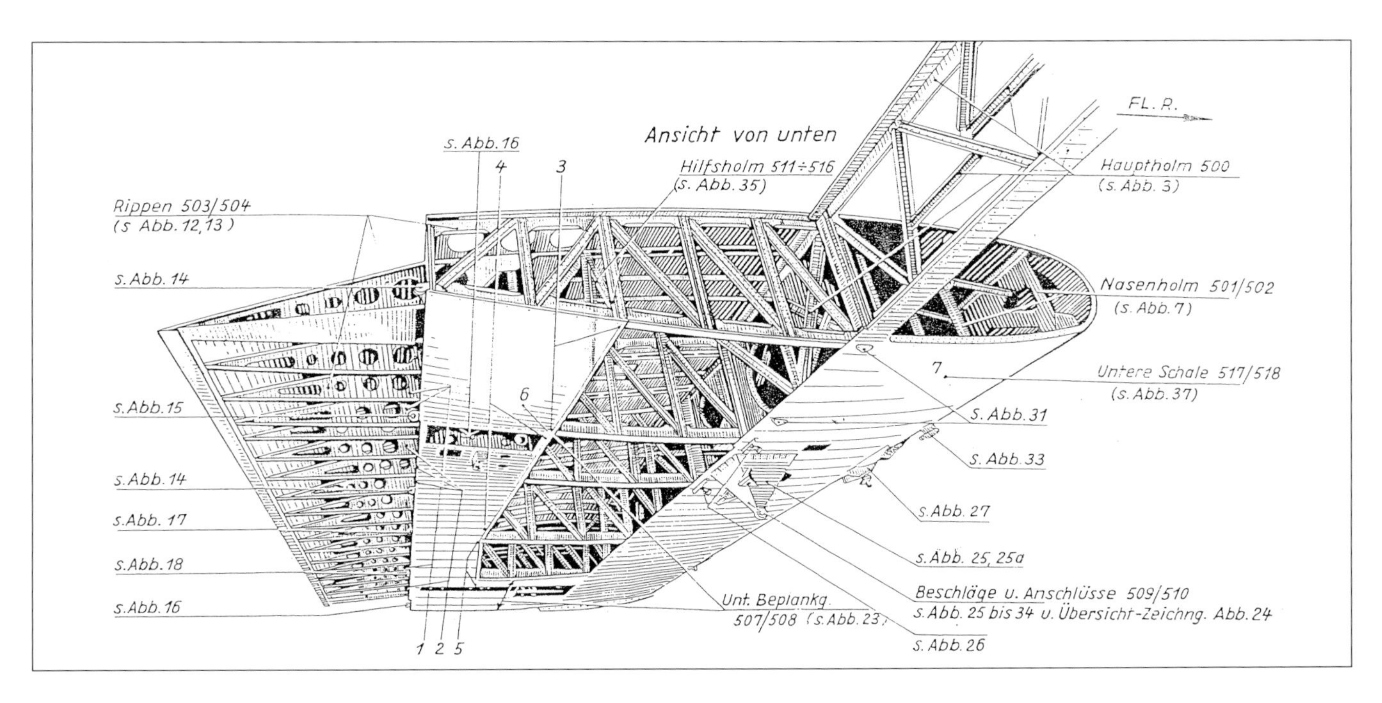

Die Struktur des Innenflügels.

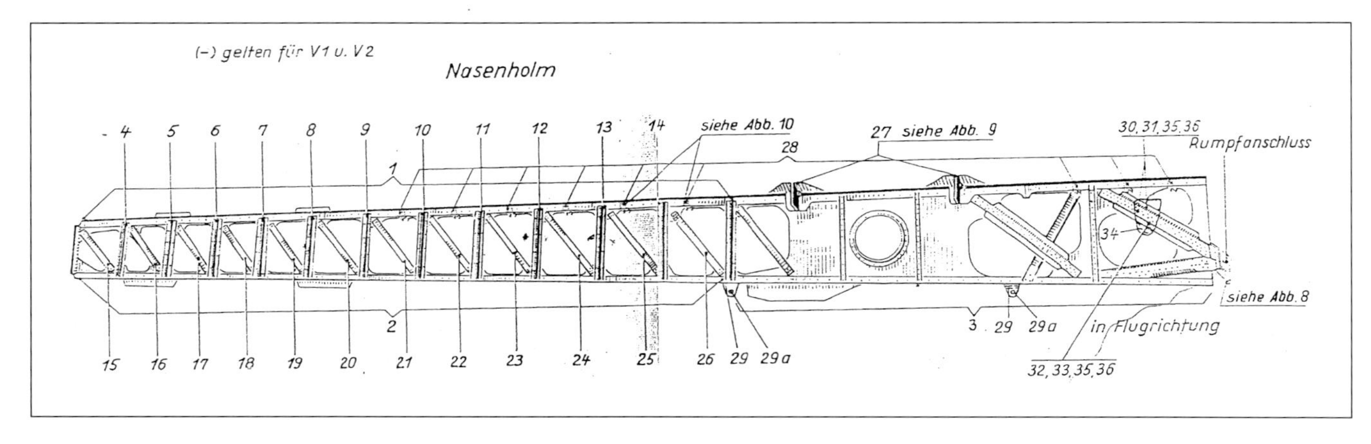

Der Nasenholm (Innenflügel). ▲

Der Hilfsholm (Backbord), entgegen der Flugrichtung betrachtet. ▼

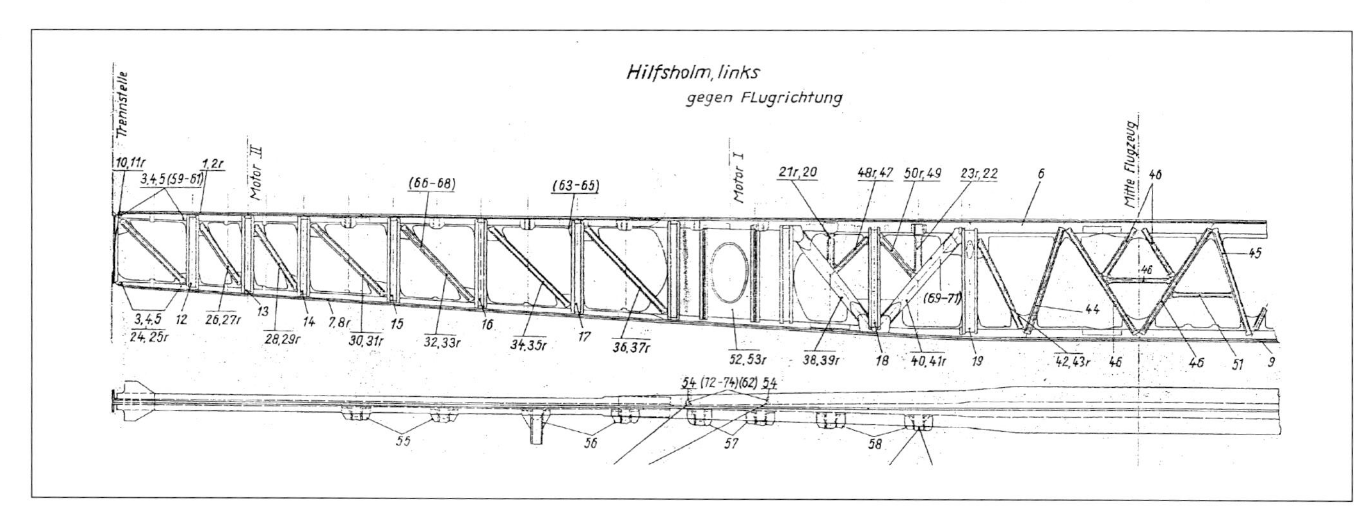

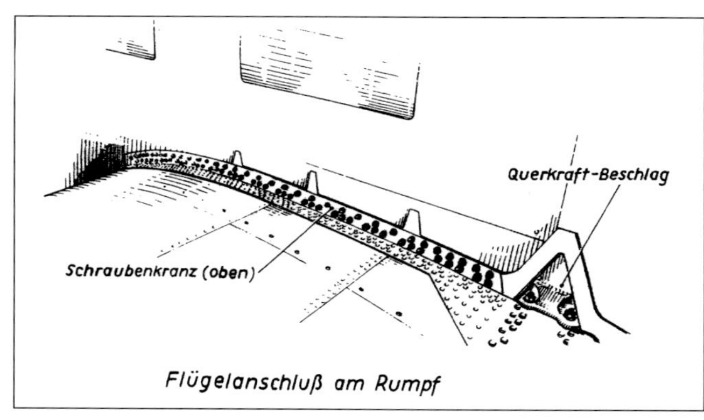

Der Schraubenkranz an der Flügeloberseite.

te Struktur mit einer Metallbeplankung versehen. Diese reichte nur bis zum Hauptholm, dahinter bildete Bespannstoff die Oberfläche. Die V-Stellung der Außenflächen betrug 5°, die Pfeilung der Vorderkante 7°.
Die Montage der Außenflächen am Innenflügel erfolgte an der Ober- und Unterseite durch je 14 Sechskantschrauben. Im Unterschied zum Leitwerksbereich, wo die Enteisung der Vorderkanten mit sogen. »Gummienteisern« durchgeführt wurde, verfügte das Tragwerk über ein Heißluftsystem. Die Außenflügel dienten als Montagepunkte der äußeren Spreizklappen (Sk 3) sowie der inneren und äußeren Querruder.

Die Steuerflächen

Die erwähnten Querruder teilten sich je Fläche in ein inneres- und äußeres Segment. Die Gesamtfläche der Ruder betrug 4,88 m². Sie waren in Gestalt und Abmessung unterschiedlich dimensioniert. Die inneren Querruder waren nun annähernd in rechteckiger Form und maßen 2,614 m in der Breite, bei einer Tiefe von 0,975 m.
Die Form der äußeren Ruder entsprach der Flügelform und war in Nähe der Randbögen entsprechend abgerundet. Die Breite der Ruder betrug 3,846 m, die Tiefe, aufgrund der sich nach außen hin verjüngenden Tragflächen, nur 0,835 m.
Der Aufbau beider Rudersegmente erfolgte in Metallbauweise mit Vollwandrippen (20 außen, 15 innen) inklusive Randkappen. Die Oberfläche bildete Bespannstoff. Im Fall des inneren Querruders löste man die Montage durch ein Antriebs- und Stützlager. Die äußere Komponente verfügte über zwei Stütz- und ein Antriebslager. Beide Ruder verfügten über Ausgleichklappen. Eine Trimmverstellung stand jedoch am inneren steuerbordseitigen Querruder zur Verfügung.

Die Arbeitsbereiche:
- Inneres Querruder (17,5° unten, 17,5° oben)
- Äußeres Querruder (17,5° unten, 17,5° oben)
- Ausgleichklappen (17,5° unten, 17,5° oben)
- Trimmklappe (15,0° unten, 15,0° oben) – Inneres Querruder, links

Die Landeklappen

Als Auftriebs- und Landehilfe standen insgesamt sechs Spreizklappen zur Verfügung. Jede Seite der Innenflügel nahm zwei, jede Außenfläche eine Klappe auf. Die hier erzeugten Luftkräfte waren erheblich und erforderten eine widerstandsfähige Struktur, erstellt in Ganzmetallbauweise mit Elektronblech-Beplankung. Die Einbauorte erstreckten

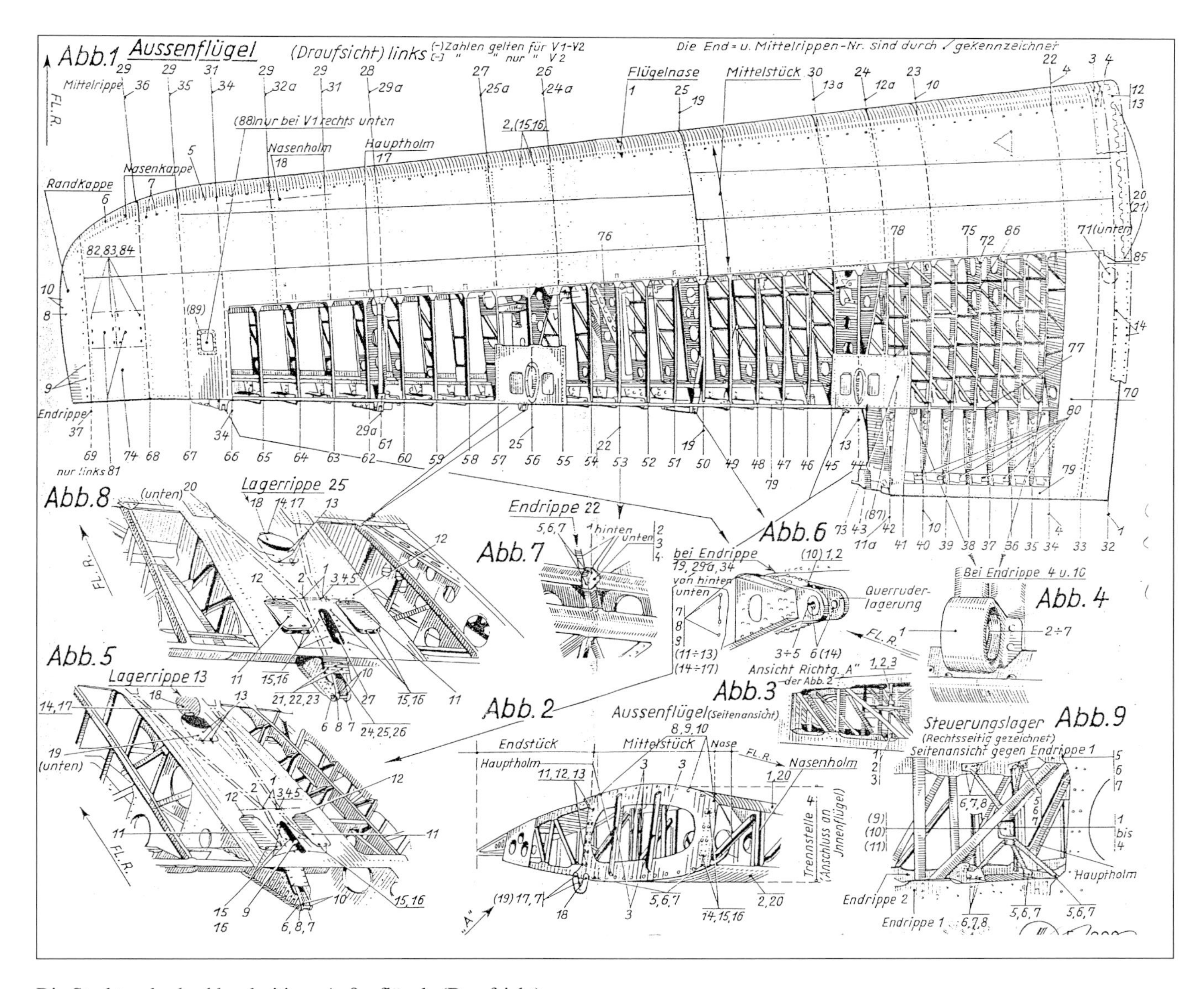

Die Struktur des backbordseitigen Außenflügels (Draufsicht).

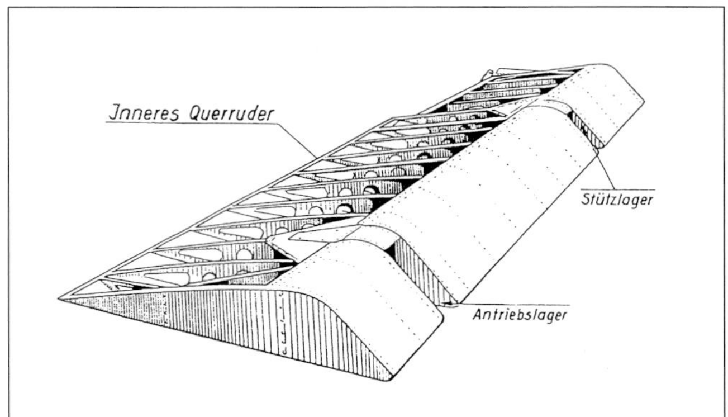

Das zweifach gelagerte, innere Querruder.

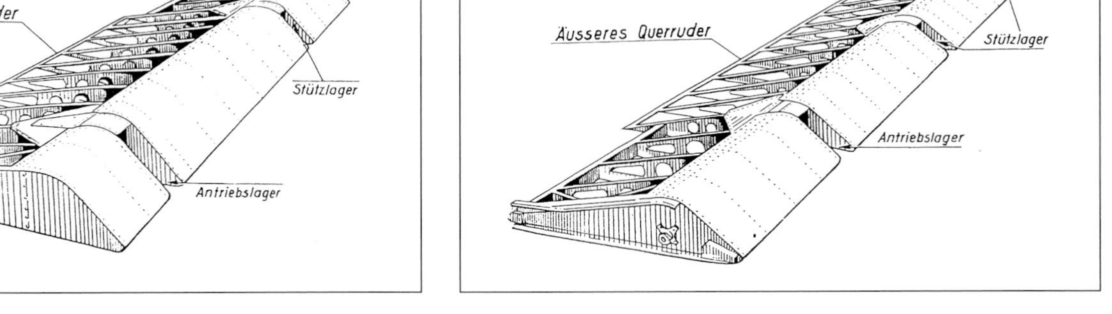

Die äußeren Querruder verfügten über drei Lagerstellen.

sich über die gesamte Breite des Mittelstücks, ausgenommen die Rumpfsektion. Zudem zirka 25 % der Außenflügel-Spannweite. Aufbau und Lagerung der hydraulisch angelenkten Klappen wie folgt:

Spreizklappe 1 (jeweils in Wurzelnähe des Innenflügels)
- Aufbau: 12 Vollwandrippen, Vorder- und Hilfsholm
- Lagerung: 1 Antriebslager, 2 Stützlager

Spreizklappe 2 (jeweils äußerer Bereich des Innenflügels)
- Aufbau: 15 Vollwandrippen, Vorder- und Hilfsholm
- Lagerung: 1 Antriebslager, 2 Stützlager

Spreizklappe 3 (jeweils in Wurzelnähe des Außenflügels)
- Aufbau: 12 Vollwandrippen, Vorder- und Hilfsholm
- Lagerung: 1 Antriebslager, 2 Stützlager

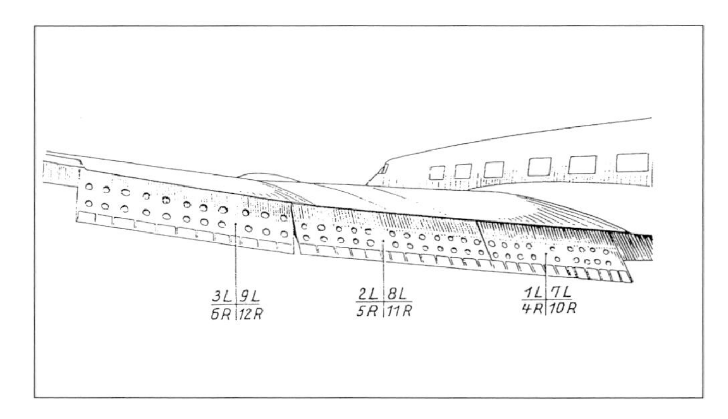

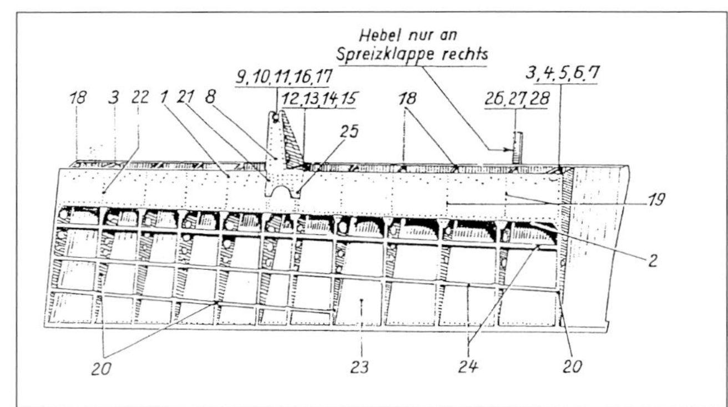

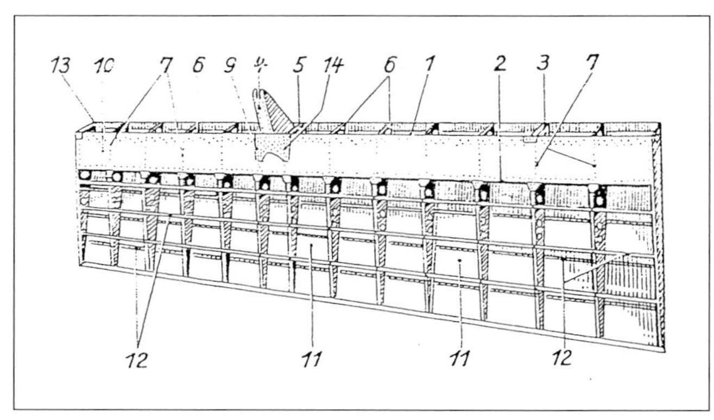

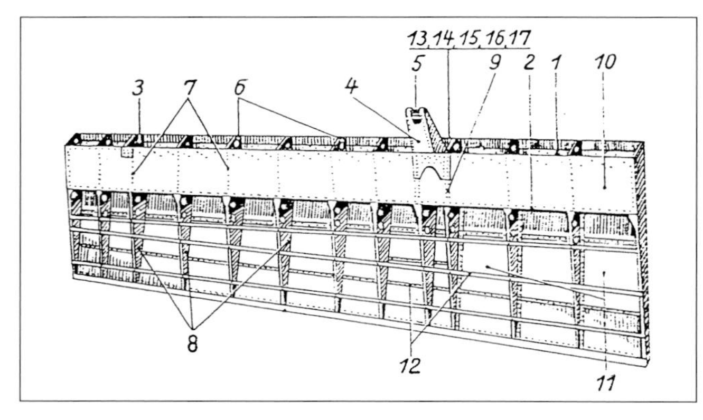

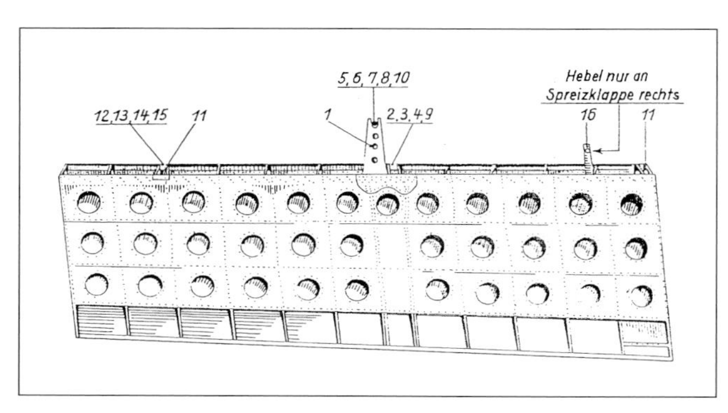

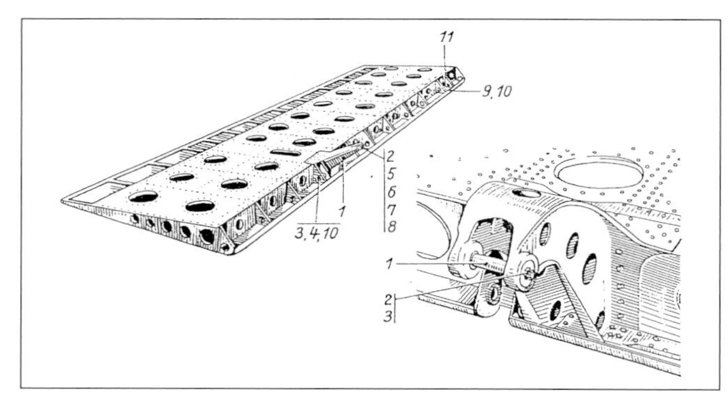

Jede Seite des Tragwerks nahm drei Klappensegmente auf. Die Gesamtfläche betrug 6,80 m².

Informationen bezüglich der Abmessungen der einzelnen Klappen sind derzeit bedauerlicherweise nicht verfügbar. Die Gesamtfläche der sechs Spreizklappen betrug 6,80 m². Die Startstellung wird mit 12°, die der Landestellung mit 60° angegeben (Daten lt. Vermessungsplan A-0 als Soll-Vorgabe). Hier differieren die Werte bei der Fw 200 C.

Der DLH-Bericht erwähnt zu den Flaps folgendes:

»Im Winter 1938/39 sind bei den Fw 200-Flugzeugen verschiedentlich die Spreizklappen durch Eis- bzw. Wasserschlag (vor allen auf dem Platz in Wien) stark verformt bzw. beschädigt worden. Durch die starken Beanspruchungen knickten in einigen Fällen auch die Landeklappenumkehrhebel aus. Der Hersteller ist z. Zt. dabei, durch besondere Vorrichtungen das Auftreffen von Wasser auf die ausgefahrenen Klappen zu verhindern.«

Das Steuerwerk

Auszug des DLH-Berichts zu diesem Thema:

»Während einer Reihe von längeren Streckenflügen, die in Höhen zwischen 5000 und 6000 m bei Außentemperaturen bis zu -30° durchgeführt wurden, stellte man fest, dass die Steuerdrähte der einzelnen Ruder lose wurden und stark durchhingen. Das wirkte sich besonders ungünstig beim Seitenruder aus: bei vollem Ausschlag der Pedale konnte nur noch der halbe Normal-Ruderausschlag erreicht werden. Die Ursache für diese Erscheinung, die in derartiger Stärke wohl zum ersten Mal in unserem Betrieb beobachtet wurde, liegt in der ungleichartigen Längenänderung, der die Duralrumpfschale und die Stahldrahtsteuerzüge bei Tem-peraturänderungen unterworfen sind.

Als Abhilfemaßnahme wurde zunächst die Vorspannung der Steuerdrähte von 50 auf 75 kg erhöht ...«

Das Hauptfahrwerk

Die einfachbereifte Ausführung der Fw 200 A

Der Betrachter wird sich fragen, warum wählte man hier eine derart grazile und zerbrechlich wirkende Bauweise. Gemäß den Ausführungen von Wilhelm Bansemir war hierfür der Aufbau des Tragwerks verantwortlich. Die Anlenkung der Schwenkachse sowie der Einziehzylinder konnte konstruk-

Das filigrane und zerbrechlich wirkende Hauptfahrwerk der D-AETA.

Diese Ausführung des Hauptfahrwerks konnte künftig den gestiegenen gewichtsbedingten Anforderungen nicht mehr genügen. ▼

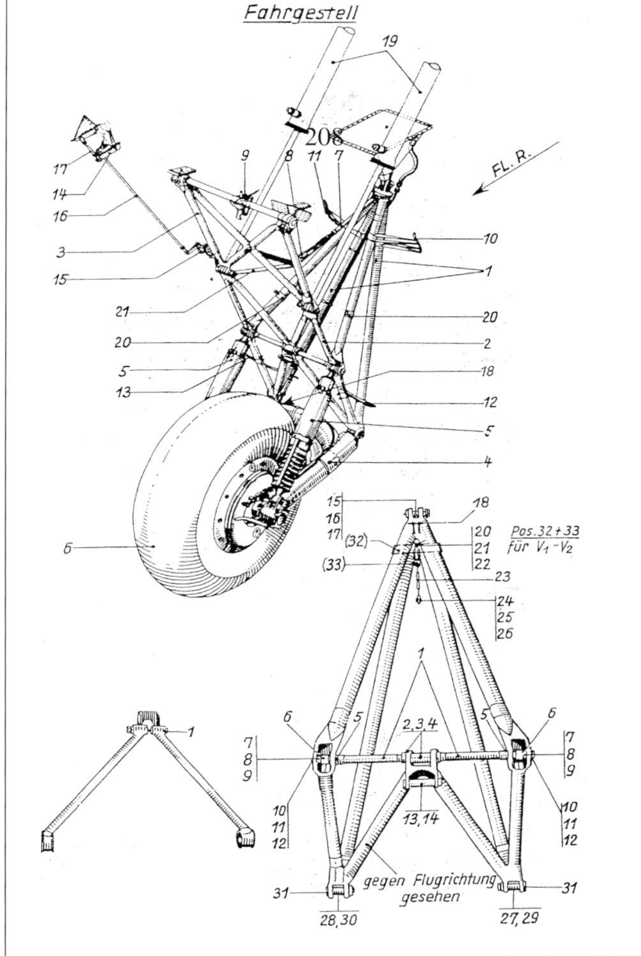

Das Gitterfahrwerk, dargestellt im ausgefahrenen Zustand.

◀ Im Vergleich zur ersten Ausführung hier die belastungsfähigere doppelt bereifte Version.

tiv sinnvoll nur im Bereich des Holmes erfolgen. Hierbei war der Anlenkbock im Hauptholmbereich montiert, die beiden Anlenkbeschläge am Nasenholm. Die Folge war ein ungewöhnlich komplizierter Fahrwerksaufbau mit weit vorgelagertem Laufrad und keinesfalls optimal angeordneten Federstreben. Auch vom Aspekt des Wartungsaufwandes aus gesehen war diese Lösung sicher nicht gerade ökonomisch.

Funktionsweise:

Das Gitterfahrwerk der Versionen Fw 200 wurde durch zwei vor der Schwenkachse montierte Einziehzylinder angelenkt. Die Zylinder waren am vorderen, mit Federstreben ausgestatteten Knickverband (Knickstrebenrahmen) angeschla-

gen. Die zwei Luft/Öl-Federbeine stützten sich somit im ausgefahrenen Zustand direkt am Gelenk des Knickstrebenverbandes ab. Mit zunehmendem Arbeitsweg in rückwärtige Richtung schwenkte der Fahrwerksverband in die Horizontale und wurde in den Schacht eingefahren. Die Fahrwerksklappen waren hierbei zwangsgesteuert. Das Fahrwerk wurde zur Gänze in den Schacht eingezogen und jeweils durch vier Klappen strömungsgünstig verkleidet.
Im Fall der Fw 200 A kamen Einrad-Fahrwerkshälften zum Einbau. Die rollende Komponente bildeten hier Räder der Abmessung 1260 x 425, ausgelegt für eine ruhende Last von je 7.300 kg. Das stetig steigendes Gewicht erforderte eine drastische Verstärkung des Fahrwerkbereichs, welcher ab der Fw 200 B nun je Fahrwerkseinheit über Doppelbremsräder der Abmessung 1100 x 375 verfügte.

Die Fahrwerksklappen
Die entsprechende Handbuchzeichnung verdeutlicht das Zusammenspiel der Gummizüge, Umlenkrollen und -Hebel während dem Ausfahren und in Landestellung, wobei die vorderen beiden Klappen wieder geschlossen werden.

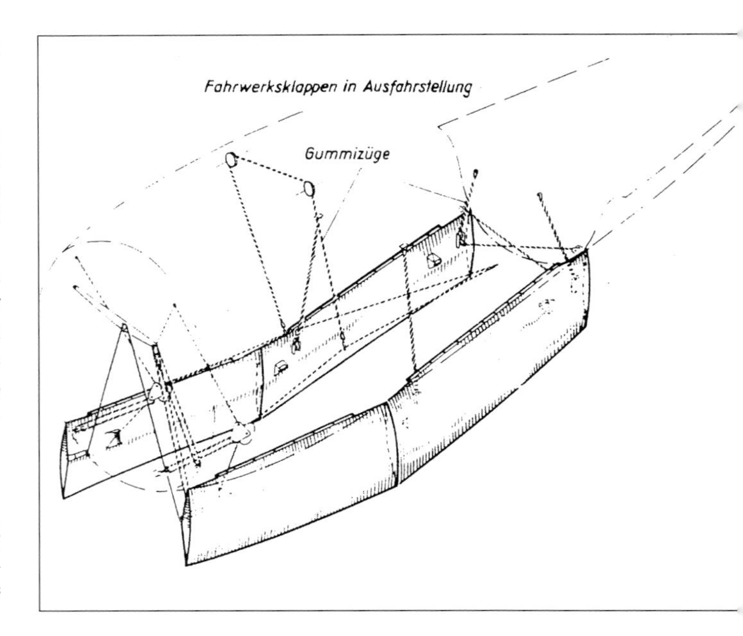

Die Fahrwerksklappen in Ausfahrstellung. In Landestellung waren die beiden vorderen Klappen wieder geschlossen.

Das Spornrad

Wie bei der Ju 90 fiel auch bei der Fw 200 die Entscheidung zugunsten eines Spornrades. Douglas hatte das Bugfahrwerk bereits bei der DC-4 E sowie bei den späteren viermotorigen »Commercials« erfolgreich praktiziert. Auch die bereits 1943 als Militärtransporter geflogene Lockheed »Constellation« verfügte über dieses fortschrittliche Merkmal. Boeing entschied sich bei seiner »307« hingegen für die herkömmliche Lösung. Im Fall der Fw 200 A kam ein lenkbares Spornrad der Größe 500 x 180 zum Einbau. Weitere konstruktive Merkmale waren die auf der Rückseite montierten Abdeckbleche, welche den Schacht nach Beendigung des Einziehvorgangs verschlossen. Lediglich ein kleiner Teil des Reifens ragte noch über die Oberfläche. Details können der Handbuchzeichnung entnommen werden.

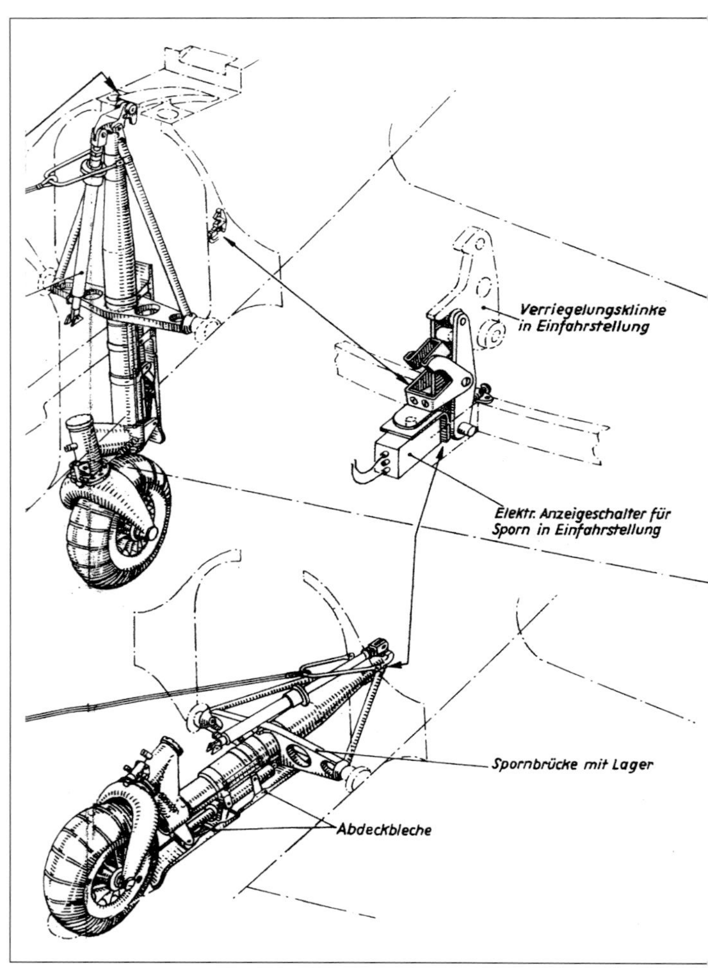

Handbuchzeichnungen des Spornrades, jeweils in Arbeits- und Ruhestellung.

Die Triebwerke

Hervorgehoben soll nun das BMW 132-Triebwerk werden, welches in überwiegender Anzahl bei der zivilen Fw 200 zum Einbau kam. Da strömungsgünstigere DB-Reihenmotoren dem zivilen Bereich nur in ungenügender Zahl zur Verfügung standen, war man gezwungen, eine Ausweichlösung

◀ Zwei BMW 132 singen ihr brummiges Lied. Wer würde es nicht gerne hören?

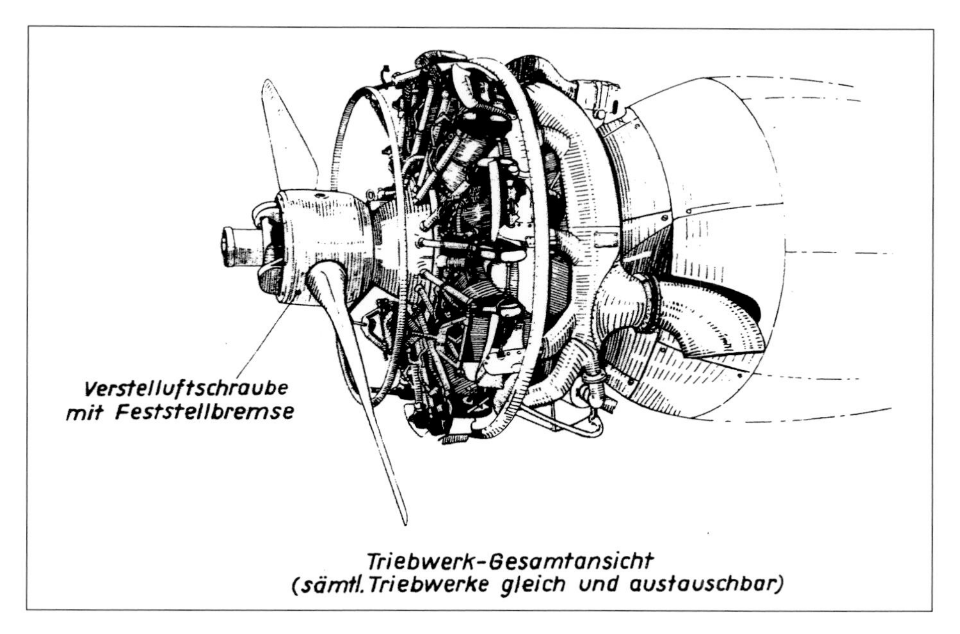

Die Motorenanlage in einer Darstellung des Handbuches.

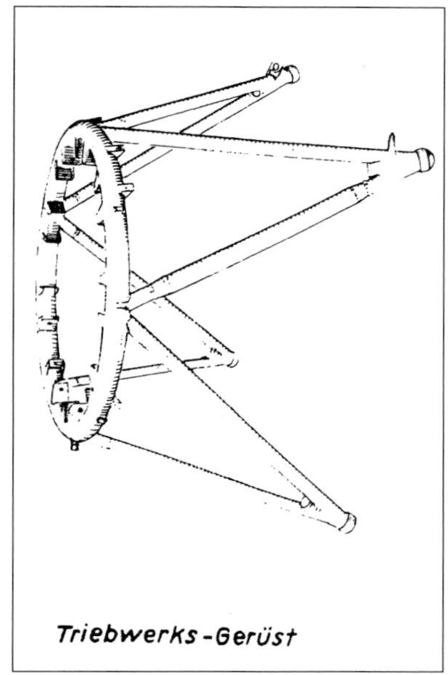

Das Stahlrohr-Triebwerksgerüst.

zu finden. Die Wahl fiel auf BMW. Genannter Konzern fertigte bis zum Jahr 1928 ausschließlich Reihenmotoren. Dies änderte sich mit dem Abschluss des Lizenzvertrages mit dem amerikanischen Flugmotorenhersteller Pratt & Whitney grundlegend. Das Abkommen beinhaltete zunächst den »Hornet A« (1928) sowie 1933 die Nachbaurechte des »Hornet B«-Sternmotors. Dieser Neunzylindermotor ging unter der Bezeichnung BMW-»Hornet« in Produktion. Der »Hornet« wurde an deutsche Normen und metrische Maße angepasst. Dieser Entwicklungsschritt ließ den BMW 132 entstehen. Das vormals verwendete Anlass-Einspritzsystem für drei bzw. fünf Zylinder ersetzte man durch ein 9-Zylinder-System. Außerdem erhielt dieses Muster eine von BMW entwickelte Lösung zur Abgasvorwärmung. Die Baumuster BMW 132 A und -E verfügten über ein Leistungsspektrum bis 660 PS. Im Zuge der Entwicklung entstanden weitere auf der A-Variante basierende Versionen. Es handelte sich um die Muster BMW 132 T und Z. Alle bis hierher erwähnten Varianten, inklusive D, waren mit Vergasern ausgestattet. Weitere Vergasermotoren stellten die Baureihen BMW 132 G und L dar. Ihre Leistungsfähigkeit lag bei 720 PS.

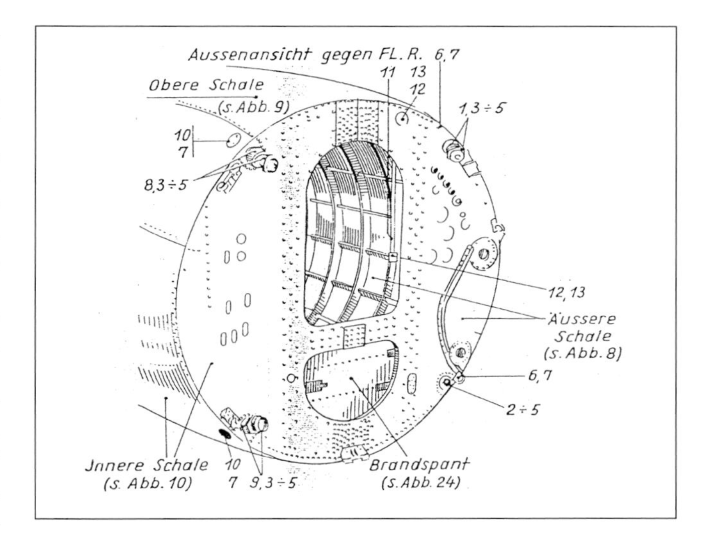

Details der inneren Motorgondeln.

BMW 132-Versionen im Rahmen des Fw 200-Programms

Dokumentationsbasis: BMW-132-Handbücher (BMW 132 G, -L, -Dc, -H/1), Archiv EADS
Im Fall der Fw 200 kamen folgende Varianten des BMW 132 zum Einbau:

BMW 132 G
Diese Baureihe stellte eine Bodenversion ohne Getriebe dar. In Bodennähe erzeugte diese Ausführung 720 PS (2.050 U/min). In einer Flughöhe von 1.400 m steigerte sich dieser Wert bei gleicher Drehzahl auf 760 PS. Zu den Merkmalen zählte ein Vergaser des Typs Pallas-Stromberg NAY9A. Diese Ausführung wurde mit 80-Oktan-Treibstoff betrieben (Verdichtung 6,0).

BMW 132 L
Das Leistungsspektrum der L-Variante entsprach weitgehend dem BMW 132 G. Auch die Abmessungen und Gewichtsdaten waren nahezu identisch. Die wesentlichsten Unterschiede zeigten sich in der Verwendung von 87-Oktan-Treibstoff und in der Erhöhung der Verdichtung auf nun 6,5. Auch hier handelte es sich um einen getriebelosen Bodenmotor.

BMW 132 Dc
Die BMW-Werks-Beschreibung dieses Höhenmotors erläutert die wesentlichen Punkte in Kurzform:

- Kurbelgehäuse: 2-teilig, aus Aluminiumlegierung gepresst, anschließend Ladergehäuse und Hilfsgeräteträger aus Aluminium.
- Kurbelwelle: einfach gekröpft, zweiteilig aus legiertem vergüteten Sonderstahl mit zwei Gegengewichten, sorgfältig in drei Rollenlagern gelagert.
- Getriebe: Kegelradumlaufgetriebe, Luftschraubenanschluss SAE 50-Zapfen, für drehzahlgeregelte, ölhydraulische Verstell-Luftschraube vorgesehen.
- Pleuel: ungeteiltes Hauptpleuel mit H-Schaftquerschnitt auf Kurbelzapfen in Bleibronzebüchsen gelagert, trägt

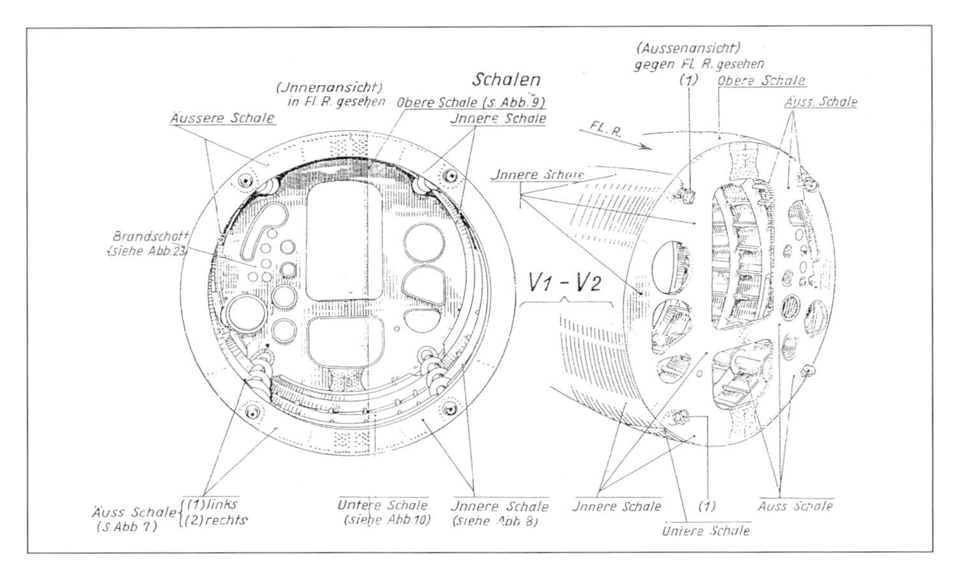

Detaillierte Handbuchzeichnungen der Außengondeln (links).

Vorderansicht des BMW 132 G.

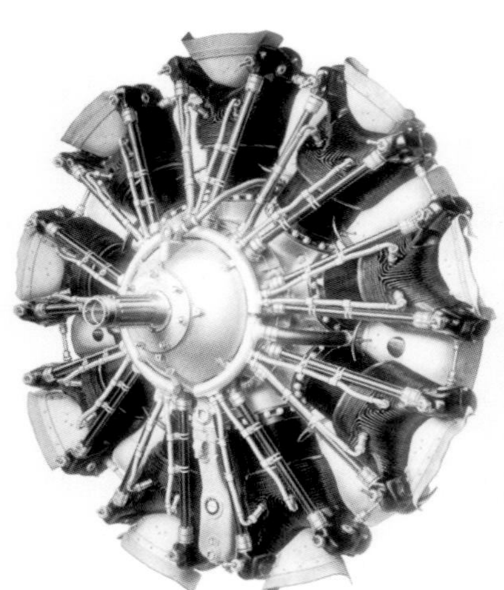

Frontseite des BMW 132 L, welches sich von der Ausführung »G« leistungsmäßig nur unwesentlich unterschied.

Vorderansicht eines BMW 132 Dc. Getriebemotor (Untersetzung 0,62) mit erhöhter Leistung.

Die Komponenten des Luftschrauben-Untersetzungsgetriebes. Es handelte sich hier um ein Kegelrad-Umlaufgetriebe).

Baugruppen des BMW 132 Dc (v.r.n.l.): Kurbelgehäuse, Gemischladergehäuse, Hilfsgeräteteil.

Seitenansicht des BMW 132 Dc mit detaillierter Bemassung.

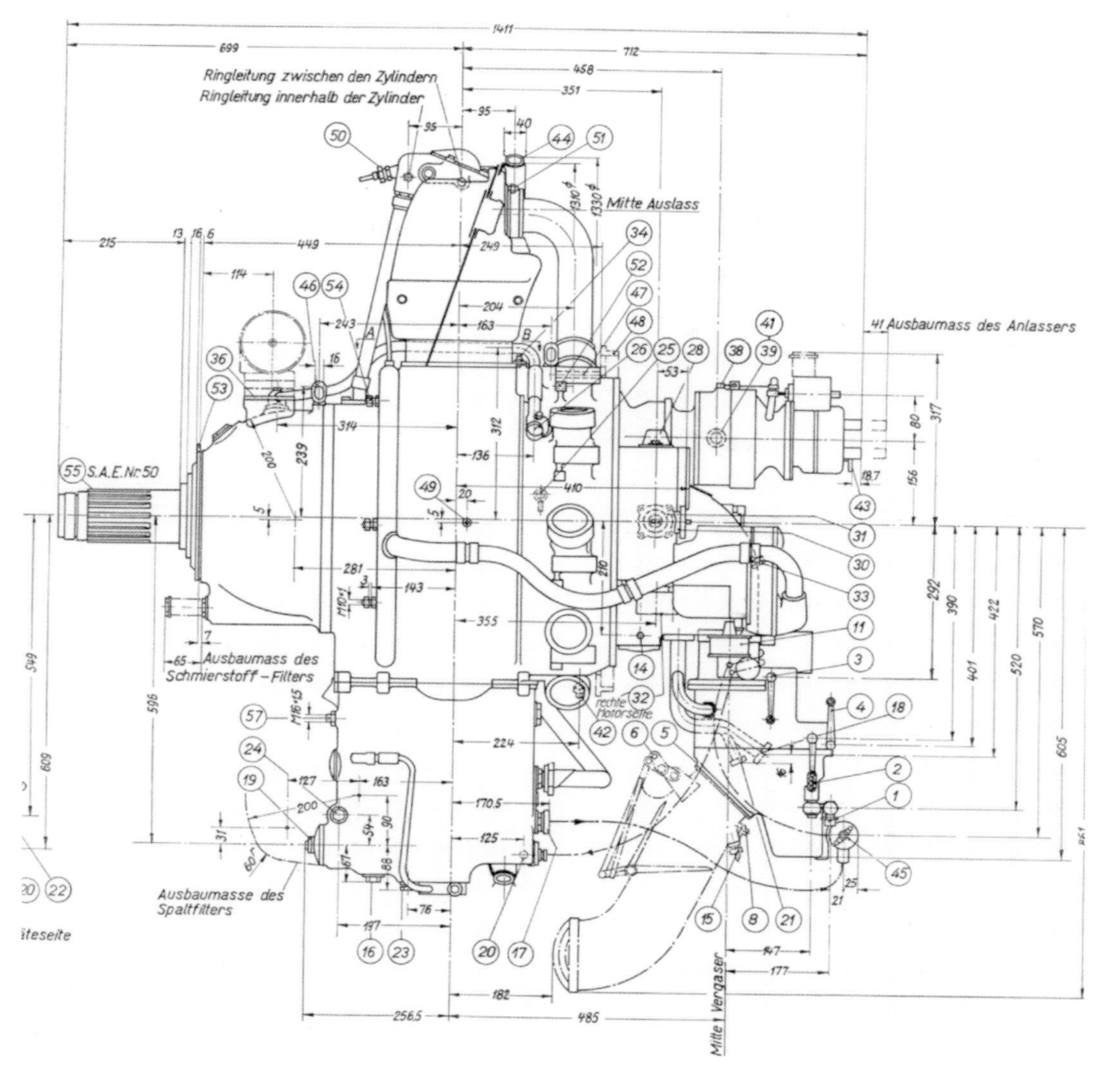

auf acht beiderseits gelagerten Nebenpleuelbolzen die Nebenpleuel.

- Kolben: aus Aluminiumlegierung gepresst, 3 Kompressionsringe, 2 Ölabstreifringe.
- Zylinder: bestehen aus einer Stahllaufbüchse mit reichlichen Kühlrippen mit warm aufgeschraubten Zylinderköpfen. Zylinderköpfe haben reichliche und sorgfältig durchgebildete Kühlrippenanordnung. Einlass- und Auslassventile in unvollständig gekapselten Schwinghebelgehäusen. Auslassventile haben Natriumfüllung im Ventilschaft und Ventilteller (zur Kühlung derselben, Anm. des Verfassers) sowie Hartmetallauflage auf Ventilteller und Schaftende.
- Steuerung: Die Ventilsteuerung wird durch zweibahnige Nockentrommel mit je 4 Aus- und Einlassnocken, Ventilstößel, Stoßstangen und Schwinghebel betätigt. Alle Steuerungsteile sind druckölgeschmiert und staubdicht gekapselt.
- Vergaser: 1 Mona-Hobson-Vergaser mit Beschleunigerpumpe und Schnellabstellvorrichtung, der durch Anbau eines selbsttätigen Höhengemischreglers und eines Askania-Ladedruckreglers selbsttätige Gemischregelung ermöglicht.

Für die Förderung des Kraftstoffes vom Behälter zum Vergaser mit einem Druck von etwa 0,25 atü ist am Motor ein Anschluss für eine Junkers-Zweikolbenpumpe oder Graetz-Zahnradpumpe vorhanden.

- Höhenlader: Kreiselgebläse, das den Dauerleistungsladedruck bis 3800 m Höhe aufrecht erhält.
- Zündung: Zwei Vierabriss-Bosch-Magnetzünder liefern unabhängig voneinander für je zwei Zündkerzen (je Zylinder je zwei Bosch-Zündkerzen mit 14-mm-Gewinde) den Strom. Zündung ist mit Störschutz versehen.
- Schmierung: Der Umlauf des Schmieröles wird nach dem Trockensumpfverfahren durch vier getrennt arbeitende, zu einem Block zusammengebaute Pumpen besorgt. Das Motor- und Regler-Schmieröl wird durch je einen Spaltfilter gereinigt.
- Anlasser: Bosch-Eclipse-Schwungkraftanlasser, am Motor angebaut.
- Hilfsantriebe: Hilfsantriebe sind vorgesehen für 1 Stromerzeuger und 1 Luftpresser mit je 2,31-facher Motordrehzahl für eine übertragbare Leistung für 6 PS mit SAE-Anschlussflansch, 1 Waffenantrieb mit Luftschraubendrehzahl und 1 Drehzähleranschluss für Ferngeber oder Gelenkwelle mit 0,5-facher Motordrehzahl. Ein Antrieb am Getriebegehäuse für einen Drehzahlregler zu einer ölhydraulischen Verstell-Luftschraube mit 0,89-fachen Motordrehzahl.
- Motorverkleidung: Die Zylinder sind mit Luftleitblechen versehen, die an ihren Umfang zu einer Ringnute zusammen-geführt sind, in der ein Schlauch zur Auflagerung und Abdichtung der Motorhaube angeordnet ist.

Vom Muster BMW 132 D gibt es folgende Varianten:

- BMW 132 Da, ein Höhenmotor mit Kegelradumlaufgetriebe (800 PS)
- BMW 132 Db, ebenfalls eine Höhenausführung mit Stirnradumlaufgetriebe (800 PS) wurde nicht verwirklicht (Anm. d. Verfassers).

Die folgende Tabelle gibt detaillierte Auskunft über Konfiguration, Leistungs-, Abmessungs- und Gewichtsdaten.

Technische Daten	BMW 132 L	BMW 132 G	BMW 132 DC
Allgemeine Daten			
Zylinderanzahl	9	9	9
Zylinderanordnung	Sternförmig	Sternförmig	Sternförmig
Bohrung	155,5 mm	155,5 mm	155,5 mm
Hub	162,0 mm	162,0 mm	162,0 mm
Hubraum (je Zylinder)	3,076 l	3,076 l	3,076 l
Hubraum (gesamt)	27,7 l	27,7 l	27,7 l
Verdichtung	6,5	6,0	6,5
Ein- und Auslassventile	Je Zyl. 1 Einlass- und Auslassventil	Je Zyl. 1 Einlass- und Auslassventil	Je Zyl. 1 Einlass- und Auslassventil
Zündkerzen	Bosch DW220G1 / DW225ET4/1 (L-1)	Bosch DW220G1	Bosch DW240ET3
Zündfolge	1-3-5-7-9-2-4-6-8	1-3-5-7-9-2-4-6-8	1-3-5-7-9-2-4-6-8
Zündanlage	-	Bosch GE 9 BLS 155/156	Bosch GE 9 BLS 155/156
Anlasser	Bosch Eclipse AL/SCG 24 L/2	Bosch Eclipse	Bosch Eclipse AL/SCG 24 L/2
Arbeitsweise	Schwungkraftanlasser	Schwungkraftanlasser	Schwungkraftanlasser
Vergaser	Pallas-Stromberg NAY 9A	Pallas-Stromberg NAY 9A	Mona Hobson A VT 80B
Untersetzung	keine	keine	0,62
Kühlart	Luft	Luft	Luft
Leistungsdaten			
Erhöhte Kurzleistung	-----	-----	850 PS / 2450 U/min
(Bodennähe)	800 PS / 2230 U/min (1 min) Bodennähe	-----	
Erhöhte Kurzleistung	-----	-----	915 PS / 2450 U/min (1 min) in 2300 m
Kurzleistung (Bodennähe)	720 PS / 2150 U/min (5 min)	720 PS / 2050 U/min (5 min)	780 PS / 2350 U/min (5 min)
Kurzleistung	760 PS / 2150 U/min (5 min) in 1400 m	-----	845 PS / 2350 U/min (5 min) in 2600 m
Erhöhte Dauerleistung (Bodennähe)	650 PS / 2075 U/min (30 min)	----	690 PS / 2250 U/min (30 min)
Erhöhte Dauerleistung	690 PS / 2075 U/min (30 min) in 1800 m	660 PS / 1980 U/min (30 min) in 400 m	760 PS / 2250 U/min (30 min) in 3100 m
Dauerleistung (Boden)	575 PS / 2000 U/min (Dauer)	-----	550 PS / 2100 U/min (Dauer)
Dauerleistung	620 PS / 2000 U/min (Dauer) in 2400 m	592 PS / 1980 U/min (Dauer) in 900 m	625 PS / 2100 U/min (Dauer) in 3800 m
Reiseleistung (Boden)	500 PS / 1900 U/min (Dauer), Boden	---- ----	460 PS / 2000 U/min (Dauer), Boden
Reiseleistung in Höhe:	550 PS / 1900 U/min (Dauer) in 3000 m	525 PS / 1820 U/min (Dauer) in 1550 m	540 PS / 2000 U/min (Dauer) in 4400 m
Treib-, Schmierstoff- und Kühlsystem			
Treibstofftyp	87 Oktan	80 Oktan	87 Oktan
Treibstoffverbr. (Kurzl.)	-----	------	295 g/Psh
Treibstoffverbrauch (Erhöhte Dauerleistung)	-----	------	275 g/Psh
Dauerleistung			240 g/Psh
Schmierstoffverbrauch (Dauerleistung)	-----	------	Mittelwert 2-4 kg/h
Schmierstoff	Intava-Rotring	Gargoyle Rotring	Intava-Rotring
Abmessungen u. Gewichte			
Länge des Motors	1252 mm (G/1, L/1)	1243 mm(G/0, L/0)	1411 mm
Durchmesser	1380 mm	1387 mm	1380 mm
Einbaugewicht	460 kg	450 kg*	525 kg*

* Gewicht mit Vergaser, Zündmagnete, Zündkerzen und Kabel, Drehzählerantrieb, Stromerzeugerantrieb, Antrieb für Kraftstoffpumpe. Wie die Daten des BMW 132 Dc konnte mit dieser Variante eine nicht unbeträchtliche Leistungssteigerung erreicht werden, welche sich in zunehmender Flughöhe um so deutlicher zeigte. Das Handbuch weist eine einminütige Kurzleistung von 915 PS in 2.300 m aus. Bei gleicher Drehzahl und Dauer wird in Bodennähe eine Leistung von 850 PS angegeben.

Das Einheitstriebwerk BMW 132 H/1 (für Zivilbaureihe B-2 und Fw 200 C-1/-2)

Die Krönung der BMW 132-Reihe wurde mit dem sogenannten »Einheitstriebwerk« oder »Schnellwechseltriebwerk« geschaffen. Der BMW 132 H konnte als komplettes Segment, d.h. mit allen zum Betrieb benötigten Komponenten (u.a. auch den Schmierstofftank), ausgetauscht werden. Die Neuerungen beinhalteten zudem sichere, schnell lösbare Verbindungen von Kabeln und Schläuchen zwischen Motoren, Rumpf und Flächen. Somit wurde ein System zur Verfügung gestellt, welches es gestattete, ein Triebwerk innerhalb von 30 Minuten zu wechseln. Während einer Vorführung in Berlin-Tempelhof gelang es am 13. Juli 1938 einem eingespielten 4-Mann-Team, in 25 Minuten einen Motor der DLH-Ju 90 »Bayern« auszutauschen. Die Lufthansa wandte dieses Prinzip auch bei der Fw 200 »Condor« erfolgreich an. Tank sprach in seinem Vortrag von lediglich zwölf Minuten Wechseldauer!

Die wichtigsten Daten des BMW132 H/1 auf einen Blick:

- Auslegung: Neunzylinder-Sternmotor mit 27,72 l Hubraum. Bohrung = 155,5 mm, Hub 162 mm
- Verdichtungsverhältnis 6,5
- Maximalleistung = 1000 PS bei 2550 U/min (100 Oktan)
- Maximalleistung = 880 PS bei 2310 U/min (87 Oktan)
- Maximalleistung = 1010 PS bei 2550 U/min (100 Oktan)
- Maximalleistung = 900 PS bei 2090 U/min (87 Oktan)
- Dauerleistung = 640 PS bei 2090 U/min
- Reiseleistung = 560 PS bei 2000 U/min
- Verbrauch = 220 g/PSh (87-Oktan-Betriebsstoff) bei Reiseleistung

Es entstanden noch zahlreiche weitere Versionen des vielgenutzten BMW 132, welcher auch als BMW 132 F, J, K, M und N mit Einspritz-System gefertigt wurde. Diese Triebwerke waren bis auf -K und -M ausnahmslos als Höhenmotoren mit Getriebe ausgelegt. Laut Werksangabe wurden bis April 1940 13.246 Motoren aller Versionen ausgeliefert. Kostenpunkt: Durchschnittlich RM 22.900,– je Einheit.

Das sogenannte »Einheitstriebwerk« BMW 132 H/1 konnte mit allen zu dessen Betrieb benötigten Komponenten innerhalb einer kurzen Zeitspanne ausgetauscht werden.

Technische Daten BMW 132 H1 (Schnellwechseltriebwerk)

Technische Daten	**BMW 132 H/1**
Allgemeine Daten	
Zylinderanzahl	9
Zylinderanordnung	sternförmige Anordnung
Bohrung	155,5 mm
Hub	162,0 mm
Hubraum (je Zylinder)	3,076 l
Hubraum (gesamt)	27,7 l
Verdichtung	6,5
Ein- und Auslassventile	je 1 Ventil an Ein- und Auslassseite
Zündkerzen	Bosch DW 240ET 3/1 oder Siemens 30 FA14D
Zündfolge	1-3-5-7-9-2-4-6-8
Zündanlage	2 x Bosch GE9BLS 155/156
Anlasser	Bosch Eclipse ALISGC 24L2
Arbeitsweise	Schwungkraftanlasser
Stromerzeugung	Bosch LK 1200/24 CL
Untersetzung	0,62 durch Kegelradumlaufgetriebe
Leistungsdaten	
Erhöhte Kurzleistung (Bodennähe)	1.000 PS (100 Oktan), 880 PS (87 Oktan), 2500 U/min, Limit: 1 Minute
Erhöhte Kurzleistung (300 m)	1.010 PS (100 Oktan), 2550 U/min, Limit: 1 Minute
Erhöhte Kurzleistung (600 m)	900 PS (87 Oktan), 2310 U/min, Limit: 1 Minute
Kurzleistung (Bodennähe)	800 PS, 2.250 U/min, Limit: 5 Minuten
Kurzleistung	830 PS in 1.100 m, 2250 U/min, Limit: 5 Minuten
Dauerleistung (Bodennähe)	640 PS, 2.090 U/min, ohne Limit
Erhöhte Dauerleistung (Bodennähe)	720 PS, 2.180 U/min, Limit: 30 Minuten
Erhöhte Dauerleistung (1.550 m)	760 PS, 2.180 U/min, Limit: 30 Minuten
Reiseleistung (2.500 m)	615 PS, 2.000 U/min, ohne Limit
Treib-, Schmierstoff- und Kühlsystem	
Vergasertyp	Pallas Stromberg. Doppelvergaser, Baumuster NAY-9-A
Treibstoffverbrauch (Kurzl.)	270-300 g/PSh
Treibstoffverbrauch (Dauerl.)	230-260 g/PSh
Reiseleistung	220-235 g/PSh
Schmierstoffverbrauch	1-6 kg/h (Mittelwert = 2-4 kg/h)
Schmierstoff	Intava Rotring oder Intava 100 M
Abmessungen u. Gewichte	
Länge des Motors	1217 mm
Durchmesser	1380 mm
Trockengewicht	530 kg
Einbaugewicht	1050 kg (Gewicht inklusive Verkleidung und Luftschraube)

Mit BMW 132 H/1 waren zudem die Fernaufklärer/Hilfsbomberausführungen Fw 200 C-1 und C-2 ausgestattet. Ab dem Muster C-3 kam der BRAMO 323 R zur Anwendung. Es handelte sich hierbei ebenfalls um einen 9-Zylinder-Sternmotor, jedoch mit etwas geringerem Hubraum (26,82 l), Zweistufenlader und Kraftstoffeinspritzung. Die Startleistung entsprach mit 1000 PS dem Leistungsspektrum des BMW 132 H/1. Die Entwicklung und Technik des BRAMO 323 R wird im Band 2 (militärische Ausführungen) der Fw 200-Typendokumentation ausführlich dargestellt.

Der »Hornet« bildete die Ausgangsbasis für den BMW 132.

Der Pratt & Whitney »Hornet« S1E-G (Fw 200 V1)

Im Zuge der Darstellungen der Fw 200-Antriebe sollte auch dieser amerikanische Motorentyp Erwähnung finden, welcher die Ausgangsbasis für die Entwicklung des später so erfolgreichen BMW 132 bildete. Der »Hornet« erzeugte schon die benötigte Energie für den Erstflug der Fw 200 V1, D-AERE. Erst nach ihrem Umbau wurde der Prototyp mit vier BMW 132 L bestückt, welche sie sicher bis an das andere Ende des »Großen Teichs« und wieder zurück in die Heimat brachten.

Daten zur Historie in Kurzform:

- Im Januar 1926 war die Konstruktion des »Hornet« abgeschlossen.
- In Juni desselben Jahres erfolgte der Erstlauf des 27,7-l-Triebwerks.
- 1930 erhöhte P & W den Hubraum auf 30,4 l.
- Probleme ließen die Konstrukteure wieder zur ursprünglichen Form zurückkehren.

Im Jahr 1935 absolvierte der »Twin Hornet« seinen Erstlauf. Bereits im Folgejahr fiel die Entscheidung, sich auf den Doppelsternmotor R-2800 zu konzentrieren. Dieser Maßnahme, den »Double Wasp« zu forcieren, fielen zukünftig die beiden Motorenmuster »Hornet« und »Twin Hornet«, welcher beispielsweise als Antrieb der DC-4 E diente, zum Opfer. Die Typenpalette wurde somit »gestrafft«, um sich effizienter auf modernere Triebwerke konzentrieren zu können.

Auch die beiden nach Brasilien gelieferten Flugzeuge flogen mit S1E-G-Motoren.

Die Verrippung der BMW 132-Zylinder ist wesentlich filigraner als die des »Hornet«.

Die Backbordfläche der Fw 200 V1 mit Pratt & Whitney »Hornet«-Motoren.

Das Treibstoffsystem

Die Treibstoffbehälter

Das Treibstoffsystem der Fw 200 A umfasste 12 Behälter mit einem Gesamtvolumen von 3.644 l. Die tatsächlich mögliche Füllmenge reduzierte sich hingegen auf 3.062 l. Es handelte sich hierbei auch um Behälter für den Startkraftstoff, welche für Triebwerke des Typs BMW 132 G mit 87-Oktan-Treibstoff, bei den Varianten -L u. -H, mit 100-Oktan-Kraftstoff befüllt wurden. Im Normalbetrieb benötigte der BMW 132 80-Oktan-Flugbenzin, die Muster -L und -H hingegen 87 Oktan. Die gesamte Treibstoffmenge der Zivilausführungen wurde in den beiden Innenflügelhälften mitgeführt.

Die Aufteilung gestaltete sich wie folgt (Reihenfolge von Wurzelnähe nach außen):

- Reisekraftstoff-Behälter für Innenmotoren (je Seite 1 x 435 l = 870 l Füllmenge).
- Startkraftstoff-Tank für Innen- und Außenmotoren (je Seite 2 x 185 l = 740 l Füllmenge).
- Reisekraftstoff-Behälter für Außenmotoren (je Seite 1 x 435 l = 870 l Füllmenge).
- Zusatztanks für Innen- und Außenmotoren zur Erhöhung der Reichweite (je Seite 2 x 145,5 l = 582 l Füllmenge).

Gesamt ergibt dies eine Füllmenge von 3.062 l. Zum Gesamtvolumen der Behälter von 3.644 l entspricht dies einer Differenz von exakt 582 l, welche durch die Füllmenge der Zusatztanks kompensiert werden konnte. Jeder der Tanks verfügte über einen Füllhöhen-Begrenzer, der ein Überschreiten der zugelassenen Menge unterband. Alle Entnahmeleitungen mündeten in einer Ventilbatterie, welche entsprechend der Tankschalterstellung der Entnahmeleitung und der Kraftstoffförderpumpe den Betriebsstoff dem jeweiligen Triebwerk zuführte. Zudem bestand die Möglichkeit, Treibstoff durch eine Ausgleichsleitung zu den Tanks der gegenüberliegenden Innenflügelseite umzupumpen.

Für die Herstellung der Kraftstoffbehälter wurde Elektron verwendet. Ein Bericht der DLH erwähnt, dass verschiedene Tanks sogar durchkorrodiert seien. Focke-Wulf reagierte mit Konstruktionsverbesserungen und führte zudem spezielle Korrosionsschutz-Patronen ein. Die beiden für das Syndicato Condor bestimmten Maschinen erhielten Aluminiumtanks.

Das Tank-Schaltschema

Das Tank-Schaltschema sowie die Detailzeichnung, welche die Platzierung der Behälter im Innenflügel zeigt, wird noch offene Fragen beantworten.

Das Schmierstoffsystem

Die Schmierstoffbehälter (Motorgondel)

Jedes der vier Triebwerke verfügte über einen separaten, am Brandschott zwischen den Motorträgerstreben montierten Schmierstofftank. Jeder der Tanks hatte ein Gesamtvolumen von 55 l. Die maximale Füllmenge betrug hingegen 44 l, welche ebenfalls durch einen Füllmengen-Begrenzer nicht überschritten wurde. Stirnseitig am Behälter befand sich der Schmierstoffkühler, der durch einen Kühlkanal mit dem notwendigen Luftdurchsatz versorgt wurde. Die entsprechende Handbuchzeichnung verdeutlicht den Aufbau und die Funktionsweise des Schmierstoffsystems.

Die Luftschrauben

Im Zuge der Fw 200-Entwicklung kamen Pratt & Whitney-Motoren und BMW-Triebwerke unterschiedlicher Varianten zum Einbau. Um einen größtmöglichen Wirkungsgrad zu erzielen, d. h. mit der stetig gesteigerten Motorleistung auch

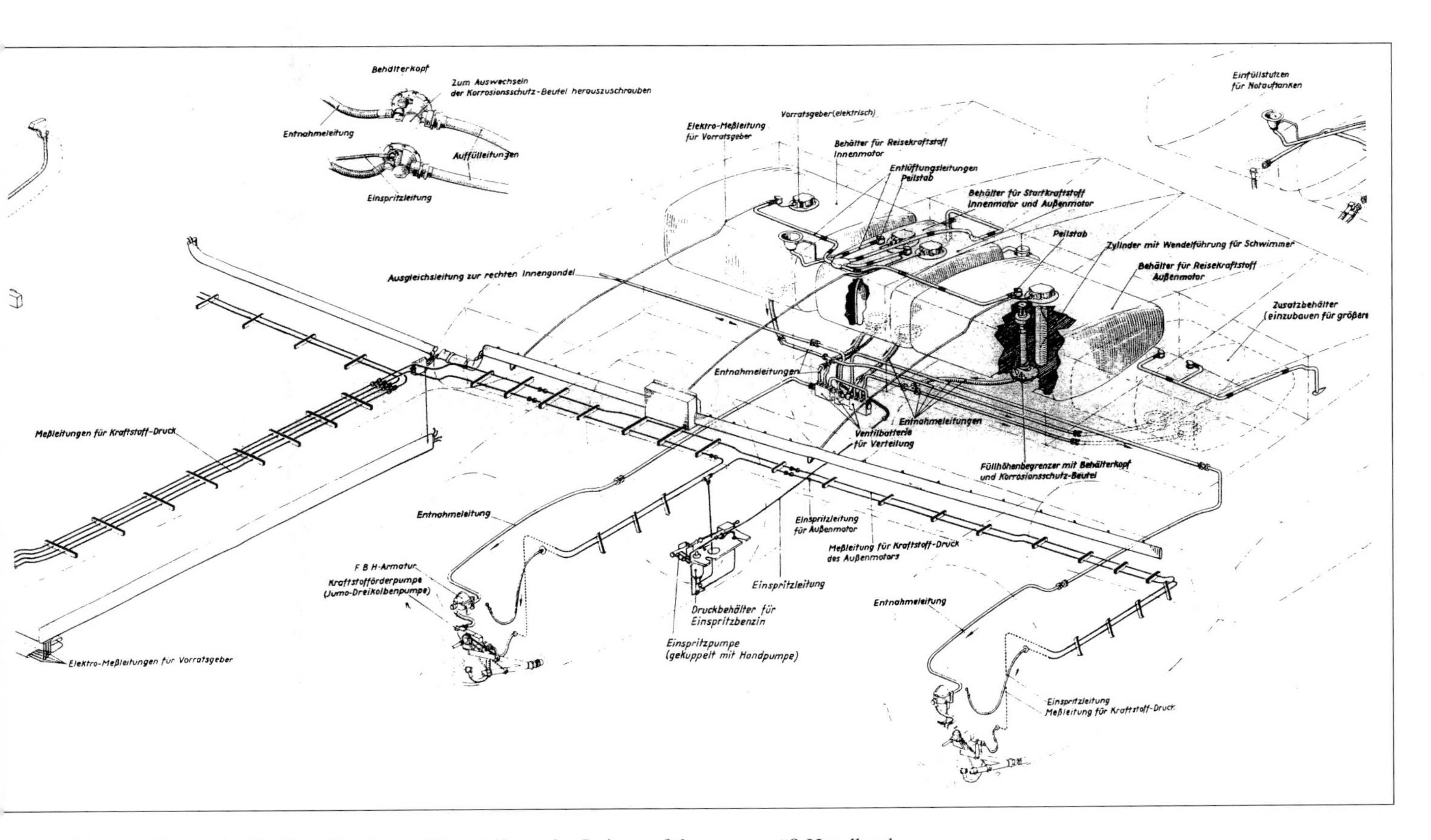

Die Anordnung der Treibstofftanks und Darstellung der Leitungsführung gemäß Handbuch.

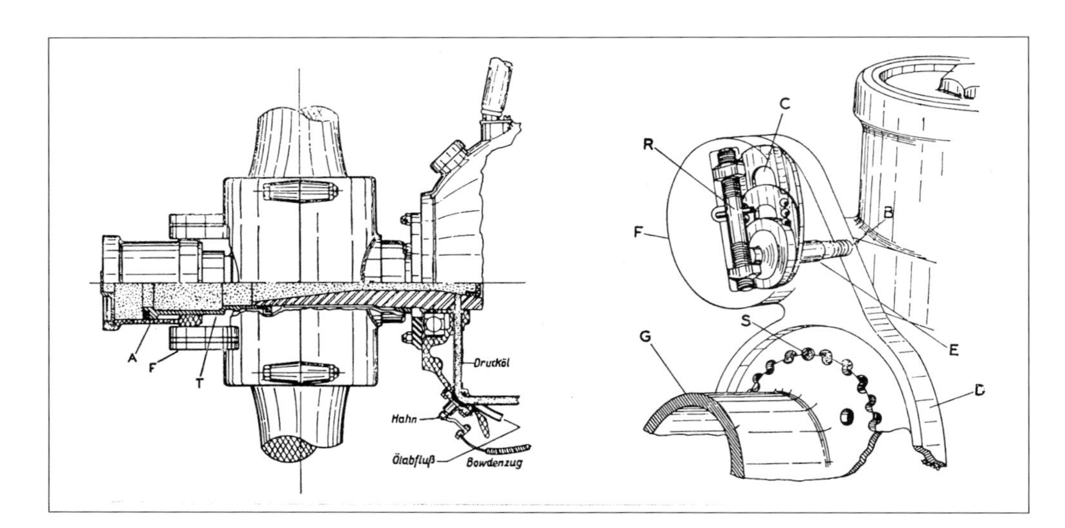

Werkszeichnung der Junkers-Hamilton-Verstellluftschraube.

Die Junkers-Hamilton-Verstellpropeller hatten in der Zweiblattausführung einen Durchmesser von 2,95 m. Das Foto zeigt die D-AXFO während einer Zwischenlandung in Zuge des Libyen-Fluges in Rom (5.4.1939).

die Umsetzung in Vortrieb zu optimieren, fiel die Wahl auf verschiedene Propellertypen. Es handelte sich im Fall des Pratt & Whitney »Hornet« (Fw 200 V1) sowie weiterer V-Muster mit BMW 132 und der Fw 200 A-0-Version um Zweiblatt-Junkers/Hamilton-Luftschrauben. Bei den Folgeversionen Fw 200 B/D fanden, bedingt durch den Einbau des BMW 132 Dc bzw. BMW 132 H/1, Dreiblattluftschrauben der Bauart Junkers-Hamilton Verwendung. Die ersten Propeller der Zweiblatt-Ausführung kamen Mitte der Dreißiger Jahre zum Einsatz. Der Verstellbereich betrug zunächst nur 10°. Dieser ungenügenden Lösung folgte der um 20° verstellbare Junkers-Hamilton »Constant Speed«-Propeller mit 3,35 m Durchmesser. Hier erübrigte sich die Verstellung per Hand durch die Verwendung eines Gleichdrehzahlreglers. Ein Fliehkraftregler steuerte den Zufluss des Drucköls, so dass die optimale Motorendrehzahl im jeweiligen Flugzustand stets eingehalten wurde. Luftschrauben dieses Typs nutzte man ab 1936 bei zahlreichen Zivil- und Militärflugzeugen. Beide Ausführungen waren mit Metallblättern ausgestattet. Der Luftschraubendurchmeser der Zweiblattschraube betrug 2,95 m, der des Dreiblattpropellers 3,35 m. Eine Werksbeschreibung gibt folgende Informationen:

Bezeichnung:
Junkers-Verstell-Luftschraube, Bauart Hamilton
Verwendungszweck:
Zug- und Druckschraube für jedes Flugzeugmuster
Ausführung:
Zwei- und dreiflügelig, für Flansch- und Stummelmotoren
Arbeitsweise:
Von der Druckölleitung des Flugmotors wird in einer besonderen Leitung Öl zu dem vorderen Teil der Luftschraubenwelle geführt. In dieser Druckölleitung ist ein Dreiwegehahn vorn am Motorgehäuse eingebaut, der vom Führersitz aus in zwei Stellungen gedreht werden kann. Einmal fließt das Drucköl vom Motor in den beweglichen Verstell-Zylinder A, der dann nach vorn gedrückt wird. Durch diese Vorwärtsbewegung des Zylinders A wird ein Bolzen B bewegt, der in einem bananenförmigen Schlitz C in dem Schwenkarm D mit Fliehgewicht F gleitet und dadurch die Lage des Luftschraubenblattes verändert. Bewegt sich also der Zylinder A

nach vorn, so wird der Schwenkarm D nach innen gedrückt und der Steigungswinkel des Luftschraubenblattes verkleinert. Soll das Luftschraubenblatt wieder in die ursprüngliche Lage mit dem größeren Steigungswinkel gebracht werden, so wird der Dreiwegehahn so eingestellt, dass die Druckölleitung vom Motor gesperrt wird und das im Zylinder befindliche Öl entweichen kann. Durch die Fliehgewichte F werden Luftschraubenblatt und Verstell-Zylinder A wieder in die alte Lage gebracht.
Blattverstellung: Hydraulisch durch Handschalter am Stand und während des Fluges.
Verstellbereich:
10° von Hand (Startstellung, Reiseflugstellung).
Baustoffe:
Nabe aus Chrom-Nickelstahl, Flügel aus Duralumin.

Die Funkausrüstung

In unseren Tagen hoffnungslos veraltet, damals hingegen modernste Technik, welche Kommunikation, Navigation und aus diesem Grund nicht zuletzt die Flugsicherheit in beträchtlicher Weise erhöhte. Blickt man zurück in die Gründerzeit der »Einheitsgesellschaft«, war bis zum Erreichen des modernen Standards der zweiten Hälfte der dreißiger Jahre noch ein weiter Weg zurückzulegen. Als die ersten Neuerungen in dieser Richtung bei der Luft Hansa eingeführt wurden, hatten so manche der damaligen Lufthanseaten der alten »Garde« ihre Schwierigkeiten, diese technischen Neuerungen zu akzeptieren. Sie kamen noch aus einer Epoche der Luftfahrt, wo man ein paar Instrumente und natürlich den Kompass als wichtig erachtete und ansonsten mit den Augen, und salopp gesagt, mit dem »Hintern« flog. Eine Pilotenspezies, die, falls sie nicht Willens war dazuzulernen, zum »Aussterben« verurteilt war. Die damalige Generation moderner Verkehrsflugzeuge wurde nicht nur nach den neuesten Erkenntnissen konstruiert, sondern sie verfügte neben zahlreichen Schaltern, Bedienhebeln und Instrumenten auch über Gerätschaften, welche man heutzutage als Avionik zu bezeichnen pflegt. Die nachstehende Darstellung dokumentiert den in der Fw 200-Zivilausführung üblichen Ausrüstungsstandard.

Geräte:
- Eigenverständigungsanlage Lorenz EiV 1
- Eigenverständigungsanlage Siemens EiV2
- Eigenverständigungsanlage Lorenz EiV3
- Eigenverständigungsanlage Telefunken EiV4
- Lorenz Kurzwellen-Nachrichtengerät SE207535
  Arbeitsbereich: kW 15-45, 45-60,
  Sendeleistung: 20-30 Watt.
- Lorenz-Langwellen-Nachrichtengerät VP257/LS170
  Arbeitsbereich: 300-600 kHz, Sendeleistung: 100 W
  Das Gerät kam neben der Fw 200 auch in der Ju 90 und Do 26 zum Einbau (VPS 257 – alte Bezeichnung).
- Telefunken-Langwellenpeiler 118N/128N
  Einführung 1936/37 als Langwellen/MW-Peil- und Zielanfluggeräte mit Empfänger E397N (65-1000 kHz).
- Telefunken Langwellenpeiler GV
- Lorenz UKW-Landeanlage FuB1I mit Empfänger EB/1 und EB/2.
  EB/2 mit 2 x NF2 zum Empfang der 38,0 MHz-Signale von Einflugzeichensendern. Die Entwicklung wurde ab 1937 aufgrund einer Ausschreibung der Luftwaffe aufgegeben. Die Werksbezeichnung lautete EB3.
- Nachrüstung mit FuG101a Funkhöhenmesser. Damit sollten alle DLH-Großflugzeuge ausgestattet werden.
- Lorenz UKW-Zielfluggerät (Bord zu Bord) FuG XVIIIZ
- Telefunken UKW-Landeanlage 119 N.

Die Werkstoffe

Betrachten wir am Ende der technischen Darstellung der Fw 200 A noch die Zusammensetzung und Eigenschaften verschiedener zum Einsatz gekommener Werkstoffe. Aufgrund der Komplexität der Thematik Werkstoffe ist an dieser Stelle nur ein vergleichsweise oberflächlicher Einblick möglich. In der Vorreiterrolle befand sich zweifellos Hugo Junkers. Er legte bei verschiedenen Flugzeugentwürfen bereits während der Jahre des Ersten Weltkriegs die Wellblech-Bauweise zugrunde. Zunächst in Eisenblech, später mit Duraluminium, ein Werkstoff, der den Flugzeugbau revolutionierte. Betrachten wir Zusammensetzung und Eigenschaften dieses umwälzenden Werkstoffs etwas näher.
Um dem verhältnismäßig weichen Aluminium eine größere Festigkeit zu verleihen, legierte man es mit verschiedenen Metallen, welche in unterschiedlichen prozentualen Anteilen beigemengt wurden.
Beispiel: Fliegwerkstoff 3115. Das »Rezept« hierfür verlangte folgende Legierungsanteile (in %):
- 3,7-4,7 % Kupfer (Cu)
- 0,6-1,0 % Magnesium (Mg)
- 0,2-0,4 % Mangan (Mn)
- 0,3-0,7 % Silizium (Si)
- 0,5 % Eisen (Fe) und Titan (Ti)
- 0,1 % Zink (Zn)
- Rest Aluminium

Das Material erreichte bei 650°C den Schmelzpunkt. Für Bleche bis 6 mm Stärke galten 42-46 kg/mm² Zugfestigkeit. Mit spezifischem Gewicht von 2,8 lag dieser Werkstoff deutlich unter den bisher verwendeten Eisenmaterialien. Der genannte Werkstoff wurde für Bleche, Bänder, Profile, Stangen, Rohrmaterial, Gesenkgussteile sowie Schmiedestücke verwendet. Die Fliegwerkstoff-Kennung wurde nach 1934 eingeführt. So erhielten alle Werkstoffe Kennzahlen (1. Ziffer), wie 1 = Stahl, 2 = Schwermetalle, 3 = Leichtmetalle.
Duraluminium geht auf eine Erfindung der Dürener-Metallwerke zurück, welche seit 1909 auf der Basis der Erkenntnisse von Wilm (1906) den auch für die Luftfahrt geeigneten Leichtbauwerkstoff herstellten. Hierzu lag das Deutsche Reichspatent Nr. 244554 für Hartaluminium zugrunde. Der Aluminiumanteil lag auch hier bei 93 % plus 7 % Legierungsbestandteile, davon 3,5-4,5 % Kupfer. Soweit einige Ausführungen zu dem »Stoff« aus dem die Flieger sind.
Duraluminium in speziellen Maschinen zu Blechen verschiedenster Dicke verarbeitet, bot dem Flugzeugbauer ein weiteres Plus an Festigkeit. Das Auge des Aerodynamikers war hingegen beim Anblick des Junker'schen Wellblechs alles andere als entzückt.
Schon zu Zeiten des Ersten Weltkriegs zogen vor Junkers »geistigem Auge« riesenhafte, in Metallbauweise erstellte Verkehrsflugzeuge vorüber. Seine Vorstellung reichte bis in utopische Kategorien von bis zu 1.000 Fluggästen. Eine Vision, deren Realisierung erst durch die technischen Möglichkeiten unserer Tage näher rückt. Im Verlauf des 21. Jahrhunderts werden künftige Generationen das Bild des Flugzeugs im herkömmlichen Sinne, so wie wir es kennen, durch Entwicklung neuer Technologien und Werkstoffe sowie weiter wachsende Kenntnisse im Bereich der Aerodynamik gravierend wandeln. Im Zuge dieser Evolution werden auch die Hightech-Wunder unserer Tage eines Tages Museumscharakter besitzen, wie schon die altehrwürdige »Tante Ju«.

Bei der Fw 200 verwendete Werkstoffe

Werkstoff-Bezeichnung	Elektron	Duralumin	Duralumin
Werkstoff	Elektronbleche	Veredeltes Duralumin	Veredeltes Duralumin
Verwendung für	Treibstofftanks, Außenverkleidungen	Hochbeanspruchte Konstruktionsteile	Hochbeanspruchte Konstruktionsteile
Fliegwerkstoff		3115	3125
Werkst.-Kurzzeichen	AM 503	681 ZB1/3	DM 31
Werkstoffgattung	Mg-Legierung	Al-Cu-MG-Legierung	AI-Cu-MG-Legierung
Legierungsanteile	2% Mn, 0,2% Si, Rest Mg. Fw ersetzte aufgrund der aufgetretenen Schäden, welche im DLH-Bericht erwähnt wurden, durch den Werkstoff AM 537	3,7-4,7 %Cu 0,6-1,0 % Mg 0,2-0,4 % Mn 0,3-0,7 % Si 0,5 % Fe und Ti 0,1 % Zn Rest Aluminium	3,7-4,5 %Cu 0,9-1,5 % Mg 0,9-1,5 % Mn 0,2-0,9 % Si 0,5 % Fe und Ti 0,1 % Zn Rest Aluminium
Zustand	Gewalzt	Veredelt (ausgehärtet und nachgerichtet)	Veredelt (ausgehärtet und nachgerichtet)
Herstellung	In gewalzter Form	In gewalzter, gezogener, gepresster und geschmiedeter Form	In gewalzter, gezogener, gepresster und geschmiedeter Form
Werkstoffeigenschaften			
Zugfestigkeit	19-23 kg/mm²	42-46 kg/mm²	46-52 kg/mm²
Streckgrenze	8-14 kg/mm²	28-34 kg/mm²	32-36 kg/mm²
Bruchdehnung	3-10 %	15-20 %	12-16 %
Elastizitätsmodul	3900 kg/mm²	7300 kg/mm²	7500 kg/mm²
Dauerbiegefestigkeit (bei 10 Millionen Lastspielen)		12-15 kg/mm²	12-15 kg/mm²
Spezifisches Gewicht	1,83 g/cm³	2,8 g/cm³	2,8 g/cm³
Schmelzpunkt	Ca.650°	650°	650°

Technische Daten im Detail – Focke-Wulf Fw 200 A

(Daten von anderen Varianten sind entsprechend gekennzeichnet)

1. Rumpfwerk	
Bauausführung	Ganzmetall-Schalenbauweise
Gesamtlänge	23,85 m
Größte Rumpfhöhe (Bug)	6,00 m (Rumpfstellung waagerecht)
Größte Rumpfhöhe (Heck)	7,50 m (Rumpfstellung waagerecht)
Anzahl der Spanten	11
Anzahl der Längsversteifungen	30 (Seitenschalen L/R), 16 (Untere Schalen)
Anzahl der Schalen	16
Führerraum	4 (2 x Seite, plus je 1 x Ober- u. Unterschale)
Rumpfvorderteil	4 (2 x Seite, plus je 1 x Ober- u. Unterschale)
Rumpfmittelteil	4 (2 x Seite, plus je 1 x Ober- u. Unterschale)
Rumpfhinterteil	4 (2 x Seite, plus je 1 x Ober- u. Unterschale)
Beplankung	Ganzmetall
Rumpfaufteilung (in Reihenfolge)	
Führerbereich	Zwischen Spant 1 und 3 (2,25 m)
Rumpfvorderteil	Zwischen Spant 3 und 5 (4,63 m)
Rumpfmittelteil	Zwischen Spant 5 und 7 (7,23 m)
Rumfhinterteil	Zwischen Spant 7 und 11 (2,85 m)
Vorderer Gepäckraum	Zwischen Spant 3 und 4 (2,25 m³, 140 x 110 cm)
Hinterer Gepäckraum	8,30 m³ (285 x 140 cm)
Postraum	1,53 m³ (100 x 95 cm)
Stewardraum/Anrichte	Zwischen Spant 3 und 4 (140 x 50 cm)
Waschraum	Zwischen Spant 6 und 7 (Rumpfmittelteil), 100 x115 cm
Garderobe für Besatzung	Zwischen Spant 7 und 8
Ladeluke (zwischen Spant 3 und 4)	85x65 cm (Rumpfboden)
Ladeluke (im hinteren Gepäckraum)	110 cm Breite (Rumpfseite, steuerbord)
Fluggasträume (Fläche)	22,30 m²
Fluggasträume (Inhalt)	40,60 m³
Größte Kabinenbreite	2,35 m
Reisende im Rumpfvorderteil	9 (Raucherabteil, L = 3,23 m)
Reisende im Rumpfmittelteil	16+1 (Nichtraucher, L = 6,23 m)
2. Tragwerk	
Konfiguration	Freitragende Ganzmetallbauweise, trapezförmig
Zerlegbarkeit	1 Mittelstück, 2 Außenflügel
Spannweite über alles	32,84 m (V1 vor Umbau 32,97 m)
Flächeninhalt	118,00 m² (V1 vor Umbau 120,00 m²)
Größte Flügeltiefe	4,92 m

Mittlere Flügeltiefe	3,70 m
Endtiefe	2,00 m
Flügelstreckung	9,14 m
Bruchlastvielfaches	5,10
Flächenbelastung (b. max. Fluggew.)	144,07 kg/m²
V-Stellung	5° (Außenflächen)
Pfeilung der Vorderkante	7° (Außenflächen)
Anzahl der Rippen (Außenflügel)	35
Anzahl der Holme	1 Hauptholm, durchgehend bei Spant 5, Nasenholm, Holfsholm
Anzahl der Rippen (Innenflügel)	Je 20 Ganz und Teilrippen In Fachwerk- und Vollwandbauweise
Trapezverhältnis	2,46
Wurzeltiefe	4,92 m
Mittlere Flächentiefe	3,70 m
Endtiefe	2,00 m
Art der Beplankung (Außenflächen)	Bis zum Hinterholm metallbeplankt, dahinter stoffbespannt
Enteisungsanlage	Heißluft-System
Befestigung d. Außenfl. A. Innenflügel	Jeweils unten und oben 14 Sechskantschrauben
Befestigung am Rumpf	Schraubenkranz mit Querkraftbeschlag an Rumpfschale (159 Sechskantschrauben)

3. Querruder

Querruder (Außen)	Breite = 3,846 m, Tiefe = 0,835 m
Querruder (Innen)	Breite = 2,614 m, Tiefe = 0,975 m
Fläche (gesamt)	4,88 m²
Lagerung	Inneres Querruder 2-fach, äußeres 3-fach gelagert
Beplankung	Stoffbespannung
Inneres Querruder (Ausschlag)	17,5° unten, 17,5° oben
Äußeres Querruder (Ausschlag)	17,5° unten, 17,5° oben
Trimmklappe (Inneres Querruder, links)	15° unten, 15° oben
Ausgleichskappen	17,5° unten, 17,5° oben
Rippen (inneres Querruder)	15 Vollwandrippen
Rippen (äußeres Querruder)	20 Vollwandrippen

4. Spreizklappe

Bauweise	Ganzmetall
Lagerung	Spreizklappe 1 (3x), Speizklappe 2 (3x), Spreizklappe 3 (3x)
Einbauort	Spreizklappe 1 und 2 im Innenflügel, Spreizklappe 3 an den Außenflächen, insgesamt 6 Segmente
Fläche (gesamt)	6,80 m²
Art der Beplankung	Metallbeplankung
Arbeitsbereich (Start)	12°
Arbeitsbereich (Landung)	60°
Betätigung	Hydraulisch
Struktur	
Spreizklappe 1 (Innenfläche)	12 Vollwandrippen, Vorderholm, Hilfsholm
Spreizklappe 2 (Innenfläche)	15 Vollwandrippen, Vorderholm, Hilfsholm
Spreizklappe 3 (Außenfläche)	12 Vollwandrippen, Vorderholm, Hilfsholm

5. Höhenleitwerk

Bauart	Ganzmetall
Spannweite	10,20 m (V1 vor Umbau 9,60 m)
Flächeninhalt	20,60 m²
Anzahl der Rippen	15 + 15
Anzahl der Holme	Vorderholm, Hinterholm
Art der Beplankung	Metallbeplankung
Verstellbar	Am Boden verstellbar
Höhenruder	
Rippen	21 Vollwand/Fachwerkrippen
Holme	2
Lagerung	3-fach
Art der Beplankung	Stoffbespannung
Arbeitsbereich	25° unten, 30° oben
Höhen-Trimmruderklappe	15° unten, 15° oben
Ausgleichsklappe	15° unten, 15° oben

6. Seitenleitwerk

Seitenleitwerksfläche	10,00 m²
Anzahl der Holme	Vorderholm, Hinterholm
Anzahl der Rippen	7
Art der Beplankung	Metallbeplankung
Bauart	Ganzmetallbauweise
Arbeitsbereich d. Seitenruders	30° links, 30° rechts
Trimmklappe	25° links, 25° rechts
Ausgleichsklappe	3-12° links, 3-12° rechts

7. Fahrwerk

Hauptfahrwerksräder (Abmessung)	1260 x 425
Federbeine (je Einheit)	2 x Luft/Öl-Federbein

Spurweite	5,87 m
(Ruhende Radlast)	7300 kg
Spornrad (Abmessung)	500 x 180
Federbein	Luft/Öl-Federbein
Fahren in Stellung	Hydraulisch, Notsystem elektrisch

8. Funkausrüstung

Eigenverständigungsanlage	Lorenz EiV 1 Siemens EiV2 Lorenz EiV3 Telefunken EiV4
Weitere Geräte:	
Lorenz Kurzwellen-Nachrichtengerät SE207535	Arbeitsbereich: kW 15-45, 45-60, Sendeleistung: 20-30 Watt
Lorenz-Langwellen-Nachrichtengerät VP257/LS170	Arbeitsbereich: 300-600 kHz, Sendeleistung: 100 W
Telefunken-Langwellenpeiler 118N/128N	Einführung 1936/37 als Langwellen/MW-Peil- und Zielanfluggeräte mit Empfänger E397N (65-1000 kHz).
Telefunken Langwellenpeiler GV	
Lorenz UKW-Landeanlage FuB1I mit Empfänger EB/1 und EB/2	EB/2 mit 2 x NF2 zum Empfang der 38,0 MHz-Signale von Einflugzeichensendern.
Nachrüstung mit FuG101a	Funkhöhenmesser
Telefunken UKW Landeanlage 119 N	
Lorenz UKW-Zielfluggerät FuG XVIIIZ	

9. Triebwerke

Motorentypen bei Fw 200 A	BMW 132 G und L
Konfiguration	9-Zyl.-Sternmotoren
Startleistung	720 PS bei 2050 U/min (760 PS bei 2150 U/min)
Weitere Details	Siehe Motorentabelle

10. Betriebsstoffanlage

Behälteranzahl (gesamt)	12
Startbehälter (Maximalfüllung)	4 x 185 l = 740 l
Startbehälter (Volumen)	4 x 210 l = 840 l
Reisekraftstoffbehälter (Maximalfüllung)	4 x 435 l = 1740 l
Reisekraftstoffbehälter (Volumen)	4 x 520 l = 2080 l
Zusatzbehälter (Maximalfüllung)	4 x 145,5 l = 582 l
Zusatzbehälter (Volumen	4 x 181 l = 724 l
Reisekraftstoff	80 Oktan
Startkraftstoff	87 Oktan
Behälterinhalt (Gesamtvolumen)	3644 l
Behälterinhalt (tatsächlich befüllt)	3062 l
Schmierstoffanlage	
Schmierstoffbehälter (Maximalfüllung)	4 x 44 l
Schmierstoffbehälter (Volumen)	4 x 55 l
Schmierstoffart	Intava Rotring

11. Luftschrauben

Bauart	Bei BMW 132 G Junkers-Hamilton-Zweistell-Metallschraube (2,95 m) Bei BMW 132 H/Dc Junkers (Lizenz Hamilton »Constant Speed«-Metallluftschraube mit 3,35 m Durchmesser)

12. Enteisungsystem

Tragwerk	Heißluftenteisung
Höhenflosse	Gummienteiser } Arbeitsweise: Druckluft (Gummienteiser)
Seitenflosse	Gummienteiser
Luftschraube	Flüssigkeitsenteisung

13. Gewichtsdaten

Leergewicht	9800 kg
Rüstgewicht	10 925 kg
Kraftstoff	2600 kg
Schmierstoff	280 kg
Besatzung	320 kg
Passagiere	2875 kg
Abfluggewicht (max.)	17 000 kg (V1 = 14 000 kg, 21 500 kg D-ACON)

14. Leistungsdaten

Höchstgeschwindigkeit (BMW 132 L)	340 km/h in Bodennähe
Reisegeschwindigkeit (BMW 132 L)	325 km/h in 1000 m
Landegeschwindigkeit	110 km/h
Steigzeit	6 m/sek.
Dienstgipfelhöhe	6000 m
Reichweite	1700 km
Flugdauer	5 h 40 min
Startstrecke (Hindernis 20 m)	600 m

Die Fw 200 im Urteil der Lufthansa

Abschließend zum Thema Technik der Auszug eines DLH-Berichts, welcher in einer Zusammenfassung Auskunft bezüglich der Stärken und Schwächen des »Condor« gibt:
»Während der bisherigen Betriebszeit des Musters Fw 200, die sich allerdings mit nur erst wenigen Flugzeugen über knapp ein Jahr erstreckte, sind im großen und ganzen gute Erfahrungen gemacht worden. Flugleistungen und -Eigenschaften sowie die betriebswirtschaftlichen Ergebnisse zeigen einen beträchtlichen Fortschritt gegenüber dem bisherigen Standardmuster Ju 52.
Erwartungsgemäß haben sich auch bei der Fw 200 eine Reihe von kleineren Beanstandungen gezeigt, wie sie naturgemäß bei jedem Neuentwicklungsflugzeug in der Anfangszeit zu erwarten sind. Ein Teil der verschiedenen neuartigen Bauglieder, wie z. B. das Einziehfahrwerk, Dampfheizung, die elektrische Trimmklappenverstellung usw., stellt an den Betrieb und die Wartung erheblich höhere Anforderungen als bei früheren Mustern und wird daher vor allem in der ersten Zeit noch verhältnismäßig störungsanfällig sein, bis sich das Personal mit den neuen Einrichtungen völlig vertraut gemacht hat.
Die Baufirma hat sich in anerkennenswerter Weise bemüht, das Rüstgewicht durch besondere Konstruktionsgrundsätze z. B. konische Bleche, Verwendung von Elektronblechen und durch besonders sparsame Dimensionierung niedrig zu halten. Abgesehen von dem ungünstigen Verhalten der Elektronbleche sind aber Dauerbrüche bisher in verhältnismäßig geringem Umfange eingetreten. Zweifellos werden im Dauerbetrieb aber noch an verschiedenen Stellen kleinere Verstärkungen notwendig werden. Hierdurch wird aber der bisherige günstige Gesamteindruck des Musters Fw 200 nur verhältnismäßig wenig beeinträchtigt.«

Anmerkungen zur Wartbarkeit des Flugzeugtyps
»Bei zwei Fällen, in denen Fw 200-Flugzeuge bei der Landung beschädigt wurden, wurde festgestellt, dass der Aufwand zur Instandsetzung bei diesem Muster gegenüber dem derzeitigen Standard-Flugzeug Ju 52 recht erheblich ist. Auch bei verhältnismäßig geringfügigen Beanspruchungen, wie sie bei Zusammenstößen mit Hindernissen, bei Rollschäden usw. auftreten, können infolge der festigkeitsmäßig stark ausgenutzten Bauweise (Schalenbauweise) umfangreiche Zerstörungen und Verformungen auftreten, die einen hohen Arbeitsanfall im Gefolge haben.«

Die Konkurrenz zur »Condor« im Bild

Diese ansprechende Aufnahme zeigt die Ju 90 D-AURE »Bayern«, welche 1938 von der Lufthansa übernommen wurde.

Die Seitenansicht desselben Flugzeugs. Nicht nur das Fahrwerk macht im Vergleich zur »Condor« einen ungleich rustikaleren Eindruck.

Die Heckansicht von D-AURE. Man beachte die sich fast über die ganze Spannweite erstreckenden Junkers-Doppelflügel.

Junkers Ju 90 V3

Spannweite	35,27 m
Flügelfläche	184,00 m^2
Länge	26,45 m
Höhe	7,05 m
Rüstgewicht	16 500 kg
Abfluggewicht	23 300 kg
Reisegeschw.	320 km/h
Höchstgeschw.	350 km/h
Reichweite	1 540 km
Passsagiere	33–38
Motoren	BMW 132 H-1

Der trapezförmige Flügel maß in der Spannweite 35,27 m (vergl. Fw 200 = 32,84 m). Der Flächeninhalt differierte von 184 m^2 zu 118 m^2.

So hätte wohl der Ju 290-Airliner ausgesehen. Im Bild die L-290 »Orel«, welche in der Tschechoslowakei entstand.

Ein Airliner der Superlative. Die aus der Ju 290 entwickelte Ju 390 wurde als Passagierflugzeug nur in Modellform verwirklicht.

Das beeindruckende Erscheinungsbild des »Condor« mit glänzend schwarzen Farbpartien wirkt sehr ansprechend.

In Serie – Die Produktion für den Zivilmarkt

Allgemeine Anmerkungen

Kurze Zeit nach dem der »Condor« praktisch vom Start weg zum Erfolg wurde, woran glücklicherweise auch die Notwasserung vor Manila das bisher glänzende Bild nicht zu trüben vermochte, als Kurt Tank dies befürchtet hatte, wäre dem beeindruckenden Airliner sicher ein weiterer erfolgreicher Weg vorgezeichnet gewesen. Aufgrund der Kriegsereignisse wandelte sich jedoch das Umfeld gänzlich. Diese neue Situation vereitelte nun auch weitere Geschäfte mit der Lufthansa, welche in den Folgejahren mit Sicherheit noch so manchen »Condor« in ihren Flugpark integriert hätte. Im Umkehrschluss betrachtet, hätte Fw sicher auch nicht mehr als 200 »Condor« für die Luftwaffe produziert. Kaum anders gestaltete sich die Situation im Exportgeschäft. Zwar konnte der Deal mit Dänemark noch unter Dach und Fach gebracht werden, die Airline DDL orderte jedoch nur zwei Maschinen. Anderseits waren lukrative Geschäfte mit den Niederlanden, Japan und Finnland zum Teil bereits vertraglich fixiert, die Lieferungen wurden jedoch auf einen späteren Zeitpunkt verschoben – die Maschinen kamen nie zur Auslieferung! Das »Syndicato Condor«, die Schwestergesellschaft der DLH in Brasilien, erhielt hingegen seine Flugzeuge. Die Niederlande entschieden sich durch diese Situation anders und verzichteten gänzlich auf den »Condor«. Ungeachtet der hochwertigen Technik, welche potentielle Käufer bei Flugzeugen, beispielsweise der Fw 200 oder Ju 90, als Gegenwert erhalten würden, steckte das Exportgeschäft und damit die Beschaffung von dringend benötigten Devisen – nicht nur aus politischen Gründen – in der Krise. Schon im Jahre 1936 zeichnete sich dieser konkurrenzbedingte Trend ab, da zu diesem Zeitpunkt kein Flugzeug aus deutscher Produktion ohne Exportsubvention des Staates verkauft wurde. Dies betraf nicht nur den Durchschnitt der Flugzeuge, sondern auch die damaligen Spitzenkonstruktio-

Die »Arumani« bietet hier einen guten Größenvergleich zur »Tante Ju«.

Hier erinnert nur noch der Schriftzug »Abaitara« an die Zeiten des »Syndicato Condor«.

Die »Jutlandia« mit roten Rumpfzierflächen und schwarzen Motorgondeln.

Um die Gefahr durch irrtümlichen Beschuss zu reduzieren, übertünchte DDL die gesamte Maschine mit einer orangefarbenen Lackierung.

nen, die mit bis zu 40 % der Gestehungskosten aus dem sogenannten Zusatz-Ausfuhr-Verfahren, aus dem Budget des Reichswirtschaftsministeriums, finanziert wurden. Im Jahr 1937 schätzten die Experten, dass beispielsweise die amerikanische Luftfahrtindustrie etwa 25 % kostengünstiger zu produzieren in der Lage sei, als das hierzulande möglich gewesen wäre.
Vergleichszahlen zum Export: 1937 wurden für 34,1 Millionen Reichsmark Kriegsflugzeuge (ohne Ersatzteile) und für 6,2 Mio. RM Maschinen für den Zivilmarkt geliefert. In diesem Jahr befand sich Deutschland im Bereich Luftfahrt-Exporte auf Platz Zwei hinter den USA. Das Jahr 1938 brachte eine Steigerung auf 95 Millionen Reichsmark, im Jahr darauf stieg dieser Wert auf etwa 145 Mio. Reichsmark. Die Gründe für zu hohe Kosten waren unter anderem eine oft unnötig verfeinerte und damit kostentreibende Konstruktions- und Fertigungsweise, welche die Preisspirale antrieb. Insgesamt wurde der Industrie amtlicherseits auch ein »herabgeminderter Sinn für die sparsame Wirtschaft« bescheinigt. Tatsächliche Gewinne konnten im Exportgeschäft lediglich mit Ersatzteilen, Waffen sowie Instrumenten erzielt werden. Daran sollte sich bis Kriegsbeginn nichts Wesentliches ändern. Im Zuge der weiteren Geschehnisse rückten ganz andere Probleme in den Vordergrund. Mit dem Kriegsausbruch wurde auch die Fertigung des »Condor« auf militärische Bedürfnisse umgestellt. Ungeachtet seiner Eignung für Aufgaben im militärischen Bereich hatte die Luftwaffe offensichtlich in Ermangelung eines anderen, auf diesen Aufgabenbereich zugeschnittenes Flugzeug, das dann auch schnell verfügbar gewesen wäre, keine andere Wahl. Hier rächte sich, dass man die Ju 89 oder Do 19 nicht bis zur Serienreife weiterentwickeln ließ. Die ungleich fortschrittlichere Ju 290, deren erstes V-Muster im Juli 1942 seinen Jungfernflug absolvierte, war zu diesem Zeitpunkt noch lange nicht in Sicht. Dieser robuste Flugzeugtyp war als Fernaufklärer ungleich besser geeignet als die Fw 200. Trotz aller vorhandenen militärischen Erfolge des »Condor« war auch Kurt Tank Realist genug, um die Fw 200 in ihrer neuen Rolle als das zu erkennen, was sie war: als eine aus der Not heraus geborene Lösung, die durch laufende Ein- und Anbauten lediglich noch 250 km/h Reisegeschwindigkeit erreichte. Der große Pluspunkt dieses Musters war hingegen klar die zu diesem Zeitpunkt von anderen Mustern unerreichte Flugdauer. Der »Condor« ermöglichte Überwachungsflüge von bis zu 20 Stunden Dauer!

Die Produktion der zivil genutzten Fw 200

Wie Junkers gelang es auch Focke-Wulf nicht, ihre viermotorigen Airliner in einem größeren Maßstab zu vermarkten. Die hierfür verantwortlichen Gründe waren nicht im Produkt begründet, sie kamen lediglich für den zivilen Luftverkehr, weltpolitisch gesehen, zu einem äußerst ungünstigen Zeitpunkt auf den Markt. Was blieb im Fall von Focke-Wulf letztendlich von den ursprünglichen, enthusiastischen Plänen, wie gestaltete sich hierzu die Realität?
Der erste »Condor«, genauer die Fw 200 V1, verließ 1937 die Endmontage. Im selben Jahr folgte das zweite V-Muster. Beides Prototypen, die durch ihre spektakulären Flüge den legendären Ruf des »Condor« begründeten.
Im Folgejahr wurden fünf Fw 200 A fertiggestellt, darunter zwei Airliner des Exportauftrags für Dänemark, welche als KA-1 bezeichnet wurden.
1939 stellte das zweite Produktionsjahr der zivilen Serienmaschinen dar. Von insgesamt sechs Maschinen gingen zwei Flugzeuge an die DLH, zwei weitere an die Tochtergesellschaft der DLH, das »Syndicato Condor«. Zwei andere Fw

Hier entstehen zwei Fw 200 A-0. Man beachte die Installation des Peilrahmens.

200 A waren für das RLM bestimmt, die »Führermaschine« sowie dessen Begleitflugzeug. Im Gesamten bedeutet dies, neben den beiden Prototypen, den Bau von lediglich 16 zivilen Fw 200. Zwei Fw 200 KC-1 wurden als C-2 für die Luftwaffe gebaut.

Wie erwähnt, hatten sich in friedlichen Zeiten noch weitere zivile Aufträge, darunter auch Exportaufträge addiert. Der Vertrag mit der Japanisch-Manschurischen Airline »Nippon Kabushiki Kaisha« beinhaltete fünf Fw 200 B (Exportbez. KC-1), wofür die Werknummern 200-0017/0018/0019//0020/0021 vergeben wurden. Diese Flugzeuge wurden zwar produziert, jedoch nicht an die japanische Airline ausgeliefert. Außerdem orderte die japanische Marine ein Flugzeug gemäß eigenen Vorgaben als Fernaufklärer. Dies dürfte nun auch die »Initialzündung« für den von der Luftwaffe geforderten Fernaufklärer gewesen sein. Weitere neun »Condor« waren für die Niederlande sowie zwei Maschinen für Finnland vorgesehen. Die beiden finnischen Maschinen wurden an DLH geliefert. Im Fall der KLM blieb es lediglich bei der Kaufabsicht. Der beabsichtigte Bau von insgesamt 25 Fw 200 B wurde allerdings aufgrund neuer Prioritäten als C-Version, also in Form einer für den militärischen Bereich bestimmte Baureihe verwirklicht.

Den weitaus größeren Produktionsanteil dieses Flugzeugmusters beanspruchte nun das Militär. In Kurt Tanks Erinnerungen ist zu lesen: »Die Produktion des Kriegs-›Condor‹ wird in das östliche Mitteldeutschland verlegt, weil in Bremen weder Platz noch Sicherheit vor Luftangriffen gegeben ist. Bis Februar 1944 blieb die Fw 200 C in Produktion. Danach nahm man den ›Condor‹ entgültig aus der Fertigung. Die Fw 200 F, ein Muster mit beträchtlich erhöhter Reichweite, blieb auf dem Reißbrett.«

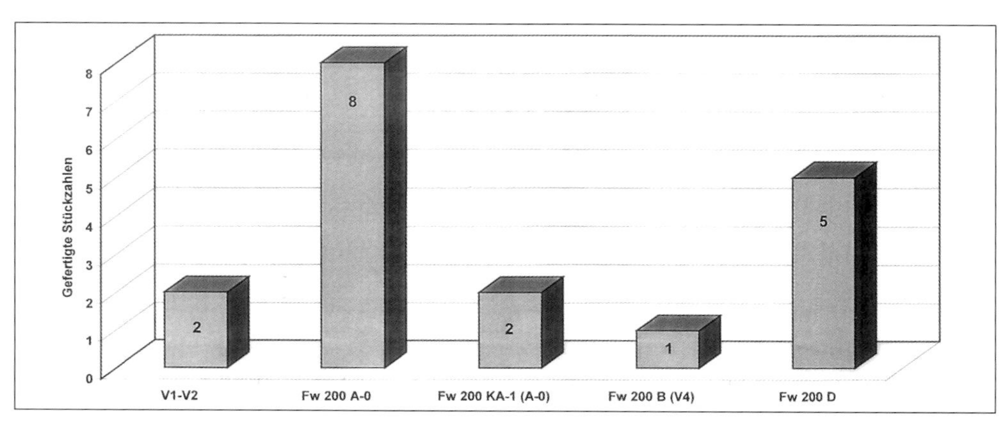

Fertigungszahlen der zivilen Fw 200-Ausführungen.

Werknummern-Verzeichnis der Zivilmaschinen

Werknummern	Version	Kennung	Ursprünglich vorgesehen für	Baujahr	Indienststellung	Halter	Bemerkungen
2000	Prototyp V1	D-AERE D-ACON		1937	Flugerprobung ab September 1937	Focke-Wulf, DLH, RLM	Erstflug am 6.9.1937.
2484	Prototyp V2	D-AETA		1937	1938	DLH/LW	1940 in Norwegen abgeschossen.
2893 (S-1)	Fw 200 A-0	D-ADHR		1938	1938	DLH/LW	1941 zerstört.
2894 (S-2)	Fw 200 KA-1	OY-DAM	DLH	1938	1938	DDL	1941 in England verschrottet.
2895 (S-3)	Fw 200 A-0	D-AMHC		1938	1938	DHL/LW	1943 bei Unfall schwer beschädigt, verschrottet.
2993 (S-4)	Fw 200 KA-1	OY-DEM	DLH	1938	1938	DDL	1946 nach Unfall abgeschrieben.
2994 (S-5)	Fw 200 A-0	D-ARHW		1938	1939	DHL/LW	1944 abgeschossen.
2995 (S-6)	Fw 200 A-0	D-ASBK/PP-CBJ	DLH	1939	1939	Synd. Condor	1950 nach Unfall aus dem Register gelöscht.
2996 (S-7)	Fw 200 A-0	D-AXFO/PP-CBI	DLH	1939	1939	Synd. Condor	1950 aus dem Register gestrichen.
3098 (S-8)	Fw 200 A-0	D-ACVH	DLH	1939	1939	RLM	1941 bei Bauchlandung schwerstens beschädigt, abgeschrieben.
3099 (S-9)	Fw 200 A-0	D-ARHU D-2600 26+00	DLH	1939	1939	RLM	1944 durch Bomben vernichtet.
3324 (S-10)	Fw 200 A-0	D-ABOD		1939	1939	DLH/LW	1940 abgestürzt.
200-0001	Fw 200 B-1		DLH	1939	1939	Luftwaffe	Fw 200 V4 / V10
200-0009	Fw 200 KB-1	D-AEQP	Finnland	1940	1940	DLH/LW	Als Fw 200 D zur DLH, bei KG 40 zerstört
200-0010	Fw 200 KB-1	D-AFST	Finnland	1940	1940	DLH/LW	Als Fw 200 D zur DLH, 1940 zerstört.
200-0017	Fw 200 KC-1	NA+WJ	Japan	1940	1940	Luftwaffe	Als C-2 zur Luftwaffe
200-0018	Fw 200 KC-1	NA+WK	Japan	1940	1940	Luftwaffe	Als C-2 zur Luftwaffe
200-0019	Fw 200 KC-1	D-AWSK	Japan	1940	1940	DLH / LW	Als Fw 200 D zur DLH, 1942 bei LW-Einsatz zerstört.
200-0020	Fw 200 KC-1	D-ACWG	Japan	1940	1940	DLH/LW	Als Fw 200 D zur DLH, 1941 bei KG 40 zerstört.
200-0021	Fw 200 KC-1	D-AMHL	Japan	1940	1940	DLH, FW, LW	Als Fw 200 D zur DLH, 1944 zerstört.

Wurden die zivilen »Condor« noch in Bremen gefertigt, so verlagerte man die Produktion aus Platzgründen aber auch aufgrund der steigenden Gefahr durch Luftangriffe. Die militärischen »Condor« produzierte das Werk Cottbus, danach fertigte Blohm & Voss in Hamburg die Fw 200.

Baubericht Focke-Wulf 200

Wieder einmal ein spannender Vogel. Und ein schöner obendrein.
Modelbautechnisch gibt es nur ein sehr dünnes Angebot: Revell bietet seit den frühen 1970er Jahren einen Bausatz zum Bau einer militärischen C-Variante an. Zu diesem kommen wir im nächsten Heft.
Seit 1991 hat Revell auch einen Bausatz für die früheren Versionen im Angebot, und dies ist Thema dieser Ausgabe.
Strukturell stellt dieser Bausatz die V2 »Westfalen« bis zu den auch militärisch genutzten FW 200 »B« dar. Und im Grunde stimmt der Bausatz für alle diese Varianten, denn das Flugzeug hatte sich bis auf Details in seinen Formen nicht verändert.
Somit kann ich feststellen, dass der Bausatz der frühen „Condore“ in Abmessung und Formgebung den Vorbildern entspricht.
Revell hat auch bei den Oberflächen recht schön gearbeitet. Feine, versenkte Blechstöße und Steuerflächenränder, leichte Andeutung der Stoffbespannungen auf den Steuerflächen und saubere Fensteröffnungen versprechen einen recht einfachen Bau hinsichtlich der Oberflächengestaltung. Kleine Einschränkung der Freude: die Türen sind erhaben graviert und die Flügelwurzelabdeckung fehlt. Und zugegeben: separat gespritzte Steuerflächen und Landeklappen wie beim alten Bausatz ermöglichen ein schöneres Bild.
Die Details des Modells scheinen auf den ersten Blick recht ordentlich, aber spätestens hier muss denn doch nachgearbeitet werden. Während den Fahrwerkgerüsten nur die Bremsleitungen fehlen, fehlt den Reifen bereits recht viel, nämlich Breite. Um die Laufräder korrekt darzustellen, muss man 4,5 mm aufdicken. Nicht schlimm, da die Räder zweigeteilt sind. Also alle Radhälften auf entsprechende Plastikplatte kleben, nach dem Trocknen sauber den Durchmesser schneiden und dann die nun dickeren Hälften zusammenkleben.
Auch die Fahrwerkschächte werde ich beim nächsten Bausatz weglassen und durch entsprechenden Innenausbau des Flügels korrekt darstellen. Hier hat sich leider erst zum Ende des letzten Jahrtausends die Erkenntnis bei den Modellbau-Herstellern durchgesetzt, dass falsche Bauteile genauso teuer sind, wie richtige. In diesem Falle zum Beispiel zwei Holmandeutungen anstelle der Kisten.
Bei den Motoren geht es dann weiter. Die Motorsterne selbst bieten außer den Zylindern keine Details. Da diese aber in weit offenen NACA-Ringen sitzen und ihre Stirnfläche auch nicht von großen Propellernaben versteckt werden, habe ich die sehr auffälligen Luftleitbleche und die Zündgeschirre ergänzt. Die NACA-Hauben selber sind in ihrer einfachen Form brauchbar, es fehlen hier aber die Blechstöße, Verschlüsse und Scharnierbänder. Ergänzend muss man beim Bau aufpassen, welches Flugzeug man auswählt, denn bei einigen sind leichte Beulen auf Höhe der Abgasrohre an der Hinterkante zu erkennen.
Die Innenräume des Modells sind sehr spartanisch, nur das Cockpit ist tatsächlich dargestellt. Auch hier ist Nacharbeit notwendig. Die Sitze sind nur ein simples L-förmiges Teil und sollten Rahmen, Polster und Gurte erhalten, die Instrumententafel muss glatt geschliffen werden (es haben sich hier merkwürdige Riesenuhren verirrt), und die Seitenkonsolen müssen komplett gebaut werden. Die Steuersäulen habe ich verwendet, obwohl diese die zwei verschiedenen Säulen des Originals ignorieren.
Bei der Instrumententafel bin ich auch das erste Mal mit den Abziehbildern in Konflikt geraten. Die dargestellten Instrumente sehen auf den ersten Blick phantastisch aus, haben aber zwei Nachteile: die separaten Instrumententräger erlauben es, einen grauen Tafel-Hintergrund zu malen. Nur leider hat Revell vergessen, die Instrumenten-Gesichter weiß zu hinterlegen... Und der zweite Nachteil: die Abziehbilder sind technisch ein totaler Reinfall. Dick und hart lassen sie sich nur auf glatte Flächen auflegen und sind sehr bruchempfindlich.
Der Funkersitz und -arbeitsplatz fehlen völlig und sollten gebaut werden, und dann ist der Cockpitbereich auch schon fertig. Dahinter – Küche, Passagierkabine, Toilette, Gepäckraum – herrscht gähnende Leere. Bei meinem nächsten Condor-Bausatz wird diese gefüllt wie bei der Ju 90, dieses Mal habe ich darauf verzichtet.
Nach Abschluss des Innenausbaus habe ich den Rumpf geschlossen. Ich habe auf die Kabinenfenster des Bausatzes verzichtet, da diese recht dick sind und in jedem Falle stumpf in die Rumpfwand einzupassen sind; im Prinzip eine gute Variante, die allerdings auch zum Bauende geschehen kann, da sich dann beim Anstrich das Abkleben der Fenster erübrigt.
Der Zusammenbau des Rumpfes erweist sich bei diesem Condor ein wenig Trick-bedürftig. Leider sind die Bodenteile des Rumpfes leicht nach innen eingefallen, so dass man diese auf jeden Fall vor dem Zusammenbau kalt in die richtige Form biegen sollte, um Spachtelarbeiten zu vermeiden. Zeitgleich mit dem Rumpf habe ich auch Flügel und Leitwerk zusammengeklebt, wobei ich bei den Wurzelrippen der Flügel seit Jahren auf das Zusammenkleben eben dieser Rippen verzichte, da sich, wie auch bei Revells Condor, häufig die rumpfseitige Wurzelrippe als nicht identisch zu der flügelseitigen erweist. In diesem Falle haben nach dem Trocknen der Klebungen ein paar Keile bis ca. 1mm Höhe in die Naht der Flügelrippe zur Angleichung der Form der Wurzelrippe geführt.
Beim Anpassen der Flügel an den Rumpf vertrete ich immer den Standpunkt, immer so lange aufbauend, schneidend und schleifend anzupassen, bis die Wurzelrippen aneinander passen. Bei diesem Bau habe darauf verzichtet. Anstelle dessen habe ich einen Satz Holme durch den Rumpf geführt, auf die die Flügel in der korrekten V-Form aufgeschoben werden konnten. Die Flügelwurzel habe ich dann mit Klebeband abgedichtet und von unten mit Resin aufgefüllt. Diese Methode brachte Klebung und Formgebung in der eleganten Einstrakung der Wurzelverkleidung und konnte nach Abschluss des Anstrichs bei relativ geringer Nacharbeit an der Lackierung durchgeführt werden.
Beim Anstrich habe ich mich für die im Bausatz dargestellte D-AETA »Westfalen« in ihrem zweiten Anstrich mit silbernen Flügelnasen entschieden, nicht zuletzt, da ich wegen der Bauzeit-Vorgabe auf die Abziehbilder von Revell zurückgreifen wollte. Also nach Lackierung in Revell 90 »silber« habe ich mich an die Markierungen aus dem Bausatz gemacht. Hierbei musste ich feststellen, dass diese absolut unbrauchbar sind. Nicht nur die gedruckte Darstellung ist falsch – die Kennung für eine (!) Flügelseite ist D – und dann AETA und nicht D – A und dann ETA – ausgeführt, die

Rundungen in der schwarz abgesetzten Nase sind verkehrt und die Fensteröffnungen des Abziehbildes entsprechen nicht denen des Bausatzes – auch das Material der Decals (Bausatz von 1991) ist absolut unbrauchbar. Hart, brüchig und nicht stimmend habe ich nach Aufbringung von drei der Decals das Ganze wieder abgewaschen. Nun ist für den durchschnittlichen Modellbauer guter Rat teuer. Da mir keine Ersatz-Decals vom »Zweiten Markt« bekannt sind, habe ich mir für alle Markierungen am Computer Schablonen erstellt, diese ausgeschnitten und mit der Airbrush lackiert. Lediglich die kleinen Flugzeugnamen und den »Lufthansa«-Schriftzug habe ich aus dem Bausatz übernommen.

Also, nach Anstrich, Zusammenbau Rumpf – Flügel und Reparatur des Anstriches habe ich dann Fahrwerke, Fenster, Kabinenhaube, Antennen, Frischlufteintritt und Positionslampen montiert und es steht ein attraktiver Blickfang in der Sammlung der frühen Airliner.

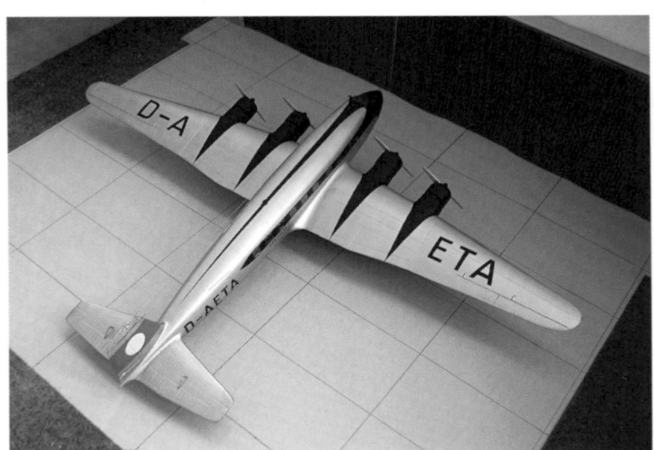

Detailaufnahmen vom Modell der Fw 200 »Condor« von H. Schlüter.